LE DROIT DE CUISSAGE

FRANCE – 1860-1930

Tous droits réservés
© Les Éditions de l'Atelier/Éditions Ouvrières, 1994
ISBN 2-7082-3062-X
ISSN 1242-7462

Imprimé en France   *Printed in France*

Marie-Victoire LOUIS

LE DROIT
DE CUISSAGE

FRANCE — 1860-1930

Les Editions Ouvrières
12 avenue Sœur Rosalie
75013 Paris

De nombreuses personnes m'ont tout au long de ce travail aidée, encouragée, critiquée : André Akoun, Christine Bard, Sylvie Braibant, Huguette Chandez, Sylvie Cromer, Deborah Glassman, Mohammed Harbi, Odile Krakovitch, Madeleine Lafue-Véron, Bernadette Louis, Roger Louis qui aurait été heureux de voir ce livre publié de son vivant, Janine Mossuz-Lavau, Annie Stora-Lamarre, Claude Servan-Schreiber, Marie-Hélène Zylberberg-Hocquard, Olivier Filieul.

Qu'ils et qu'elles en soient ici remercié-es.

Je souhaite aussi rendre hommage à Madeleine Guilbert, Colette Guillaumin, Danièle Kergoat, Patrick Nicoleau.

Sans leurs travaux, ce livre n'aurait pas existé.

Michelle Perrot m'a assurée depuis près de dix ans de son soutien vigilant.

Je souhaite enfin dédier ce livre à cette femme dont – comme tant d'autres – l'histoire n'aura retenu que ce court entrefilet publié le 10 mai 1982, dans *le Quotidien de Paris* : « Une ouvrière de l'Indre est morte brûlée vive par son mari, samedi soir. La jeune femme, âgée de 23 ans, venait de lui raconter que son employeur l'avait violée dans la journée. Furieux, son mari la ligota, l'aspergea de kérosène, avant d'y mettre le feu ».

Depuis lors, son souvenir ne m'a pas quitté.

Préface

Le corps est au centre de toute relation de pouvoir. Mais le corps des femmes l'est de manière immédiate et spécifique. Leur apparence, leur beauté, leurs formes, leurs vêtements, leurs gestes, leur façon de marcher, de regarder, de parler et de rire (provoquant, le rire ne sied pas aux femmes, on les préfère en larmes) font l'objet d'un perpétuel soupçon. Il vise leur sexe, volcan de la terre. Les enfermer serait la meilleure solution : dans un espace clos et contrôlé, à tout le moins sous un voile qui masque leur flamme incendiaire. Toute femme en liberté est à la fois un danger et en danger, l'un légitimant l'autre. S'il lui arrive malheur, elle n'a que ce qu'elle mérite.

Le corps des femmes ne leur appartient pas. Dans la famille, il appartient à leur mari qui se doit de les « posséder » de sa puissance virile, plus tard à leurs enfants qui les absorbent toutes entières. Dans la société, il appartient au Maître. Les femmes esclaves étaient pénétrables à merci. Le système féodal établit des distinctions de temps et de classe. Le seigneur a droit au pucelage des filles serves. Ce « droit de cuissage » ou de « jambage » est attesté par des textes divers dans de nombreux pays d'Europe, avec des possibilités de rachat, pour les barons impécunieux. On discute de la réalité des pratiques et des travaux en cours – on attend à ce sujet l'ouvrage d'Alain Boureau [1] – nous éclaireront sur la construction sociale de cette étrange relation de sexes.

1. A paraître en 1994 chez Albin Michel.

Mais qu'un tel principe, voire une telle représentation, aient pu exister n'en demeure pas moins significatif. Georges Duby nous apprend que si l'amour courtois protégeait la Dame, de plus en plus exigeante sur les manières d'aimer, « le courtois était autorisé à traquer à sa guise la masse des vilaines pour en faire brutalement sa volonté »[1]. Dans les demeures seigneuriales, prostituées, bâtardes et servantes étaient livrées sans entrave à la concupiscence des jeunes mâles, admis à les forcer. Et la domesticité de la Cour fournissait ordinairement une réserve sexuelle au bon plaisir du Prince[2].

Certes, avec le temps, l'intériorisation des valeurs religieuses, les progrès de civilité, la montée du sentiment amoureux lié à un usage des plaisirs qui suppose le souci de soi, les choses ont changé. Mais lentement, incomplètement et inégalement selon les milieux sociaux. La virilité repose sur la représentation d'un désir mâle, naturel, irrépressible, auquel il faut un exutoire. Au XIXe siècle, la prostitution vénale est considérée comme une hygiène nécessaire qu'il suffit de réglementer[3]. Et le recours à la servante de ferme (voyez Maupassant) ou à la petite bonne dans les milieux bourgeois, comme un moindre mal. Forme de dépendance héritée de l'Ancien Régime, la domesticité reste fortement marquée de servitude corporelle[4]. Et de manière générale, les « services », secteur d'emplois largement féminins, comportent l'idée d'un engagement physique. Comme si une femme ne pouvait pas vendre seulement sa force de travail, assignée à l'usage, sans faculté de parvenir à la relative liberté de l'échange.

Cet enracinement des femmes dans le territoire de leur corps est une des clefs de leur extrême difficulté à accéder au salariat, même ouvrier. Car la révolution industrielle n'apporte pas pour elles d'abord de bouleversement, sinon l'extension de leur servitude élargie du cercle familial à l'atelier et à l'usine, avec les mêmes caractères de non qualification, de précarité d'emploi et de dépendance sexuelle. L'embauche, la promotion, les gratifications sont aux mains d'une direction et d'un encadrement masculins, fortement tentés d'user de leurs prérogatives pour en tirer tout le plaisir possible. D'autant plus que la main-d'œuvre est jeune – on est ouvrière de onze-douze ans à vingt-cinq ans –, fraîche, vierge et sans défense.

---

1. *Histoire des femmes en Occident*, tome II, *Le Moyen-Age*, sous la direction de Christiane Klapisch-Zuber, Paris, Plon, 1990, p. 269 (Georges Duby, « Le modèle courtois »)
2. *Histoire des femmes en Occident*, tome II, *op. cit.*, Selon Claudia Opitz, « Contraintes et libertés (1250-1500) », p. 288.
3. Cf. les travaux d'Alain Corbin et de Jacques Solé, cités en bibliographie.
4. Anne-Martin Fugier, *La place des bonnes. La domesticité féminine à Paris en 1900*, Paris, Grasset, 1979, a spécialement analysé ces aspects.

Or le XIXe siècle a plutôt aggravé la sujétion des filles. De même que la loi Le Chapelier avait aboli jurandes et maîtrises et toutes les formes de protection lentement élaborées par les artisans, de même ont été supprimées les mesures qui, sous l'Ancien régime, autorisaient les filles séduites à rechercher leur suborneur. Il existait, dans les communautés villageoises, un quasi devoir d'épouser la fille enceinte, évidemment mal supporté par des hommes de plus en plus mobiles. Le Code Napoléon met ces hommes à l'abri des récriminations féminines en interdisant la recherche de paternité, qui ne sera autorisée à nouveau qu'au début du XXe siècle. Conséquence : voilà le renard libre dans le poulailler (soi-disant) libre, pour reprendre la célèbre formule de List appliquée au libre-échange. Et la courbe des naissances illégitimes bondit, avec celle des abandons d'enfants. Comme les prolétaires dépourvus de droits sociaux, les femmes, les filles surtout, sont livrées à l'exploitation du plus fort. Lorsque de surcroît il est le patron et le chef, tout est possible.

De cette surexploitation des filles, le XIXe siècle, fût-il ouvrier, n'a pris pourtant qu'une conscience tardive, à la dimension de la méconnaissance, voire du mépris de leur souffrance, quantité négligeable. Certes, les moralistes, catholiques surtout, dénoncent l'immoralité des usines et leurs douteuses promiscuités. C'est un thème majeur de l'économie sociale et des enquêtes comme celle du Docteur Louis-René Villermé. Mais ils stigmatisent la sexualité ouvrière, taxée de bestiale, jamais celle des employeurs. Et ils représentent les femmes comme excitantes, voire excitatrices, plus souvent que comme victimes. La solution qu'ils proposent, c'est la non-mixité, hantise d'un temps soucieux de séparer en tout et partout les sexes, réalisée dans les usines-couvents de la région lyonnaise ; ou encore le travail à domicile dont Jules Simon se fait l'apôtre. Le retrait, la soustraction, donc, et finalement l'enfermement dans la maison protectrice. Le mouvement ouvrier n'est pas loin de penser de même. Mais c'est le droit au travail des femmes, et leur liberté individuelle, qui sont ainsi contestés.

Vers la fin du siècle, pourtant, le ton change. La lubricité des directeurs d'usines et surtout des contre-maîtres, ces « valets », ces « chiens-couchants du capital », haïs à la mesure de leur trahison de leurs frères de galère, est un thème récurrent des journaux ouvriers, notamment dans la presse socialiste du Nord de la France, où les « tribunes des abus » du *Forçat, Cri du Forçat, Revanche du Forçat etc.* qui se succèdent dans les années 1885-1890, retentissent d'indignation devant leurs attentats à la pudeur des femmes et des filles de la classe ouvrière, atteinte dans son honneur et dans sa dignité par ce « droit de cuissage » que s'octroient ces « nouveaux seigneurs ». Qu'il entre dans cette désignation une part d'imaginaire politique et social, sans doute. La République naissante forge son identité sur le thème de la Révolution libératrice, destructrice des anciens privilèges y compris pour les femmes. Socialisme et mouvement ouvrier se coulent dans ces représentations. Les capitalistes sont les «nouveaux féodaux» dont le pouvoir est pire encore; l'usine est un fief qui réduit les travailleurs au servage et livre aux patrons le sexe des filles [1].

Il faut pourtant se garder de ne voir là que métaphore de la lutte sociale. Il est probable même que la croyance à l'analogie du propos a servi de voile commode à la brutalité des choses. Pourquoi se soucier de ce qui ne serait que discours? De même qu'on nie le viol des femmes devant le tribunal sous prétexte que tout se passe dans leur tête, voire dans leur désir fantasmé, de même on a sous-estimé l'exploitation sexuelle réelle dont les femmes, et singulièrement les filles du peuple ont été la proie et que migrations, urbanisation, industrialisation ont dans un premier temps accrue, en affaiblissant les liens sociaux traditionnels. Pourtant, on a beaucoup parlé de paupérisation, mais pas de sexualisation.

Peu de travaux historiques ont abordé ce sujet. L'histoire de la sexualité est longtemps demeurée taboue. Celle de la violence exercée sur les femmes plus encore. Les hommes la perçoivent peu; ils ont tendance à la minimiser. Les femmes se sont attachées aux héroïnes positives, aux femmes actives, rebelles et créatrices, plutôt qu'aux victimes. Encore ont-elles préféré l'analyse des souffrances de la maternité [2] à celle du viol ou du harcèlement sexuel.

Les sources, d'autre part, sont difficiles d'accès. Les archives judiciaires sont à cet égard les plus riches; mais elles sont doublement sélectives. D'une part parce qu'elles s'appuient d'abord sur l'évidence de crimes ou de délits réalisés et constatés, la plupart du temps hors d'un commun qui, faute de plaintes, demeure caché. Ensuite parce que le recours à la justice suppose un courage qui s'appuie sur la conscience de son droit et l'espoir d'être entendu. Et ce geste se développe, en effet, au XIXe siècle, jusque dans les campagnes du Gévaudan, comme l'ont montré les travaux d'Elisabeth Claverie et Pierre Lamaison qui y voient le signe d'une progressive individualisation [3]. Mais les femmes et les jeunes filles sont malgré tout les dernières à y recourir. Il n'est pas surprenant que celles qui l'osent s'affirment comme des rebelles,

1. Michelle Perrot, «Comment les ouvriers voyaient leurs patrons», in *Le patronat de la seconde industrialisation*, sous la direction de Maurice Lévy-Leboyer, *Cahiers du Mouvement Social*, Paris, Editions Ouvrières, 1979.
2. Signalons sur ce point la thèse très éclairante de Nadia Maria Filippini, «La Naissance extraordinaire. La Mère, l'Enfant, le Prêtre, le Médecin face à l'opération césarienne (Italie, XVIIIe-XXe siècle)», Paris, EHESS, 1993: les filles pauvres ont été un terrain d'expérimentation pour cette pratique dans laquelle elles mouraient pour les trois-quarts.
3. Elisabeth Claverie et Pierre Lamaison, *L'impossible mariage. Violence et parenté en Gévaudan*, Paris, Hachette, 1982.

féministes à leur manière, ainsi nombre de celles qu'Anne-Marie Sohn a re-trouvées au terme d'une longue et captivante quête dans les dossiers judiciaires de la Troisième République [1]. Encore ces femmes s'insurgent-elles dans le cadre privé et familial. Dans l'entreprise, c'est presque impossible. Elles savent bien ce qu'elles risquent : la moquerie, l'opprobre, le renvoi, l'obligation de four-nir des preuves alors que la parole d'une fille séduite, ou harcelée, pèse peu devant celle d'un homme honorable puisque justement le patron ou le chef. D'où le silence résigné qui enveloppe la sujétion, l'humiliation quotidienne, la gêne, la peur, l'angoisse, le secret emporté parfois dans la fuite, voire dans le suicide. Ce silence originel est un obstacle à la connaissance du citoyen comme de l'historien.

Marie-Victoire Louis a voulu percer cette double chappe de plomb, parce que, comme Marcelle Capy, elle est convaincue qu'«étaler au grand jour la peine des femmes est pour le moment la meilleure façon de leur être utile». Elle a mobilisé des sources extrêmement variées : judiciaires bien sûr, mais aussi parlementaires, ouvrières (presse, études des grèves), littéraires (Maupassant, mais aussi Léon Frapié, Victor Marguerite ont été sensibles à cette injustice), juridiques enfin. La question de la «séduction dolosive» a suscité l'intérêt des juristes, sollicités par les féministes, au tournant du siècle ; thèses de droit et interventions législatives se sont multipliées et le chapitre qu'elle leur consacre est d'un particulier intérêt. Donnant à «droit de cuissage» le sens d'atteintes à la dignité des femmes, Marie-Victoire Louis a traqué les gestes et les pa-roles qui tissent la violence ordinaire. Probe, soucieuse des nuances, son en-quête n'a négligé aucune piste, aucun lieu, aucune profession, mais son apport le plus neuf concerne le monde des usines. Sans mélodrame ni complaisance, elle analyse les effets pervers de la domination sexuelle dans le travail qui trans-forme parfois les femmes en complices et en concurrentes. Le despotisme du sérail repose sur le consentement des victimes muées en rivales. Mais ce consen-tement extorqué est une négation supplémentaire de leur liberté. Elle montre les raisons du silence des unes et des autres, la tacite complaisance des hommes qui minimisent ces «histoires de femmes», rapidement reléguées au second plan dans les revendications de grèves dont elles ont été parfois le détonateur. Elle souligne la résignation des femmes habituées à supporter ce qu'on – à

---

1. Anne-Marie Sohn, «*Les rôles féminins dans la vie privée à l'époque de la Troisième République. Rôles théoriques, rôles vécus*», Thèse de doctorat d'Etat, Université Paris I, sous la direction de Maurice Agulhon, 1993 ; résultat d'une recherche de vingt ans dans les archives judiciaires de tous les départements, cette thèse renouvelle notre connais-sance des rapports de sexes, vus à travers les conflits, dans les milieux populaires. L'auteur insiste sur l'individua-lisation croissante des femmes, leur droit au refus s'exerçant de plus en plus et, au bout du compte, sur le recul du patriarcat.

savoir leurs propres mères – leur a enseigné être leur inéluctable destin. Dans cette passivité Madeleine Pelletier, lucide et indomptable, voyait la clef de voûte du malheur féminin. Qu'elle cesse et le système s'effondrera, pensait cette sympathisante du syndicalisme d'action directe.

Pourtant, au tournant du siècle, les femmes s'impatientent. Une aspiration générale au respect de soi traverse toute l'Europe ouvrière, jusque dans la lointaine Russie où les grèves dites de « dignité » se multiplient [1]. Les travailleurs refusent l'injure, l'interpellation grossière, et jusqu'au tutoiement. Ils exigent d'être traités avec politesse et civilité, de même qu'ils revendiquent des armoires pour changer de vêtement et des toilettes convenables. Ils ne supportent plus qu'on touche à leurs filles et à leurs femmes. Cet empiètement sur leur vie privée devient intolérable à la sensibilité libertaire qu'exprime *Le Père Peinard*. De son côté, le féminisme, en plein essor [2], dénonce la sujétion du corps féminin. Après Flora Tristan et Julie Daubié, Marguerite Durand, Séverine, Marcelle Capy, Aline Valette etc. multiplient constats et protestations et se battent pour tous les droits – civils, économiques, politiques, sexuels mêmes – des femmes. Les résultats législatifs sont encore minces, mais c'est le signe autant que le moyen d'une « conscience de genre » contagieuse.

Elle gagne en effet les femmes du peuple elles-mêmes, de plus en plus frémissantes, désireuses de respect et de propreté, avides de bonheur. Dans leur vie privée, selon la thèse d'Anne-Marie Sohn. Dans leur vie de travail, comme le montre Marie-Victoire Louis en s'appuyant notamment sur les grèves de femmes où les revendications salariales sont souvent moins importantes que la durée du travail, les questions de discipline et de droit à la dignité. Fait de longue durée, mais qui s'accentue à l'aube du siècle nouveau. Signe des temps : la grève des porcelainiers de Limoges, en 1905, un des conflits les plus célèbres de la Belle Epoque par sa ténacité et sa violence (barricades et un tué dans la vieille cité limousine), dont Georges Clancier a fait la matière du *Pain Noir*, est une révolte contre le droit de cuissage qu'un certain Penaud, chef de fabrication chez Haviland, exerçait sur les ouvrières. Le mot est, ici, clairement employé et la chose, dénoncée, jusque dans des complaintes, tragiques ou comiques. Cette fois le syndicat ouvrier local et, la CGT soutiennent les ouvrières. Les journaux, les députés évoquent ces pratiques

    1. Ainsi aux célèbres usines Poutilov de Moscou, selon l'étude (inédite) de Léopold Haimson sur les grèves en Russie avant la Révolution.
    2. Cf. Laurence Klejman et Florence Rochefort, *L'Egalité en marche. Le féminisme sous la Troisième République*, Paris, Fondation Nationale des Sciences Politiques/Des Femmes, 1989; Christine Bard, « *Les féminismes en France. Vers l'intégration des femmes dans la Cité, 1919-1940* », Thèse Université Paris VII, sous la direction de Michelle Perrot, 1993 (à paraître).

qu'on découvre soudain assez générales. L'opinion s'insurge. Et la direction finira par exclure Penaud, après bien des hésitations. Marie-Victoire Louis analyse finement ce conflit exemplaire dont le syndicalisme comme les historiens ont eu par la suite tendance à gommer l'essentiel, tant ils ont du mal à admettre la réalité et l'illégitimité de la violence sexuelle exercée sur les femmes.

Dimension majeure de l'histoire des rapports de sexes, la domination des hommes sur les femmes, rapport de forces inégales, s'exprime souvent par la violence. Le procès de civilisation l'a fait reculer sans l'abolir, la rendant plus subtile et plus symbolique. Il subsiste néanmoins de grands éclats d'une violence directe et sans fard, toujours prête à ressurgir, avec la tranquille assurance du droit de pouvoir disposer librement du corps de l'Autre, ce corps qui vous appartient. Cet ouvrage nous en donne un exemple proche. Il y en aurait bien d'autres sans doute. En cette fin de siècle tourmentée où les équilibres et les régulations patiemment élaborés semblent partout remis en cause, les failles des inégalités – celle des sexes et toutes les autres – peuvent jouer, encore et toujours. Comme s'il fallait tout inventer, le bonheur, la liberté et l'amour.

Le beau livre de Marie-Victoire Louis dissipe une part d'ombre de l'histoire des rapports entre les sexes que toujours menacent les ténèbres de la nuit.

Michelle Perrot.

Introduction

En 1845, un érudit picard, André Bouthors, publie un livre intitulé : *Les coutumes locales du baillage d'Amiens, rédigées en 1507*[1]. Certaines de ces coutumes font explicitement référence à l'existence d'un privilège du seigneur : celui de précéder son vassal dans le lit conjugal, lors de la nuit de noces.

Ainsi la coutume de la terre de Drucat, datée du 28 septembre 1507, précise que le seigneur de Rambure dispose d'avantages particuliers dont celui que l'article 17 définit en ces termes :

> « Quant aucun des subgietz ou subgiettes dudit lieu de Drucat se marye et la feste de noeupces se font au lieu dit de Drucat, le maryé ne poeult couchier la première nuyt avec sa dame de noeupce, sans le congié, licence et auctorité dudit seigneur ou que ledit seigneur ait couchié avecq la dame de noeupce ; lequel congié il est tenu de demander au dit seigneur et à ses officiers ; pour lequel congié obtenir, ledit maryé est tenu bailler ung plat de viande. . avec deux los de bruvaigne. . et est le dit droit appelé droit de cullage ; et d'icelluy droit de cullage le dit seigneur et ses prédecesseurs ont jouy de tout tamps et de tel qu'il n'est mémoire du contraire. »[2]

Ce texte est sans ambiguïté : le mari ne peut avoir de commerce charnel avec la mariée avant que le seigneur ait couché avec elle ou permis au mari de le faire, moyennant une redevance.

---

1. André Bouthors, *Coutumes locales du baillage d'Amiens rédigées en 1507*, Amiens, Imprimerie Duval et Hermant, 2 tomes, 1845.
2. André Bouthors, *op. cit.*, Tome I, p. 484.

La coutume de Maisnil-les-Hesdins, confirme, dans son article 4, l'existence de ce droit et précise les conditions dans lesquelles le mari peut coucher avec son épouse le soir de ses noces. Il doit solliciter l'autorisation du seigneur, faute de quoi, le lit conjugal et les effets s'y trouvant lui sont confisqués :

> « Se aulcuns se conjoident par mariage, en ladite ville et seignourie ou ailleurs, voeullent couchier, la première nuyt de leurs noeupces sur la dite seignourie, soit qu'ilz soient subgetz ou non, le sire de noeupces ne poeult ou doit couchier avec sa femme et espouse, ladite première nuyt, sans demander grâce ou congié de ce faire audit seigneur, sur peine de confiscacion du lit sur lequel les dits conjoingz averoient couchié, et de tout ce qui se serait trouvé sur ledit lit, lendemain au matin, le tout au droit et prouffit d'icelluy seigneur. » [1]

Selon une coutume de Blangny en Artois, de la même date, il est stipulé, dans son article 14, que lorsqu'un étranger épouse une femme résidant sur les terres de l'abbaye, il doit payer à l'abbé un droit, dit droit de cullage :

> « Par aultre coutume, se aucun étranger se marie à aucune femme… et demeurant es mettes d'icelle conté et vient faire sa résidense, avant de coucher avec sa femme, il est tenu de paier ausdits relligieux, abbé et couvent, un dol de deus sols parisis que l'on nomme vulgairement cullage. » [2]

Bouthors cite aussi les coutumes de Caenchi, de Saulx, de Laboulaye, de Gesneville, d'Auxi-le-Château, et se demande si ce droit a jamais été exigé en nature :

> « Quand on songe au pouvoir illimité qu'un maître avait sur ses esclaves de l'un ou l'autre sexe, il est bien permis de le supposer. Celui qui pouvait dire : cet homme est à moi, j'ai le droit de le cuire et le rôtir, était tout aussi fondé à ajouter : cette femme est à moi, les enfants qu'elle met au monde sont ma chose, je puis lever sur elle le tribut du plaisir et féconder le sein dont le fruit m'appartient. En élevant leurs esclaves à la condition de sujet, les maîtres devenus seigneurs ont remplacé par une indemnité le droit auquel ils renonçaient, mais longtemps encore ils ont conservé la tradition de ce droit, moins comme une alternative à laquelle ils pourraient avoir recours en cas de non paiement de l'indemnité stipulée, que comme moyen de rappeler aux descendants de leurs affranchis le souvenir de leur condition originelle. » [3]

En rendant publiques ses sources, André Bouthors pose la question du droit de cuissage comme un problème historique. Sa découverte suscite une polémique qui durera plus de trente ans. Il était difficile de récuser ces textes ;

1. André Bouthors, *op. cit.*, Tome II, p. 626.
2. André Bouthors, *op. cit.*, Tome II, p. 77.
3. André Bouthors, *op. cit.*, Tome I, p. 470.

pourtant l'écrivain catholique, Louis Veuillot, rédige un volumineux ouvrage pour démontrer que « le livre de M. Bouthors ne dit point ce qu'on lui a fait dire » [1], sans jamais citer les coutumes précitées [2].

Droit de cuissage et société féodale ; quelques repères

Le droit de cuissage dans la société féodale n'est pas le propos de ce livre ; son histoire reste à écrire.

Son existence ne paraît cependant pas contestable, comme en témoignent les documents cités. On doit à M. Léon de la Bessade dans un livre intitulé *Le droit du seigneur*, publié en 1878, la bibliographie la plus complète à ce jour. Encore inexploitée, elle comporte près de cent références, en plusieurs langues [3].

Le nombre de termes employés, pour désigner le droit de cuissage est en lui-même révélateur : près d'une trentaine. On peut citer les mots suivants ; pour la France : *cullage* ou *culage*, *couillage*, *culagium*, *culliage*, *cochet*, *coquet*, *conchet*, *couchet*, *déchaussage*, *deschaussaille*, *jambage*, *guerson*, *julie*, *jus cunni*, *jus primae noctis*, *cunnagium*, *konnagium* [4] ; pour l'Allemagne : *Bettmund* (permission du lit), *Jungfernzins* (taxe de la vierge), *Hemdschilling* (denier de la chemise), *Schürzenzins* (taxe du jupon) [5].

La mise en œuvre de ce droit n'a pas toujours eu la même ampleur et a été progressivement abandonnée au profit d'un système de redevance ou d'impôt, parfois lui-même interdit. Un arrêt de la Cour en date du 19 mars 1409 précise :

> « à la poursuite des habitants et échevins d'Amiens, défense fut faite à l'évêque d'Amiens d'exiger argent des nouveaux mariés, pour leur donner congé de coucher avec leur femme la première, deuxième, troisième nuits de noces ; dit que chacun desdits habitants pourra coucher avec sa femme la première nuit de noces sans congé de l'évêque. » [6]

Mais, en Bavière, selon Auguste Bebel, le rachat de ce droit est obligatoire, jusqu'au XVIIIᵉ siècle. [7] Pour l'ethnologue Charles Letourneau, l'exercice de ce

1. Louis Veuillot, *Le droit du seigneur au Moyen-Age*, 1854, in Œuvres complètes, Ière série, VI.
2. Jules Delpit, *Réponse d'un campagnard à un parisien ou réfutation du livre de M. Veuillot sur le droit du seigneur*, J. B. Dumoulin, 1857, p. 30.
3. M. Léon de la Bessade, *Le droit du seigneur*, 1878, Ed. E. Rouveyre.
4. Jules Delpit, *op. cit.*, p. 9.
5. August Bebel, *La femme et le socialisme*, Dietz Verlag, Berlin, D'après la 60e édition, p. 95.
6. Eusèbe de Laurière, *Glossaire du droit français*, 1704, Tome II, p. 307.
7. A. Bebel, *op. cit.*, p. 96.

droit est encore en vigueur au XIXᵉ siècle : « Certains seigneurs des Pays-Bas, de Prusse et d'Allemagne, le revendiquent encore », écrit-il en 1888 [1].

A la veille de la Révolution française, la contestation du droit de cuissage en France suscite poèmes, essais, travaux historiques et juridiques, pièces de théâtres, vaudevilles, opéras [2]. Voltaire écrit *Le droit du seigneur ou l'écueil du sage*, comédie en cinq actes, jouée en 1762 à Paris ; Beaumarchais, *Le mariage de Figaro*, en 1784 ; Mozart compose un opéra : *Les noces de Figaro*, en 1786.

On en est droit de penser que le droit de cuissage n'a pas occupé une place à la mesure de son importance dans l'histoire sociale et politique française. Et pourtant, selon M. Léon de la Bessade : « peu de sujets ont subi le feu des controverses avec une violence, une fréquence aussi grande que le droit du seigneur ; à toutes les époques, sous la plume des hommes les plus illustres, les partis ont engagé la lutte sur la question de ce droit. » [3]

C'est que la reconnaissance de l'existence du droit de cuissage est en effet un enjeu politique et religieux important. Il met à nu des pratiques peu glorieuses ; en outre, certains des seigneurs qui en étaient bénéficiaires étaient des ecclésiastiques.

> « La question est de savoir, peut-on lire sous la plume de Louis Veuillot, si dans ces nations pacifiées, affranchies, fondées, policées par elles, l'Eglise a laissé subsister ou s'établir un droit plus odieux que tous les droits sauvages qu'elle avait détruits ; une coutume qui insultait également au christianisme et au cœur humain ; qui flétrissait la vierge dès qu'elle avait reçu les sacrements du mariage et ne la livrait à l'époux que profanée ; qui faisait de l'adultère un complément nécessaire des fiançailles ; qui corrompait la famille, c'est-à-dire la base essentielle de l'ordre chrétien, au moment où elle se formait devant les autels. » [4]

Voltaire pour sa part parle de « droit infâme » et de « tyrannie féodale.» [5]

Les débats historiques en la matière sont fortement conditionnés par les opinions politiques et religieuses de leurs protagonistes.

Droit de cuissage et société bourgeoise ; quelques hypothèses

Le 4 août 1789, le comte de Noailles propose la suppression des corvées seigneuriales et autres servitudes personnelles, sans rachat. La Révolution

---

1. Charles Letourneau, *L'évolution du mariage et de la famille*, Bibliothèque d'anthropologie, A. Delahaye, 1888, p. 60.
2. Cf la bibliographie du livre de M. Léon de la Bessade, *op. cit.*, p. 182 à 192.
3. Léon de la Bessade, *op. cit.*, p. 191.
4. Louis Veuillot, *op. cit.* p. 14.
5. In Maurice Lachartre, *Nouveau dictionnaire universel*, au mot cullage, 1881.

française abolit donc tous les droits féodaux, y compris le droit de cuissage. Le principe fondateur du droit moderne est posé : la personne humaine est inaliénable.

Les formes nouvelles du droit de cuissage dans la société capitaliste sont très différentes de celles liées au droit féodal, sans doute tombé en désuétude, à la veille de la Révolution française.

Mais la permanence du terme au XIXᵉ siècle ne peut être considérée comme fortuite et purement symbolique. Le capitalisme n'a pas totalement aboli les schémas sociaux et sexuels prévalant dans la société féodale ; la législation révolutionnaire puis napoléonienne codifie et renforce le caractère patriarcal de la société. En 1804, le vote du *code civil,* en 1810, celui du code pénal consacrent le principe de l'inégalité des personnes. Les droits des femmes, au plan civil, sexuel, familial, politique, économique, sont subordonnés à ceux des hommes.

Le droit de cuissage exercé sur les femmes salariées au XIXᵉ siècle peut s'expliquer par la permanence, dans les lieux de travail, de comportements masculins hérités du système féodal qui font du devoir sexuel des femmes l'expression du pouvoir des hommes. Le patron, le contremaître ne disposent plus d'un droit formel sur la personne ; leurs exigences n'ont pas de valeur légale, les femmes peuvent refuser ce qui est exigé. Néanmoins le pouvoir conféré à des hommes qui sont en mesure d'imposer aux femmes leurs conditions pour avoir droit au travail leur permet d'obtenir d'elles une redevance sexuelle. Le droit féodal, progressivement devenu un privilège de quelques-uns devient le pouvoir de beaucoup d'entre eux. Pour Julie Daubié, il s'agit même d'un nouveau droit. Elle écrit en 1869 : « Le privilège de quelques-uns est devenu le droit de tous. » [1]

Ce nouveau droit de cuissage nous suggère quelques questions qui peuvent devenir autant d'hypothèses de travail.

L'institutionnalisation par la société française post-révolutionnaire de la puissance maritale qui confère au mari un droit sexuel exclusif sur sa femme, n'est-elle pas la réponse d'hommes décidés à affirmer leur propre émancipation par rapport aux droits séculaires des seigneurs féodaux ? En d'autres termes, l'affirmation farouche du pouvoir des nouveaux hommes libres dans leur famille, sur des femmes qui sont sous leur tutelle singulière, n'est-elle pas aussi explicable par leur volonté d'être dorénavant seuls maîtres chez eux ?

---

1. Julie Daubié, *La femme pauvre au XIXᵉ siècle*, 1869, p. 75.

L'interdiction de la recherche de paternité, défendue par les auteurs du *code civil*, ne peut-elle être interprétée comme une garantie accordée aux hommes mariés d'être les pères de leurs enfants, droit que l'exercice du droit du seigneur leur déniait? Le droit de cuissage n'a-t-il pas, selon M. Léon de la Bessade, été spirituellement défini comme le droit d'avoir un enfant dont on n'est pas le père? » [1]

En effet, peut-on imaginer une question plus fondamentale pour une société qui se refonde sur de nouvelles bases, que celle des garanties accordées à la transmission du nom, comme de l'héritage? Comment un individu peut-il être garanti dans son droit à la propriété, s'il n'est pas maître de sa descendance? Comment penser que la bourgeoisie ne se soit pas préoccupée, avec la défense de ses biens, de son bien le plus fondamental, celui de sa lignée?

Le coup d'arrêt donné par la Révolution à la protection des droits des femmes contre la séduction masculine [2], n'est-il pas le signe du transfert d'un droit qui n'appartenait qu'à quelques-uns vers un droit plus démocratiquement partagé? Ne peut-on même évoquer, plus hardiment, l'hypothèse selon laquelle le droit donné par le *code civil*, à l'époux d'avoir une maîtresse en dehors du foyer conjugal puisse être interprété comme l'élargissement d'un droit autrefois réservé à quelques-uns: celui de l'accès aux femmes des autres?

Les effets de ces nouveaux droits masculins n'ont-ils pas été aggravés par le fait que la bourgeoisie était en mesure de définir les conditions d'accès au travail, pour les hommes et pour les femmes? Ne s'est-elle pas ainsi donné les moyens de s'approprier les femmes pauvres, les femmes des pauvres, et de mieux dominer ainsi les classes potentiellement dangereuses?

Le maintien de l'expression: droit de cuissage, au XIXe siècle, ne doit cependant pas faire illusion et ne doit pas être pris au pied de la lettre. Il recouvre, en sus de l'exercice formel de ce droit, toutes les formes d'appropriation sexuelle physiques, mais aussi verbales, regroupées sous le terme, plus large et plus vague, d'atteintes à la dignité des femmes. C'est en ce sens que nous le traiterons ici. Il s'agit donc d'évoquer toute la gamme de comportements qui vont des viols aux insinuations mettant en doute les *bonnes mœurs*

---

1. Léon de la Bessade, *op. cit.*, p. 191.
2. Cf Jean-François Fournel, Avocat au Parlement, *De la séduction dans l'ordre considérée sous l'angle judiciaire*, Paris, Demonville 1781.

des femmes salariées, en passant par toutes les formes de pouvoir sexuel (chantages, grossièretés, coups, humiliations, mais aussi toutes les formes du contrôle du corps et de l'habillement), exercés par des hommes sur des femmes sur les lieux du travail.

Le problème des violences ou des chantages entre travailleurs de même sexe, homosexuels ou non, comme entre travailleurs et travailleuses et plus globalement du sexisme ne sont pas abordés dans cet ouvrage. Si le droit de cuissage est un tabou puissant, il en est un, plus fort encore : celui des rapports de pouvoir entre personnes supposées égales. Car il pose *le genre*, en lui-même, comme un rapport hiérarchique.

Chapitre 1
L'environnement politique, juridique, économique : travaux des femmes, pouvoirs des hommes

La situation de la femme se ressent toujours de sa servitude primitive à travers toutes les législations où l'homme seul a fait les lois ; l'idée de son droit à la possession de la femme a persisté et domine encore aujourd'hui la vie toute entière [1].

L'influence indiscutée du préjugé de sexe a présidé à l'élaboration de toutes les lois, et ces lois, à leur tour, réagissent sur l'opinion publique et concourent au maintien du préjugé qui les a inspirées [2].

1. Madame Jeanne SCHMALL, *La question de la femme*, Publication de l'Avant-Courrière, extrait de la *Nouvelle revue*, 15 janvier 1894, p. 3.
2. Madame Jeanne SCHMALL, *Le préjugé de sexe*, Publication de l'Avant-Courrière, extrait de la *Nouvelle revue*, 1er mars 1895, p. 11.

Au XIXe siècle, les femmes sont entrées dans le salariat sans avoir conquis préalablement la libre disposition de leur corps et sans que les barrières juridiques, politiques et sexuelles qui ont été posées pour les maintenir dans la dépendance de leurs pères et de leurs maris aient été levées. La Révolution française et son avatar napoléonien les ont même considérablement renforcées. Léon Richer, un grand juriste et un grand féministe français de la fin du XIXe siècle [1], caractérise ainsi la situation des femmes à cette époque : « Dans le mariage, elle est serve ; devant l'instruction nationale elle est sacrifiée, devant le travail, elle est infériorisée, civilement elle est mineure, politiquement elle n'existe pas. » [2]

1. Le cadre civil, pénal et politique

La législation politique, civile et pénale est fondée sur des distinctions de sexe. La sphère de liberté des femmes face aux pouvoirs des hommes, dans les familles, dans les manufactures ou les entreprises où elles sont employées, ne peut être appréciée indépendamment de la connaissance de ce contexte légal, formellement discriminatoire.

Des femmes sans droits ; la double tutelle masculine et étatique

Selon le *code civil* de 1804 qui, tout autant que la déclaration des droits de l'homme et du citoyen, fonde la société française moderne, la femme n'est libre ni de sa personne, ni juridiquement responsable de ses enfants. Par une dénégation du principe d'égalité, la femme doit obéissance à son mari, tandis que le père est seul investi de l'autorité paternelle. Ni son corps, ni l'usage de son corps, ni sa force de travail, ni ses biens ne lui appartiennent. C'est en mineures ou en incapables, « passant de la tutelle de (leur) famille à celle de (leur) son mari », selon les termes de Bonaparte, que les femmes travaillent à l'extérieur du domicile conjugal. Assimilées aux enfants, elles peuvent même être traitées plus injustement qu'eux ; en effet, pour les enfants

---

1. Sur Léon RICHER, et plus globalement sur les mouvements féministes sous la troisième République, on pourra se référer au livre de Laurence KLEJMAN & Florence ROCHEFORT, *L'égalité en marche. Le féminisme sous la troisième République*, Presses de la Fondation Nationale des Sciences Politiques & Ed. Des femmes, A. Fouque, 1989.
2. Léon RICHER, *Le code des femmes*, Paris, E. Dentu, 1883, p. 14.

mâles, la situation d'inégalité juridique est transitoire, alors que celle des femmes, fondée sur leur sexe, est définitive. Elle se renforce même avec le mariage.

La non-existence politique des femmes est l'expression de leur dépendance singulière. « Dans notre législation telle qu'elle est, écrit Victor Hugo, la femme ne possède pas, elle n'este pas en justice, elle ne vote pas, elle ne compte pas, elle n'est pas. Il y a des citoyens, il n'est pas de citoyennes. » [1] En 1880, la Chambre refuse de voter une proposition de loi qui, sans remettre en cause le principe de la tutelle masculine, aurait accordé des droits civiques aux femmes non mariées.

En 1902, le sénateur Paul Strauss, peut assimiler à un même niveau d'incapacité : « Les femmes, les mineurs, les étrangers et les repris de justice », sans qu'aucune réaction se fasse entendre [2]. De fait, l'article 1124 du *code civil*, qui est encore en vigueur sous cette forme au lendemain de la Première Guerre mondiale, ne considère en fait comme incapables que « les mineurs, les interdits, les femmes mariées dans les cas exprimés par la loi ».

Les revendications des féministes en matière de droits civils pour les femmes restent, au début du siècle, lettre morte. « Le Code est quasi intouchable, il en va de l'équilibre social », écrivent Laurence Klejman et Florence Rochefort [3]. Aucune femme ne fait partie, en 1903, de la commission de révision de ce code.

L'absence de droits politiques des femmes

Les articles 6 et 7 du *code civil* affirment respectivement : « Les droits de l'homme en société sont politiques ou civils » [4] ; « L'exercice de droits civils est indépendant de la qualité de citoyen, laquelle ne s'acquiert et ne se conserve que conformément à la loi constitutionnelle ». Ces articles sont clairs : les femmes sont exclues de la citoyenneté. N'étant ni éligibles ni électrices, elles sont donc soumises à des lois à l'élaboration desquelles elles ne prennent pas part. Les réformes législatives sont donc dépendantes du bon vouloir des parlementaires et des ministres que les femmes doivent gagner à leur cause, sans que ceux-ci ne puissent en attendre des avantages électoraux. Toute proposition de

1. Victor Hugo, *Lettre à Léon Richer*, in Léon Richer, *La femme libre*, Paris, E. Dentu, 1877, p. 324.
2. *Journal Officiel*, Sénat, Compte rendu des débats, Séance du 14 novembre 1902, p. 1126.
3. Laurence Klejman & Florence Rochefort, *op. cit.*, p. 256 et 121.
4. Dans le *code civil* de 1912, l'article 6 devient l'article 8, ainsi rédigé : « Tout français jouira des droits civils ».

réforme législative qui risque de remettre en cause les privilèges masculins, de mettre à mal les intérêts des classes dirigeantes, ceux des maris et pères de famille n'a que peu de chances d'être votée. D'autant que les revendications des femmes sont aisément considérées comme portant atteinte à l'ordre social et hiérarchique, à l'ordre moral et sexuel.

L'obéissance requise de l'épouse

Les femmes n'ayant pas légalement de droits civils propres, c'est à leur père, puis à leur mari de décider ce qu'elles doivent ou ne doivent pas faire. La double contrainte des articles 213 et 214 du *code civil* est l'expression de cette tutelle : « Le mari doit protection à sa femme, la femme doit obéissance à son mari ». « La femme est obligée d'habiter avec le mari, et de le suivre partout où il juge bon de résider ». Certes, l'article 214 précise que « l'époux est obligé de la recevoir et de lui fournir tout ce qui est nécessaire pour les besoins de sa vie, selon ses facultés et son état » ; néanmoins, ce devoir reste largement formel, dans la mesure où, en tant que chef de la communauté, il gère seul les biens communs. Son autorité, en revanche, n'a rien de théorique ; des débats juridiques ont lieu pour savoir dans quelle mesure, avec quelle efficacité, il est possible de faire appel à la puissance publique pour ramener une épouse à son époux [1]. En 1911, une femme mariée est condamnée à réintégrer le domicile conjugal, dans un certain délai, sous astreinte pécuniaire [2].

La violence masculine n'est pas une cause de séparation de corps, tandis que l'on peut évoquer *la conduite* d'une femme, ses *torts,* pour excuser la violence du mari. En 1896, selon un jugement du tribunal civil de Blaye :

> « Il est du devoir des magistrats de bien rechercher les causes des sévices relevés par l'un des époux envers l'autre et d'en rechercher le véritable caractère. Les sévices relevés à l'encontre de l'un des époux, lorsqu'ils n'ont aucun caractère d'habitude et de continuité, sont excusés par la conduite scandaleuse de l'épouse du demandeur. » [3]

De fait, le silence de la loi sur les violences masculines les amnistie trop souvent. Plus encore, il n'est pas rare que les tribunaux cautionnent, justifient ce pouvoir conféré aux hommes de *corriger* leurs femmes. La lecture de

---

1. Cf. Commentaire de l'article 213, *Code civil* de 1864.
2. *La Gazette des Tribunaux*, 7 mars 1911.
3. *Ibid.*, Tribunal civil de Blaye, 12 janvier 1896.

la *Gazette des Tribunaux* est édifiante : nombre d'inculpés ayant battu, violenté leurs femmes répondent tranquillement en justiciers, sûrs de leur bon droit.

La jurisprudence évolue cependant timidement dans le sens d'une diminution des pouvoirs du mari. Un jugement de la Cour d'appel de Bastia, en date du 20 août 1902, affirme :

> « Si, en principe, la femme mariée ne peut se soustraire au devoir de la cohabitation avec son mari, cette obligation est corrélative aux devoirs du mari. La femme ne peut, notamment, être contrainte d'habiter avec son mari qu'autant qu'il peut la recevoir dans un logement convenable et muni de ce qui est nécessaire aux besoins de la vie. En outre et par application du même principe, la cohabitation ne peut être imposée à la femme qui est, de la part de son mari, l'objet d'outrages et d'injustices graves ou de sévices, alors même qu'elle n'a pas formé une demande de divorce ou de séparation de corps. » [1]

Le devoir sexuel conjugal

Ce droit à l'obéissance dont le mari peut se prévaloir, implique que la femme doive se soumettre à ses désirs. La femme ne se donne pas, elle se doit ; le corps, le sexe des femmes appartiennent aux hommes, qui en contrôlent l'usage. Les rapports sexuels sont, pour les femmes uniquement, une obligation incluse dans le contrat de mariage. Selon un jugement en date du 23 février 1899, « l'abstention du mari de remplir le devoir conjugal n'est pas, à elle seule, une injure grave entraînant une séparation de corps, lorsqu'il n'est pas établi qu'elle a été volontaire. » [2] Dans ce contexte, c'est à l'épouse qu'incombe, en l'absence de témoin, la charge de la preuve. Les conditions ouvrant droit au divorce, pour cause de violences sexuelles, sont le plus souvent fonction de l'interprétation, cautionnée par les tribunaux, qu'en donne l'époux. En 1908, une femme dépose une demande de divorce pour sodomie ; elle est déboutée de sa demande. Même « si les agissements du mari constituent un abus de ses droits sur la femme, ils ne peuvent motiver une demande de divorce que s'ils ont pour but de nuire à la santé de la femme ou de lui rendre la vie impossible » déclare le jugement. Le mari a reconnu dans une lettre que « ces procédés intimes ont pu porter atteinte à la santé de sa femme ». Cependant il lui en avait demandé pardon pour « avoir fait une chose qu'il croyait

1. *Ibid.*, Cour d'appel de Bastia, 22 août 1902.
2. *Ibid.*, Cour de Cassation, 23 février 1899.

inoffensive et dans le but de lui faire plus de plaisir et de se l'attacher davantage. » [1]

La législation discriminatoire de l'adultère

Selon Portalis, l'un des principaux rédacteur du *code civil*, « la femme est destinée, par la nature, aux plaisirs d'un seul homme ». Le devoir de fidélité est donc, pour elle, absolu ; seule la femme est passible de prison en cas d'adultère. En outre, selon la jurisprudence, il suffit que le comportement de l'épouse ait prêté à confusion pour qu'elle puisse légalement être tenue pour responsable d'avoir rompu le contrat de mariage. Un jugement en date du 14 août 1894 précise :

> « Le refus par le mari de recevoir sa femme au domicile conjugal ne constitue pas une cause de divorce et n'a pas de caractère injurieux, s'il est justifié par la légèreté de la conduite de la femme. La violation des devoirs conjugaux ne consiste pas uniquement dans les actes d'infidélité que réprime l'article 229 du code civil (Le mari pourra demander le divorce pour cause d'adultère), la légèreté de sa conduite, son manque de réserve, son mépris des convenances lorsqu'ils vont jusqu'à mettre toutes les apparences contre elle, le fait de supporter certaines familiarités compromettantes, doivent être considérés comme de véritables outrages au mari, constituant des injures graves suffisantes pour motiver de la part de celui-ci une demande de séparation de corps. » [2]

Pour sa part, le mari, accusé d'adultère avec une femme mariée, n'est pas personnellement poursuivi ; il n'est que le complice de l'adultère d'une femme mariée. « La loi d'accord avec les mœurs, c'est-à-dire avec les préjugés, affirme Léon Richer, accepte ses infidélités. » [3] Seul le mari « qui a entretenu une concubine dans la maison commune » peut être pénalement poursuivi pour adultère ; il n'est alors passible que d'une amende (Article 230 du *code civil*). A cette exception près, l'adultère du mari est admis. Il est donc légal pour un homme d'avoir une maîtresse, si elle vit sous son toit sans être entretenue ; il peut donc avoir pour maîtresse sa salariée ou introduire sa maîtresse dans son domicile, s'il la rémunère. En outre, puisqu'il est chef de la communauté et, à ce titre, seul responsable des *biens communs,* le mari peut donc, au besoin, user du salaire ou de la dot de sa femme, pour entretenir sa maîtresse. Le cas n'est pas rare. La jurisprudence tente de réagir : s'il

1. *Ibid.*, Tribunal civil de la Seine, 18 et 19 mai 1908.
2. *Ibid.*, 14 août 1894.
3. Léon Richer, *Le code des femmes*, op. cit., p. 80.

est prouvé que le mari a payé l'appartement de sa maîtresse, l'adultère du mari peut être considérée comme une « injure grave ». [1] La loi sur le divorce de 1884 pose civilement en matière d'adultère l'égalité entre hommes et femmes ; mais en matière pénale, la loi reste inchangée [2].

Le droit de mort sur la femme adultère excusé ; les violences masculines contre les femmes

Au nom de cet univoque devoir de fidélité, la loi va jusqu'à excuser « le meurtre commis par l'époux sur l'épouse ainsi que son complice en flagrant délit dans la maison commune ». (Article 324 du *code pénal*). « Nos codes autorisent encore le mari à punir l'adultère de la femme, écrit le sociologue Charles Letourneau, en 1903, c'est-à-dire à se faire juge et bourreau dans une cause où il est trop intéressé. » [3] Les jurys d'assises élargissent considérablement l'interprétation de cet article. De fait, nombre de crimes commis par l'époux, mais aussi le concubin, en dehors de la maison conjugale, sans flagrant délit, et sur simple suspicion d'adultère, sont eux aussi, considérés comme excusables. L'invocation de l'honneur ou de la passion, de l'inconduite réelle ou supposée d'une femme suffit souvent à légitimer ces crimes. Les autopsies effectuées sur les jeunes filles assassinées informent les jurys de l'état de leur hymen : vierges, elles sont jugées moins responsables du crime dont elles sont les victimes. Assassinats, meurtres, tortures, viols, violences exercées par des hommes sur des femmes sont monnaie courante. En 1911, la féministe Madeleine Pelletier écrit : « Il ne se passe pas de jour sans que les journaux regorgent d'assassinats de femmes sans que personne n'y prenne garde » [4], tandis que la même année, la *Gazette des Tribunaux* établit un constat quasi semblable : « Un mari qui vitriole sa femme, c'est un fait si banal qu'il mérite à peine d'être constaté. » [5] C'est essentiellement lorsque le crime est accompagné de vol, lorsque l'on pressent qu'il a été motivé par l'intérêt matériel, que l'assassin est condamné. « Elle me trompait, je l'ai tuée » : cette défense ouvre la voie, sinon à l'impunité, du moins à toutes les circonstances atténuantes.

1. Cf. Francis Ronsin, *Les divorciaires, Affrontements politiques et conceptions du mariage dans la France du XIXe siècle*, Aubier, Paris Montaigne, 1992, p. 242 et 254.
2. Francis Ronsin, *op. cit.*, Note 5, Chapitre 6, p. 378.
3. Charles Letourneau, *La condition de la femme dans les diverses races et civilisations*, Paris, V. Giard & Brière, 1903, p. 496.
4. *La Suffragiste*, Madeleine Pelletier, novembre 1911.
5. *La Gazette des Tribunaux*, 18 janvier 1911.

L'indulgence des tribunaux en la matière encourage ces crimes qualifiés de passionnels et constitue de fait une reconnaissance du droit qu'a le mari de se faire justice soi-même, sans autre forme de procès. En 1901, un Luxembourgeois qui a froidement assassiné sa femme de cinq balles de revolver répond au juge : « Je croyais que la loi française autorisait le mari à tuer sa femme adultère. » [1] Cet étranger n'est pas le seul à le croire, c'est aussi « le fait de gens du monde et de certains littérateurs ». [2] Le conseil donné par Alexandre Dumas fils aux maris trompés est sans ambiguïté : *Tue-la*.

Mais on se souvient moins, dans le même sens, des écrits du père du socialisme français, Proudhon :

> « J'estime que, comme le romain, le mari a sur la femme un droit de vie et de mort…, [droit qu'il codifie en précisant] les cas où un mari peut tuer sa femme. Il s'agit de l'adultère, l'impudicité, la trahison, l'ivrognerie et la débauche, la dilapidation et le vol, l'insoumission obstinée, impérieuse, méprisante. Et si la femme lui résiste en face, il faut l'abattre à tout prix. » [3]

Certains juristes tentent d'expliquer que l'excuse légale n'est pas acquittement, qu'il s'agit, en l'espèce, d'*excuse atténuante* et non pas d'*excuse absolutoire* [4]. De fait, l'exercice est difficile. Nombre de jugements, dans leur tranquille assurance de défendre les droits des hommes à la propriété de leur épouse, sont sereinement barbares.

On note, cependant, quelques réactions ponctuelles de magistrats qui vont à l'encontre de l'approche dominante. Lors d'un procès d'assises, en 1897, l'avocat général affirme :

> « La passion ne saurait être une excuse, elle se trouve dans tous les crimes quels qu'ils soient et ne peut faire échec à ce principe, aujourd'hui consacré par tant de luttes, que la personne est libre dans son cœur, dans son corps et dans sa personne. » [5]

En 1901, un autre avocat général termine ainsi sa plaidoirie : « Monsieur de Cornulier a-t-il vengé son honneur ? Non, il a assassiné sa femme. Le caractère passionnel d'un crime n'est pas un talisman qui excuse. » [6] Enfin, la même année, Mr de Monzie peut terminer son discours d'ouverture de la conférence des avocats à la Cour d'appel, consacrée au jury contemporain et au crime

1. *La Fronde*, 31 Octobre 1901.
2. *La Gazette des Tribunaux*, Chronique, 23 Novembre 1905.
3. Proudhon, *La pornocratie ou les femmes dans les temps modernes*, Paris, A. Lacroix, 1875, p. 90, 190, 203.
4. *La Fronde*, Le mari meurtrier légal, 9 octobre 1902, cf. aussi : *La Gazette des Tribunaux*, 23 Novembre 1905.
5. *La Gazette des Tribunaux*, 31 Janvier 1897.
6. *Ibid.*, 28 avril 1901, Concernant le procès Cornulier, on pourra se référer à *Cette violence dont nous ne voulons plus*, revue de l'Association européenne contre les violences faites aux femmes au travail, No 11, Violences conjugales, Juin 1990, p. 31 à 35.

passionnel par l'affirmation suivante : « Le progrès humain consiste à affirmer toujours davantage la valeur de la vie par-dessus les contingences du désir, de l'orgueil et de la haine. » [1]

Ces rares appréciations humanistes ne sont cependant guère représentatives du fonctionnement de la justice de l'époque.

Les femmes dépossédées

Selon l'article 217 du *code civil*, « la femme, même non commune ou séparée de biens, ne peut donner, aliéner, hypothéquer, acquérir à titre gracieux ou onéreux, sans le concours du mari dans l'acte ou son consentement par écrit ». Non seulement le mari administre les biens communs du ménage, mais, en outre, « il a seul l'administration des biens dotaux pendant le mariage. » (Article 1549 du *code civil*). Il peut les vendre, les aliéner et les hypothéquer, sans l'autorisation de sa femme et n'est même pas contraint de lui allouer une somme proportionnelle à sa dot, pour ses dépenses et ses besoins. A tout le moins, peut-il être convenu, par contrat de mariage, que la femme bénéficiera « d'une partie de ses revenus, pour son entretien et ses besoins personnels » (Article 1549 du *code civil*). Le mari a, en outre, « la gestion de tout le mobilier, fruits, revenus, intérêts et arrérages, de quelque nature que ce soit, échus ou perçus pendant le mariage. » (Article 1401 du *code civil*). Il a enfin « l'administration de tous les biens personnels de sa femme. » (Article 1428 du *code civil*). Le législateur a même été jusqu'à interdire au mari d'émanciper sa femme : selon l'article 223 du *code civil*, « Un mari ne pourra, par aucune convention, même par un contrat de mariage, donner à sa femme le pouvoir général d'aliéner ses immeubles. » Même en cas de séparation de corps et de biens, la femme ne peut vendre ses immeubles. Elle ne peut non plus accepter une donation sans le consentement de son mari (Article 934 du *code civil*).

Selon le régime de droit commun, – le régime communautaire qui, à Paris, au début du siècle, représente la situation de plus de 85 % des ménages [2] : ni les biens, ni le fruit du travail des femmes, ni leur salaire ne leur appartiennent. Ainsi, pour être dépossédée, il n'est pas besoin d'épouser un mari peu scrupuleux, il suffit qu'il soit légaliste.

---

1. *La Gazette des Tribunaux*, M. de Monzies, Conférence des avocats à la cour d'appel, Le jury contemporain et le crime passionnel, 14 décembre 1901.
2. Docteur Edouard Toulouse, *Les leçons de la vie*, Études sociales, Paris, Librairie universelle, 1907, P. 225.

Certains pensent d'ailleurs « qu'en France, c'est moins l'autorité maritale qu'ils exercent sur leurs femmes qui intéresse les hommes que la mainmise sur leur fortune que cette autorité leur confère. » [1]

Quelques timides réformes législatives sont néanmoins votées. Ainsi les lois du 9 avril 1881 et du 20 juillet 1898 relatives à la création des caisses d'épargne autorisent la femme mariée, quel que soit son contrat, de se faire ouvrir un livret ; celle de mars 1906 permet à une femme de garder l'usufruit des biens de ses enfants mineurs.

Le non-accès à la justice

En vertu de l'article 215 du *code civil*, une femme ne peut « ester en jugement sans l'autorisation de son mari ». Même lorsqu'elle peut avoir à plaider contre son propre mari, l'autorisation de celui-ci est nécessaire, à moins qu'il ne s'agisse d'une demande de séparation de biens ou de corps. Ainsi en arrive-t-on à des situations telles que celle-ci. En 1909, un mari est accusé d'une tentative de meurtre sur la personne de sa femme qui, à titre de partie civile, lui réclame 1 franc de dommages et intérêts. Le jour du procès, alors que le mari, à qui l'on vient de retirer les menottes, est dans le box des accusés, le Président fait remarquer à la victime qu'elle ne peut se constituer partie civile contre son époux, sans son accord. Le prévenu, compréhensif, accorde son autorisation. Il est condamné à six mois de prison ; la partie civile se voit reconnaître ses droits. La somme allouée à l'épouse est alors versée à la communauté, gérée par le mari assassin de son épouse. Pour la *Gazette des Tribunaux*, « c'est une ironie de la procédure », mais affirme-t-elle, « la forme est souveraine en la matière. » [2]

En revanche, si la femme est poursuivie « en matière criminelle ou de police, l'autorisation du mari n'est pas nécessaire » (Article 216 du *code civil*). Faut-il rappeler que les avocats, les procureurs, les jurés d'assises sont exclusivement des hommes ? Citons, pour information, les professions des jurés d'assises, le 20 avril 1900. On ne compte ni chômeur, ni ouvrier. Il y a sept commerçants, six dirigeants d'entreprises, trois rentiers, trois négociants, trois employés, deux propriétaires, deux pharmaciens, deux médecins, un vétérinaire, deux fonctionnaires (un à la Chambre des députés, un à l'Intérieur), un

---

1. Carl Nicolaï Starcke, *La famille dans les différentes sociétés*, Paris, V. Girad et Brière. 1899, P. 167.
2. *La Gazette des Tribunaux*, 25 juin 1909.

ingénieur, un architecte, un inspecteur de boucherie, un fabricant de talons, un mécanicien, un emballeur [1].

L'interdiction pour les femmes d'exercer le métier d'avocate sera levée par un arrêt rendu en ce sens par la Cour d'appel de Paris en 1897. La loi du 30 juin 1899, votée par 312 voix contre 160, le confirmera [2]. La première plaidoirie, en Assises, d'une avocate, Maria Vérone, date de 1907.

Plusieurs initiatives féministes, menées notamment par l'association l'*Avant-Courrière*, créée en 1893 et dirigée par Madame Jeanne Schmall aboutiront à ce qu'en juin 1905, une loi autorise la femme mariée à passer outre l'interdiction de son mari pour ester en justice.

Des femmes sans droit au travail : la tutelle étatique et masculine

Dans le cadre étroitement défini par la loi, les femmes obtiennent des hommes ce qui n'est pas encore un droit mais un privilège : la possibilité de travailler à l'extérieur du foyer familial. Interdictions, exigences et autorisations masculines décident donc de l'emploi des femmes. Ainsi, le jour où le mari autorise sa femme à travailler, il affirme son droit de maître ; quand la femme se prévaut de cette autorisation, elle reconnaît son état de dépendance. Si le consentement du mari, avant embauche, est cependant le plus souvent tacite, son accord écrit peut être exigé. Le cas est encore relevé, en 1923, à l'hôpital de Brest, pour les sages-femmes ayant réussi le concours d'entrée de la profession [3]. Ce droit est absolu et s'applique également pour un engagement contracté par la femme avant son mariage. La validité d'un contrat de travail est subordonnée à celle d'un contrat de mariage.

C'est dans les professions du spectacle, jugées plus dangereuses pour l'honneur du mari, où les femmes sont plus indépendantes, que la jurisprudence est la plus importante et la plus stricte. En 1901, le Tribunal civil de la Seine considère qu'en engageant une femme mariée et en la faisant jouer, malgré le refus formel du mari, un directeur de théâtre a commis « manifestement une faute. » [4] Quant au Tribunal civil de Nîmes, il rappelle, la même année, que ce droit marital « comporte comme sanction la faculté pour le mari de réclamer une réparation pécuniaire à tous les directeurs de théâtres ou organisateurs

---

1. *Ibid.*, 20 avril 1900.
2. *Journal Officiel* Sénat, Débats Parlementaires, 27 juin 1899, partiellement reproduits dans *Cette violence dont nous ne voulons plus*, N° 5, Juin 1987, p. 14 à 16.
3. *L'Ouvrière*, Servitude, 7 août 1912.
4. *La Gazette des Tribunaux*, Tribunal civil de la Seine, 18 juillet 1901.

de spectacles qui, dans un intérêt de lucre, s'associent à la résistance que la femme oppose à l'autorité maritale. » [1] Comme le rappelle, sans ambiguïté, en 1904, la doctrine, le droit qu'a un mari d'interdire à sa femme l'exercice de sa profession « n'étant pas contesté; cette dernière est tenue de s'y soumettre. » [2]

La jurisprudence élargit cependant la sphère, encore bien limitée, de la liberté des actrices. Ainsi un jugement de la cour d'Appel de Montpellier du 17 novembre 1902 examine le cas de l'une d'entre elles autorisée par son mari à monter sur scène. Celui-ci prétend, en échange, avoir accès à sa loge. L'arrêt rejette la prétention du demandeur : ayant autorisé sa femme à entrer au théâtre, il a, de fait, « renoncé à la suivre partout où l'exercice de sa profession l'entraînait. » [3]

En cas de contestation, comme le note la juriste féministe Yvonne Netter dans sa thèse consacrée à *L'indépendance de la femme mariée dans son activité professionnelle*, publiée en 1923, les tribunaux tiennent en général compte des objections du mari. Ils statuent rarement en faveur de la femme, lorsque le motif invoqué par le mari qui veut empêcher sa femme de travailler est d'ordre moral, « comme si le prétexte de dignité et de morale empêchait l'arbitraire. » [4]

C'est ainsi qu'en vertu du devoir d'obéissance qui leur est dû, les pères, les maris, en cas de risques réels ou supposés de pressions sexuelles exercées par les hommes avec lesquels elles travaillent, sont légalement à même d'exiger de leur femme, de leur fille qu'elles quittent leur emploi. Non seulement les hommes décident de la vie professionnelle de leurs épouses, mais c'est à eux que la loi confère l'exclusivité de la défense de leur réputation, de leur honneur.

Ainsi, si une femme repousse les avances de son patron ou d'un contremaître, et que ceux-ci, pour se venger, l'accusent publiquement de coucher avec tous les hommes de l'entreprise, elle ne peut les attaquer en diffamation qu'avec l'autorisation de son mari. Encore faut-il que ce dernier croie à sa version des faits, qu'il ne l'oblige pas à démissionner pour couper court à la rumeur, ou qu'il ne décide pas de régler entre hommes l'injure faite à sa femme. « Vous avez vu beaucoup de procès en diffamation intentés par des hommes. En avez-vous vu beaucoup à la requête des femmes ? » s'interroge Léon

---

1. *Ibid.*, Tribunal civil de Nîmes, 29 septembre 1901.
2. *Ibid.*, Tribunal civil de la Seine, 24 janvier 1904.
3. *Revue civile de législation et de jurisprudence*, 1902, p. 214.
4. Yvonne Netter, *L'indépendance de la femme mariée dans son activité professionnelle*, Thèse pour le doctorat, Paris, Presses Universitaires de France, 1923, p. 28.

Richer, qui constate que la réputation des femmes n'est pas pour autant généralement ménagée [1].

Cette dépendance des femmes vis-à-vis de leur mari est aggravée en matière de biens et de salaires ; si un époux peut déposséder sa femme, il est aussi libre de disposer des revenus de son travail. Un dénommé Groel peut être présenté, en 1895, sans commentaire, par la *Gazette des Tribunaux*, ainsi : « Dès qu'il fut marié, il s'empressa de dépenser les économies de sa femme. Il vendit peu à peu le mobilier et vécut, sans rien faire, des gains que faisait sa femme, comme couturière. Cette fois-ci le code ne pouvait plus l'atteindre puisqu'il était régulièrement marié. » [2] La notion de vol entre époux n'existant pas, il n'est pas de recours possible.

Il faut attendre la loi du 13 juillet 1907, adoptée sans discussion et en urgence à l'Assemblée, par ailleurs restée muette sur l'autorisation nécessaire du mari au libre choix de la carrière de la femme, pour que soit posé le principe du libre salaire de la femme mariée [3]. Deux ans auparavant, la *Gazette des Tribunaux*, organe officiel de la Magistrature, avait pris position contre le principe de cette loi, « prétexte à des difficultés à l'intérieur du ménage... où tout finira par être différent... même les intérêts. » [4] De fait, cette loi critiquée par certains juristes « comme portant une atteinte excessive à la puissance maritale » [5] a des conséquences extrêmement limitées. Si l'article 1 pose le principe de la liberté de « la femme mariée sur les produits de son travail personnel et les économies en provenant », l'article 2 prévoit :

> « En cas d'abus par la femme des pouvoirs qui lui sont conférés, dans l'intérêt du ménage, par l'article précédant, notamment en cas de dissipation, d'imprudence ou de mauvaise gestion, le mari pourra faire prononcer le retrait soit en tout soit en partie, par le tribunal civil du domicile des époux. En cas d'urgence, le président du tribunal peut, par simple référé lui donner l'autorisation de s'opposer aux actes que sa femme se propose de passer avec un tiers. » [6]

Le droit du travail pose en outre à l'encontre des femmes un certain nombre d'interdictions spécifiques. D'après la loi du 19 mai 1874, les femmes de 16 à 21 ans ne peuvent pas travailler la nuit. La loi du 2 novembre 1892

---

1. Léon Richer, *Le code des femmes, op. cit.* p. 122.
2. *La Gazette des Tribunaux*, 14 mars 1895.
3. Pour l'historique de cette loi, cf. : A. Orillard, Avocat à la cour d'Appel, *Des droits de la femme mariée sur le produit de son travail*, Poitiers, Imprimerie Blais et Roy, 1897.
4. *La Gazette des Tribunaux*, 1er et 2 mai 1905.
5. Pour un jugement critique de cette loi, cf. Charles Defrenois, *Des droits de la femme mariée sur les produits de son travail, Commentaire de la loi du 13 juillet 1907*, 1908, p. 12.
6. Loi du 13 juillet 1907 relative au libre salaire de la femme mariée et à la contribution des époux aux charges du ménage, *Journal Officiel* du 15 juillet 1907.

élargira la mesure à toutes les femmes. Certaines professions leur sont en outre interdites. Jeanne Chauvin, dans sa thèse soutenue en 1892 : *Des professions accessibles aux femmes en droit romain et en droit français*, plaidera efficacement pour la suppression de toutes les incapacités, « uniques exemples d'exclusion se rencontrant encore... où les lois et les institutions prendraient des personnes à leur naissance et décréteraient qu'elles ne seront jamais, durant toute leur vie, autorisées à concourir pour certaines positions... par une fatalité de naissance que nul ne peut vaincre. » [1]

L'absence de défense syndicale et prud'homale

Le syndicalisme lui-même ne remet que faiblement en cause cette mainmise légale des maris sur le salaire des femmes. Ce n'est en outre que par la loi du 12 mars 1920 que l'autorisation du mari n'est plus exigée en matière d'adhésion syndicale des femmes.

L'affaire Couriau a révélé au grand jour, en 1913, ce que pouvait être la pratique syndicale sur le terrain, au sein d'un syndicat particulièrement misogyne, il est vrai [2]. Emma Couriau, typographe depuis 17 ans, embauchée au tarif syndical dans une imprimerie syndiquée de Lyon, demande, en avril 1913, son adhésion à la Chambre syndicale typographique lyonnaise. Non seulement son adhésion est refusée, mais son mari est exclu de cette même Chambre, en application d'un texte datant de 1906 qui précisait que serait radié « tout syndiqué lyonnais marié à une femme typote, s'il continuait à lui laisser exercer son métier ». Le responsable syndical lyonnais, Botinelli, à qui Louis Couriau tente d'expliquer « qu'il ne se sent pas en droit d'interdire à sa femme de travailler », [3] lui conseille « d'user du droit d'autorité que la loi confère au mari sur sa femme. » [4] Le même Botinelli avait pu se vanter d'avoir « procédé sans haine et sans brusquerie (à) l'éviction de la femme dans l'atelier de typographie. Ainsi (en 30 ans), sans faire de bruit nous avons réussi à faire sortir plus de 100 femmes de l'atelier. » [5] Pour Emma Couriau, ce que cette double exclusion révèle, c'est que « la haine du sexe que l'on a vouée aux

---

1. Jeanne Chauvin, *Des professions accessibles aux femmes en droit romain et en droit français*, Thèse, Paris, E. Giard & Brière, 1892, p. 154.
2. *Cette violence dont nous ne voulons plus*, L'affaire Couriau, N° 7, Syndicalisme et sexisme, Mars 1988, p. 33 à 38.
3. *La Vie Ouvrière*, Juillet 1913.
4. *La Bataille Syndicaliste*, 14 septembre 1913.
5. Botinelli, *La Typographie française*, 16 août 1913.

femmes va jusqu'à se venger bassement sur les époux. » [1] Le jugement de Madeleine Pelletier, en 1912, selon lequel « la classe ouvrière sera la dernière à venir au féminisme » est, à cet égard, sans doute juste. [2]

Très faiblement syndicalisées, très largement dépourvues de protection syndicale, le plus souvent perçues par leurs collègues masculins comme des *jaunes,* les femmes ne sont défendues, dans les instances paritaires, que par des hommes, y compris dans les industries presque exclusivement féminines. Ce n'est que par une loi du 15 novembre 1908 que les femmes peuvent être éligibles aux Prud'hommes. La première femme élue, en novembre 1909, sera Mademoiselle Josselin de la section couture et lingères.

2. L'environnement économique : la contrainte à la prostitution

Si l'accès au travail salarié est la condition nécessaire pour que les femmes aient accès à une vie plus autonome, le processus fut long et douloureux. En outre, pour nombre de femmes, le salariat ne les a pas préservées de la prostitution, lorsqu'il ne les y a pas contraintes.

Jules Guesde avance, en 1884, l'analyse selon laquelle :

> « En période capitaliste, la femme ne peut vivre elle-même de son travail. Elle ne trouve dans la vente de sa force musculaire et intellectuelle qu'un complément tout au plus d'existence. Outrageusement réduit, son salaire l'oblige à demander le reste à l'homme, en tant que mâle : mari, amant ou passant. Elle est condamnée en d'autres termes à faire commerce de son sexe, devenu son principal ou unique moyen d'existence. » [3]

Vingt ans plus tard, une féministe, partisane de l'affranchissement intégral des femmes, néo-malthusienne convaincue, Nelly Roussel, reprend cette même idée :

> « Il n'est guère de métier, où les femmes ne puissent, même par le travail le plus acharné, subvenir complètement à leurs besoins et à ceux de ses enfants. Et ce qui fait son esclavage, ce sont peut-être moins les chaînes légales, l'injurieux article du code civil lui prescrivant l'obéissance que la nécessité ou elle se trouve, neuf fois sur dix, de recourir à un homme qui l'aide à vivre et qui souvent abuse de la

1. *La Bataille Syndicaliste*, Emma Couriau, 21 août 1913.
2. *La Suffragiste*, Madeleine Pelletier, La classe ouvrière et le féminisme, Juillet 1912.
3. *Le Cri du Peuple*, Jules Guesde, A propos du divorce, 12 juin 1884.

situation pour l'humilier ou l'asservir. Mariage régulier, union illégitime ou galanterie, c'est toujours la même chose pour une femme, toujours la même situation
aussi périlleuse qu'humiliante : livrer son corps à un homme en échange du
pain quotidien... Si l'amour se glisse au foyer, c'est par hasard et par exception. » [1]

La liberté des femmes, dont « le salaire tombait un peu plus bas que ce
qui est indispensable pour lui procurer la subsistance » [2] est alors bien limitée : « Pour combler le vide, elle est trop souvent obligée de se rappeler qu'elle
est femme. » [3]

Salaires d'appoint et prostitution

Toutes les enquêtes le démontrent : à l'exception de quelques rares secteurs (métiers de la couture), fonctions (ouvrières qualifiées, contremaîtresses) et statuts précis (fonction publique), le salaire féminin ne peut être
qu'un complément de revenu fourni, par la famille, le mari ou le compagnon,
par la prostitution plus ou moins occasionnelle, ou par les deux à la fois. Si
le *code civil* maintient les femmes dans une situation de dépendance juridique
vis-à-vis des hommes, l'institutionnalisation de la notion de salaire d'appoint
les maintient dans leur dépendance économique. Même lorsqu'elles arrivent
à *s'en sortir,* c'est au prix de lourdes privations. Vivre de son seul salaire, c'est
vivre dans la pauvreté et l'isolement. Comme elles ne peuvent aisément, seules,
aller au restaurant, danser, s'amuser, sortir, *elles prennent quelqu'un.* L'analyse
des budgets des jeunes salariées le démontrent sans ambiguïté : il n'y a pas
de place le superflu, pour les plaisirs de la vie. Aussi, « l'*à-coté* qu'elles
se procurent leur offre, déplore Aline Vallette, socialiste et féministe, avec la
satisfaction de leurs goûts ce que le travail jusqu'à épuisement ne saurait leur
donner : la possibilité de vivre et de sentir vivre. » [4]

Le recours à la prostitution comme nécessaire complément financier ou
comme condition de survie est une réalité dénoncée, de manière récurrente,
tout au long du XIXe siècle. Mais ce qui inquiète les moralistes, c'est
moins l'atteinte à la dignité des femmes que la *dépravation des mœurs* et la dis-
solution de la famille ouvrière qu'elle entraîne. Il faut donc prendre les

---

1. *Le Libertaire*, Nelly Roussel, A Henri Duchemin, 13 au 20 février 1904.
2. Charles Benoist, *Les travailleuses de l'aiguille à Paris,* Paris, L. Challey, 1895. p. 20.
3. *Ibid.*
4. *La Fronde*, Aline Vallette, Les ouvrières et les syndicats, 10 juillet 1898.

appréciations sur les contraintes sexuelles pesant sur les femmes, très marquées par le moralisme ambiant, avec beaucoup de précautions. Distinguant mal ce qui sépare la prostitution de l'union libre ou de l'aide ponctuelle ou durable d'un homme, ces appréciations tendent à accorder la même signification à l'aide d'un mari, d'un concubin, d'un amant, voire d'un maquereau. Aussi, il est rare que les analyses dissocient le concubinage et la prostitution, assimilés dans une même condamnation. Celles-ci projetent l'image du mariage bourgeois sur les unions prolétaires et cachent souvent mal l'aspiration de leurs auteurs à maintenir les femmes sous d'étroites tutelles.

A la fin du XIXᵉ siècle, dans les milieux populaires, le concubinage n'est plus synonyme de mauvaises mœurs que dans la bourgeoisie. Une femme, lors d'un procès, en 1894, répond au Président du tribunal qui semble émettre une appréciation négative sur son statut matrimonial : « Il y a de parfaites honnêtes femmes qui vivent ainsi, (en concubinage) parce que les nécessités de la vie les y ont forcées. » [1] S'il est vrai que pour beaucoup de femmes, le concubinage est un moyen d'échapper aux contraintes légales du mariage, il n'est pas non plus une panacée, dès lors que la frontière qui le sépare de la prostitution n'est pas, elle non plus, clairement tracée.

Cette approche moraliste se double chez les ouvriers, les syndicalistes, les hommes de gauche, d'une autre inquiétude, moins aisément reconnue. C'est souvent hors de leur milieu que les filles du peuple trouvent des *solutions*, mais aussi aspirent à l'amour. Ce sont des étudiants, des fils de famille provinciaux et parisiens mais aussi de « vieux messieurs un peu mûrs mais distingués » [2], qui fréquentent les cafés et les bals et qui arpentent les trottoirs à la sortie des ateliers. Ce sont eux qui ont les moyens d'offrir une aide ponctuelle ou durable, des cadeaux, un bijou, une robe, une mise en ménage à ces *maîtresses à bon marché,* qu'il est facile de quitter quand vient le moment de faire *un beau mariage.* Mais ces midinettes, grisettes et lorettes, ne sont-elles pas aussi attirées par ces hommes, certes, plus ou moins jeunes, mais sans doute mieux habillés, plus raffinés, sans doute moins violents que les hommes de leur milieu ? Non seulement, ces étudiants, ces bourgeois les aident à avoir une vie plus facile, mais ils leur ouvrent des horizons sans doute plus larges, que ceux offerts par les hommes du peuple. Dans la classe ouvrière masculine, on n'apprécie guère ces fréquentations. La presse libertaire exhorte les femmes du peuple à « garder leur beauté et leurs caresses pour le compagnon qu'elles auraient librement choisis... à ne pas s'offrir aux bourgeois apoplectiques. » [3]

1. *La Gazette des Tribunaux*, 20 juillet 1894.
2. *Terre Libre*, Organe syndical d'action directe, Les midinettes, 15 au 15 octobre 1910.
3. *Le Libertaire*, L'antichambre de la prostitution, 8 février 1930.

De fait, elles sont légion, celles qui vivent dans un équilibre, toujours instable, entre les différentes formes de sexualité marchande et le travail salarié. Nombre d'employeurs prennent pour acquis cette réalité, dont ils entendent tirer profit. Aux ouvrières qui revendiquent un salaire décent, certains patrons répondent : « Vous êtes jeune et gentille, prenez un ami pour vous aider » [1]; « Vous n'avez qu'à faire le trottoir » [2], ou enfin : « vous avez toujours le soir pour compléter. » [3] Un entrepreneur affirme à une ouvrière berlinoise : « Cela me désole, mais que voulez-vous que j'y fasse ? On ne m'achètera pas mes corsages un *pfennig* de plus parce qu'ils sont cousus par d'honnêtes femmes. » [4] Dès lors, pour beaucoup, la faiblesse du salaire des femmes n'est pas un problème ; si elles acceptent des salaires aussi bas, c'est bien parce qu'elles trouvent l'argent ailleurs.

On peut, en effet, légitimement s'interroger sur les sources de revenus de nombre de femmes. Certaines jeunes apprenties ne sont même pas payées, d'autres ne travaillent que pour leur seul entretien. C'est le cas, en 1898, dans le commerce où les débutantes sont simplement nourries [5], mais aussi, dans la couture où, en 1908 encore, « certaines usines ne recrutent que des ouvrières acceptant pour tout salaire d'être logées gratuitement. » [6] Si en période faste, certaines femmes peuvent vivre seules de leur métier, qu'en est-il, dès qu'une période de chômage arrive ? Ne sont-elles pas alors contraintes de rechercher un appoint ? Ne risquent-elles pas, selon ces expressions populaires qui font si fortement image, de *tomber aux hommes*, de *dégringoler au trottoir* ?

On connaît la fameuse description de Villermé qui, pendant plus d'un siècle, fit fonction, à elle seule, d'analyse sur les conséquences de la faiblesse des salaires féminins :

> « Si j'en crois ce qui m'a été rapporté, beaucoup de jeunes filles et de jeunes femmes dans les manufactures abandonnent souvent l'atelier dès six heures du soir au lieu d'en sortir à huit et vont parcourir les rues dans l'espoir de rencontrer quelque étranger qu'elles provoquent avec une sorte d'embarras timide. On appelle ça le cinquième quart de la journée, plus rémunérateur à lui seul que les quatre autres. » [7]

Dans ses *Mémoires*, Jeanne Bouvier, ancienne ouvrière elle-même, évoque un souvenir plus précis, celui d'une jeune femme qui « faisait du perlage et

---

1. *L'Ouvrière*, La juste colère d'une ouvrière, 9 avril 1925.
2. *Ibid.*, Chez Citroën, 1er Mai 1927.
3. *La Revue féministe*, Charles Fuster, L'ouvrière à Berlin, Octobre 1898, p. 15.
4. *Ibid.*
5. *La Fronde*, Les demoiselles de magasin, 20 août 1898.
6. *L'Humanité*, Léon et Maurice Bonneff, Enquête sur les conditions de travail et la rémunération des femmes dans la couture, 14 septembre 1908.
7. Dr. Louis René Villermé, *Tableau de l'état physique et moral des ouvriers employés dans les manufactures de soie, de coton et de laine*, Paris, J. Renouard et Cie, 1840, p. 226.

du pailletage aux galons. Elle ne gagnait presque rien et, le soir venu, elle descendait dans la rue demander à la prostitution ce qu'un travail de 10 à 12 heures par jour ne lui procurait pas ». L'auteure poursuit : « Ce que j'en ai vu tomber de ces jeunes filles qui ne gagnaient qu'un salaire infime. Je les aies vues descendre dans la rue. La misère est une situation intenable et celles qui ne s'évadent pas dans le suicide, s'évadent dans la prostitution. » [1] Cette association de la misère et de la prostitution est attestée par toutes les enquêtes effectuées au XIXe siècle concernant les femmes ouvrières [2]. Nombreux sont les éléments qui nous permettent donner crédit à cette interprétation.

A Lille, sous le Second Empire, Pierre Pierrard fait état d'une lettre anonyme adressée au Préfet par un jeune bourgeois, « victime, comme plusieurs jeunes gens bien placés », de la vérole, qui se plaint des ravages de la prostitution. Celui-ci évoque alors « la quantité considérable de jeunes filles de 12 à 18 ans, couturières, jeunes filles de fabriques et autres, que la misère pousse à se prostituer. » [3] A Belfort, en 1900, les ouvrières gagnent si peu de 6 à 7 francs par quinzaine qu'elles sont « forcées, de s'astreindre, le soir, si elles veulent manger, à faire le commerce de leur corps. » [4] A Apt, en 1923, la plupart des femmes travaillant dans les conserves de fruits se contentent de salaires qui « pour le foyer, constituent des salaires d'appoint. D'autres les augmentent par des moyens que l'on devine aisément », commente la presse communiste [5]. A Chateaudun, en 1926, « beaucoup de jeunes filles, presque obligées, se livrent à la prostitution ». On note qu'il s'agit de celles qui ne peuvent compter sur leurs parents [6]. A Dijon, la même année, « sans l'aide pécuniaire d'un père ou d'un mari, ou d'un amant, ou de la prostitution clandestine, nulle part, la femme ne peut vivre de son travail. » [7] Enfin, à St-Omer, à l'occasion de l'enquête menée par Jeanne Bouvier sur les travailleuses à domicile dans la lingerie, l'une d'elle lui déclare qu'« avec ce qu'elles gagnent, celles qui ne sont pas aidées par un homme ne peuvent vivre sans la prostitution ». Un dirigeant ouvrier confirme ces dires, après avoir précisé que « si ces proportions peuvent apparaître exagérées, elles sont absolument exactes. Celui-ci estime à 80 % les jeunes filles qui se prostituent avec les gens

1. Jeanne Bouvier, *Mes Mémoires, Une syndicaliste féministe*, 1876/1935, Paris, J. Revaard et Cie, La Découverte/Maspero, p. 90.

2. Cf. notamment Jules Simon, *L'Ouvrière*, 1861 ; Paul Leroy Beaulieu, *Le travail des femmes au XIXe siècle*, 1888 ; Louis Bonnevay, *Les ouvrières à domicile*, 1896 ; Comte d'Haussonville, *Salaires et misères des femmes*, 1900 ; Charles Benoist, *Les ouvrières de l'aiguille à Paris*, 1895 ; Georges Renard, *L'Ouvrière à domicile*, 1927.

3. Pierre Pierrard, *La vie ouvrière à Lille sous le Second Empire*, Bloud et Gay, 1965, P. 214.

4. *La Voix du peuple*, Le droit du seigneur, 30 décembre 1900.

5. *L'Ouvrière*, Conserves de fruits, 15 décembre 1923.

6. *Ibid.*, Dans l'Eure et Loire, 28 janvier 1926.

7. *Ibid.*, 23 septembre 1926.

de la ville ou de la garnison et à 30% les femmes mariées qui en font autant. » [1]

Alain Corbin dans son livre important consacré aux *Filles de noce* récuse pour sa part « le primat de la misère. Des femmes se prostituent et dans presque tous les milieux parce que les structures sexuelles du moment suscitent une énorme demande et, du même coup, une fructueuse industrie. » [2] De fait, cette analyse est critiquable. Une réalité aussi complexe que la prostitution ne peut pas être appréhendée en ne tenant compte que de la demande masculine. Les hommes seuls supposés souffrir de misère sexuelle créeraient, à eux seuls, un marché auquel l'offre, c'est-à-dire les prostituées s'adapteraient. Simples objets sexuels passifs, sans autonomie propre, elles sont alors exclues de l'analyse des systèmes prostitutionnels. Le poids des contraintes sexuelles et sociales qui peuvent pousser des femmes à se prostituer est alors tenu pour quantité négligeable.

Droit de cuissage, misère et prostitution

Alain Corbin affirme en outre que « l'image de la jeune vierge séduite par le fils du bourgeois ou déflorée par le fils du patron n'est qu'un stéréotype ressassé. » [3] L'imagerie d'Epinal en matière de droit de cuissage n'est certes pas récusable ; mais on ne peut, pour autant, ignorer la réalité que le stéréotype recouvre, au moins partiellement. Pour étayer son argumentation, Alain Corbin avance deux arguments. Le premier repose sur le faible nombre de prostituées ouvrières dans les bordels : 11 sur 1 822 à Marseille entre 1871 et 1881 ; aucune à La Seyne (Var) et 8 sur 471 en Seine et Oise, en 1902 [4]. Mais les statistiques qu'il utilise ne recouvrent qu'une partie, la plus aisément repérable, de la prostitution, plus révélatrice du système réglementariste lui-même que de la réalité prostitutionnelle qu'il est censé prendre en charge. Ne sont enfermées au bordel que les femmes qui, sans famille et déracinées, n'ont d'autre alternative sociale que d'entrer dans ce monde clos, violent, mais partiellement sécurisant. Dans cet ultime refuge, le commerce du sexe étant officiellement couvert par les autorités, ces femmes se voient assurer sinon leur dignité, du moins le gîte et le couvert. Certes, Alain Corbin peut

1. Jeanne Bouvier, *La lingerie et les lingères*, 1928, p. 287.
2. Alain Corbin, *Les filles de noce, Misère sexuelle et prostitution* (XIXe siècle) Paris Champs, Flammarion, 1982, p. 83.
3. *Ibid.*, p. 73.
4. *Ibid.*, p. 79 et 80.

à juste titre affirmer que « l'industrie n'est pas la grande pourvoyeuse des lupanars »[1], mais à se limiter à ce constat, on pourrait penser que les ouvrières échappent à la prostitution. Il n'en est rien. Les ouvrières, comme bien d'autres femmes, sont nombreuses à rechercher dans la sexualité marchande, non pas un revenu principal, mais complémentaire, intermittent. Elles sont *clandestines* et échappent alors largement à la surveillance policière, et ce d'autant plus, que des réseaux s'établissent à l'intérieur même des usines, à ses abords proches, ou dans les *maisons de placement*. Alain Corbin use d'un deuxième argument pour dénier l'existence du droit de cuissage, lorsqu'il précise que « la prostituée, dans la très grande majorité des cas, a perdu sa virginité dans les bras d'un homme de son milieu. »[2] Cette appréciation peut laisser penser que la perte de la virginité serait, pour les femmes, le critère de l'*honneur*. Mais n'est-ce pas surtout établir une comparaison formellement équivalente entre groupes sociaux inégalement importants ?

En outre, les femmes séduites, renvoyées, et souvent *enceintes des œuvres* de leurs employeurs, fournissent un contingent important des femmes prostituées.

Citons pour le Second Empire, les travaux de l'historien Pierre Pierrard concernant la ville de Lille. Il nous fournit des indications qui nous permettent de mieux comprendre pourquoi des femmes demandent à entrer dans les *maisons closes*. Pauline Lecomte, domestique de cabaret, Joséphine Peneau, 24 ans, et Ursule Lartigue, 18 ans, chanteuses ambulantes, Adélaïde Piédanna, 18 ans, couturière ne gagnent pas assez pour vivre. C'est aussi la situation de Sophie Vanderwenne, domestique, violée par son patron, de Sylvie Descamps qui est « sans asile, dans le dénuement » le plus absolu, de Julienne Bouillet, « fort malheureuse, qui a un enfant à charge ». Eugénie Dann, 23 ans, *entre en maison* parce qu'elle n'a pas d'autres moyens d'existence ; Zonébie Prouvost, 22 ans, est orpheline et dans un état voisin de la misère ; deux de ses compagnes sont dans le même cas. Angèle Boucherie, elle aussi orpheline, estropiée de la main droite, a 20 ans et se trouve sans moyen d'existence au point de ne pouvoir subvenir à ses besoins ni à ceux de son enfant. Enfin, Clarisse Lemarchand, 19 ans, a un enfant qu'elle essaie de nourrir en volant ; elle aussi demande à *entrer en maison*.[3]

Citons pour la Troisième République, le témoignage du médecin-chef de la Préfecture de police de Paris, le docteur Commenge, peu suspect d'antipathie patronale. Dans son livre sur *la prostitution clandestine à Paris*, paru en

1. *Ibid.*, p. 78.
2. *Ibid.*, p. 73.
3. Pierre Pierrard, *op. cit.*, p. 217.

1897, il évoque, plus précisément, les conséquences cumulées de la misère et des abus sexuels des contremaîtres et des patrons :

> « Nous avons trouvé au dispensaire beaucoup de jeunes mineures se livrant à la prostitution clandestine après avoir été débauchées par les chefs de maison où elles travaillaient : voici, par exemple, une fille arrêtée rue de Belfond. Elle a 16 ans et demi. Elle a travaillé dans un atelier de typographie et avait été déflorée par le patron de l'établissement qui avait l'habitude de choisir dans son personnel les jeunes filles les plus jolies. Une autre jeune fille travaillait dans un atelier de fleurs ; elle avait cédé aux instances du patron qui avait possédé successivement toutes les jeunes filles qui travaillaient chez lui. Celui-ci ne faisait pas de choix ; il tenait à ce que tout le personnel passe sous ses fourches caudines. Un autre chef d'atelier recherchait seulement les jeunes filles non déflorées. » [1]

Dans la nouvelle d'Edmond de Goncourt, *la fille Elisa*, les femmes parmi lesquelles se trouve Elisa dans sa première *maison close* « étaient pour la plupart des bonnes de la campagne séduites et renvoyées par leurs maîtres. » [2]

Il n'est pas exclu que cette crainte de tomber définitivement dans la prostitution, ait pu aussi contribuer à faire accepter aux travailleuses bien des *caprices* de leur maître ou de leur patron. L'alternative de la prostitution n'est-elle pas encore pire ? Et l'espoir d'une situation assurée, d'une promotion, d'un *établissement*, que peut laisser entrevoir le fait de leur céder, n'est-elle pas, pour les femmes pauvres, aussi, une alternative sociale ?

Aussi, serait-il erroné de réduire la crainte de la prostitution à un stéréotype exploité par les moralistes et socialistes pour les besoins de leurs idéologies respectives. Il n'y a pas que dans les mélodrames, les romans populaires [3] ou les poèmes réalistes que les filles du peuple *tombent dans la prostitution*. Beaucoup d'entre elles ont cru vivre de leur travail ; nombre d'entre elles durent en outre ou alternativement vivre de leur sexe.

Ce poème de Jules Jouy, chansonnier socialiste, daté de 1894, fait écho à cette réalité.

Filles d'ouvriers [4]

Pâle ou vermeille, brune ou blonde
Bébé mignon,
Dans les larmes, ça vient au monde,
Chair à guignon.

---

1. Dr. O. Commenge, *La prostitution clandestine à Paris*, Ed. Schleicher, Paris, 1897, p. 16.
2. Edmont de Goncourt, *La fille Elisa*, 1876, Coll 10/18, p. 47.
3. *La Revue du Nord*, Marie-Hélène Zylberberg-Hocquard, L'ouvrière dans les romans populaires au XIXᵉ siècle, 1981.
4. *Le Père Peinard*, Jules Jouy, Filles d'ouvriers, 30 mai 1894.

Ebourriffé, suçant son pouce,
Jamais lavé,
Comme un vrai champignon, ça pousse
Chair à pavé.

A quinze ans, ça rentre à l'usine,
Sans éventail
Du matin au soir, ça turbine
Chair à travail.
Fleur des fortifs, ça s'étiole
Quand c'est girond
Dans un guet-apens,
Ça se viole
Chair à patron.

Jusque dans la moëlle pourrie
Rien sous la dent,
Alors ça rentre en brasserie
Chair à client.
Ça tombe encore; de chute en chute
Honteuse un soir,
Pour deux francs, ça fait la culbute,
Chair à trottoir.

Ça vieillit et plus bas ça glisse;
Un beau matin,
Ça va s'inscrire à la police
Chair à roussin;
Ou bien, « sans carte », ça travaille,
Dans sa maison;
Alors ça se fout sur la paille;
Chair à prison...

Progressivement, les femmes, les ouvrières surtout, dénoncent ces contraintes; ainsi, lors de la grève des boutonniers de l'Oise, en 1909, les femmes réclament de vivre de leur travail «sans avoir besoin, pour nourrir leurs enfants, de se prostituer. »[1]

---

1. *La Voix du Peuple*, Le droit du seigneur, La grève des boutonniers de l'Oise, 20 novembre 1909.

Chapitre 2
Le droit de cuissage. Repères

Et dire qu'on nous montre si facilement
le bourrichon avec des histoires
de l'Ancien Régime et la rosserie des seigneurs.
Foutre, les rosseries n'ont fait que changer de nom !
Le droit de jambage existe toujours,
mille bombes !
Seulement, le patron appelle ça :
Se payer une fantaisie [1].

C'est dur de gagner sa vie, surtout
quand on n'est pas laide et que,
partout... on se heurte au même refrain :
« Couche ou crève » [2].

La pratique du droit de cuissage a été une réalité importante au XIXe siècle. Il est cependant impossible d'en avoir aucune connaissance chiffrée ; aucune statistique, d'aucune origine ne pourra jamais permettre d'en connaître l'importance réelle. Fut-il une « condition normale d'embauche » comme

---

1. *Le Père Peinard*, Un cochon, 10 août 1890.
2. Victor Margueritte, *Le Compagnon*, roman de mœurs, Paris, Flammarion, 1923, p. 8.

l'affirme Aline Vallette, en 1897, lors d'une enquête réalisée dans le Nord [1]
fut-il «d'un usage courant» comme l'écrit *Le Libertaire,* la même année [2],
nous ne pourrons jamais confirmer précisément, même en nous limitant à des
enquêtes partielles, ces affirmations.

Il existe, cependant, au XIXe siècle, de nombreuses références explicites
au droit de cuissage, dans tous les secteurs (les services domestiques, l'agri-
culture, l'industrie, le secteur public naissant), dans les métiers traditionnellement féminins (textile) ou traditionnellement masculins (mines), comme
dans la plupart des villes (Calais, Le Creusot, Belfort, Fougères, Limoges,
Mazamet, St-Etienne, St-Chamond, Angers, Lille, Rouen, Valenciennes,
Paris, Privas, Marseille, Lyon). Que les villes, citées ici, soient des lieux de
concentration ouvrière peut être interprété comme la preuve qu'une telle pratique est particulièrement fréquente dans l'industrie. Ce constat doit être tem-
péré par le fait que la dénonciation des conditions de vie y est plus courante
que dans d'autres milieux sociaux, notamment la paysannerie et le secteur des
services domestiques.

1. Servantes et bonnes-à-tout-faire

Les servantes attachées à la personne, les *bonnes-à-tout-faire,* nommées
de façon si explicite, ont probablement payé le plus lourd tribut au droit de
cuissage. Dans le prolongement de pratiques serviles qui marquent si profondément ces emplois, dans l'aliénation de leur liberté et le rapport de subordination qui fondent les relations maîtres-servantes, leur vie propre n'a
que peu de place. La domestique ne s'appartient pas, elle appartient à la famille de son maître. Elle perd son individualité au point d'avoir à changer
de prénom. Elle n'a pas d'espace propre, pas de lieu à elle, juste une malle
pour ranger ses affaires. Elle est logée dans une grange, une alcôve, une ar-
rière-cuisine, un simple passage. Son territoire peut se limiter à un simple lit
de camp, replié dans la journée. Son temps, non plus, ne lui appartient pas ;
les journées de ses maîtres rythment les siennes. Avoir une vie personnelle
est une gageure. En 1901, 80 % d'entre elles sont célibataires [3]. Embauchées

1. *La Fronde,* Aline Vallette, Au pays du tulle, 17 avril 1898.
2. *Le Libertaire,* Le droit de cuissage, 22 avril 1897.
3.Pierre Guiral & Louis Thuillier, *La vie quotidienne des domestiques en France au XIXe siècle*, Paris, Privat, Hachette,
1978, p. 33.

pour servir la famille, absorbées par elle, elles font partie du «territoire du maître.» [1] Dans nombre de maisons, les services sexuels sont requis quasiment au même titre que les autres et l'usage de *servir le plaisir du maître* est monnaie courante. Balzac nous fournit, pour la société paysanne de la fin du XVIIIe siècle, avec le personnage de Rigou, dans *Les paysans*, une bonne description d'un chef de famille exerçant son autorité sur sa femme et sur les servantes dont il a fait un *sérail* :

> « D'abord cet avare avait réduit sa femme qui ne savait ni lire, ni écrire ni compter, à une obéissance absolue. La pauvre créature finissait servante de son mari, faisant la cuisine, la lessive, à peine aidée par une très jolie fille appelée Annette, âgée de dix neuf ans, aussi soumise à Rigou que sa maîtresse et qui gagnait trente francs par ans. Annette était la dixième jolie bonne, prise par Rigou qui se flattait d'arriver à la tombe avec ces relais de jeunes filles. Venue à seize ans, à dix-neuf ans, Annette devait être renvoyée. Ce Louis XV sans trône ne s'en tenait pas uniquement à la jolie Annette. Oppresseur hypothécaire des terres achetées par les paysans au delà de leurs moyens, il faisait sérail de la vallée, depuis Soullanges jusqu'à cinq lieues au-delà de Couches vers la Brie, sans y dépenser autre chose que des retardements de poursuites pour obtenir ces fugitifs trésors qui dévorent la fortune de tant de vieillards ». [2]

Si dans les campagnes, les servantes peuvent rester en relation avec leurs familles, dans les maisons bourgeoises, ces jeunes filles, déracinées pour la plupart, sont enfermées et solitaires. Elles sont, pour leurs maîtres, des proies faciles.

> « Aucun manuel de savoir vivre n'en fait état mais une bonne est mal placée pour résister aux avances de son maître ou du fils âgé. Elle peut essayer, mais ses chances de résistance sont minces et la durée de résistance est souvent brève, elle aussi »,

constatent Pierre Guiral et Guy Thuillier dans leur livre sur *La vie quotidienne des domestiques en France au XIXe siècle* [3]. Selon eux, « le forçage des jeunes bonnes est presque une tradition ». [4] La commodité de la situation est évidente : la bonne est sur place, surveillée, le plus souvent isolée, et peut aisément être renvoyée, dès les premiers signes de grossesse. Un jugement de la Cour de cassation de 1896 considère en effet, qu'« à aucun point de vue, on ne saurait considérer un maître comme tenu de garder à son service une fille enceinte, soit que l'on envisage l'immoralité de sa conduite, le mauvais exemple dans la maison ou les graves inconvénients

---

1. Anne Martin-Fugier, *La place des bonnes, La domesticité féminine à Paris en 1900*, Paris, Grasset, 1979, p. 329.
2. Balzac, *Les paysans*, Coll. Folio, Gallimard, 1985, p. 282, 288, 289.
3. Pierre Guiral & Louis Thuillier, *op. cit.*, p. 33.
4. *Ibid.*, p. 133.

de l'accouchement. » [1] Zola évoque dans *Fécondité*, « le long cortège des servantes engrossées et chassées au nom de la vertu bourgeoise. » [2]

Pour Julie Daubié, dans son importante enquête sur *La femme pauvre au XIXᵉ siècle*, « l'homme marié séduit impunément ses servantes, ses apprenties et toutes les femmes que les nécessités de la subsistance retiennent à son foyer ». Elle précise qu'« à Paris, près de la moitié des femmes admises à la maison d'accouchements sont des servantes, la plupart séduites et que plus de la moitié des enfants abandonnés ont, pour mères, des servantes ». Elle cite aussi, sans plus de précisions, un certain Monsieur de Wattaeville, selon lequel « dans les départements agricoles, en général, les enfants trouvés proviennent des relations des maîtres avec leurs domestiques. » [3]

Les employées de maison font souvent office de prostituées à domicile : si elles *servent* le maître, elles *déniaisent* aussi souvent le fils. Julie Daubié s'indigne de la réponse d'une mère après le renvoi de la servante *engrossée* par son fils : « Je regrette cette fille qui m'était forte commode et empêchait mon fils de fréquenter de mauvais lieux. » [4] « C'est plus économique que les cocottes et on s'en débarrasse plus facilement » [5], constate de manière lapidaire la presse ouvrière.

Au XIXᵉ siècle, les *faits divers* – dont certains prennent la dimension de véritables tragédies humaines – contribuent à dévoiler les conditions de vie des servantes. C'est aussi le cas lors de procès pour avortement ou pour infanticide, « le crime des servantes » selon Victor Hugo.

En étudiant systématiquement les femmes accusées d'infanticides au cours de l'année 1860, Marie-Agnès Mallet fait apparaître un profil-type de l'accusée : il s'agit de jeunes femmes (entre 21 et 35 ans), célibataires, dont un grand nombre (41 %) sont domestiques. La servante doit assumer, le plus souvent seule, la grossesse, l'accouchement, le crime et ces conséquences [6]. Marie-Agnès Mallet explique que si le nombre de cas où la jeune femme accuse ouvertement son maître est très faible, c'est parce qu'on l'interroge peu à ce sujet ou parce qu'accuser et compromettre un homme, *a fortiori* un patron, suppose un système de défense organisé et un grand courage. Nombre d'exemples confirment son analyse.

---

1. Cité dans Pierre Guiral & Louis Thuillier, *op. cit.*, p. 114.
2. Cité dans Anne Martin Fugier, *op. cit.*, p. 300.
3. Julie Daubié, *La femme pauvre au XIXᵉ siècle*, p. 54, 63.
4. *Ibid.*, p. 88.
5. *Le Cri du Peuple*, 20 décembre 1903.
6. *Projets féministes*, Marie-Agnès Mallet, Maîtres et servantes. Des histoires d'infanticides. France. *XIXᵉ siècle*, N° 1, Mars 1992.

Le 9 février 1895 a lieu le procès de *la fille* Bouvard, paysanne savoyarde, âgée de 19 ans. Elle est envoyée par ses parents, à Paris, pour gagner sa vie et est embauchée par son oncle, le sieur Seigle, marchand de journaux. On apprend, au cours du procès, que son lit est placé dans la chambre même du fils Seigle, âgé de 28 ans. A l'audience, elle laisse entendre qu'il n'est pas étranger à la naissance de l'enfant dont elle s'est *débarrassée*. Celui-ci « nie avoir jamais eu aucun rapport avec la fille Bouvard ». Le tribunal ne lui en demandera pas plus [1].

En 1896, *la fille* Marie Castanié, qui vient d'une honnête famille de paysans de l'Aveyron – elle a même voulu se faire religieuse – est embauchée comme cuisinière, par un *sieur* Vaqué, marchand de vins à Neuilly. Enceinte, elle est chassée, lorsque son séducteur, « un bellâtre, (s'affirmant) fatigué de ses galants exploits », lui annonce qu'il songe à se marier. Elle est la troisième à subir le même sort. Malade, abandonnée, sans ressource, n'osant retourner dans son pays, elle vitriole le marchand. Elle est arrêtée, conduite à Saint-Lazare, où elle accouche [2].

Lors de grands procès criminels, aussi, surgissent, au détour des plaidoiries, sans que l'on y prête encore vraiment attention, les pratiques sexuelles des chefs de famille à l'égard de leurs domestiques.

Un procès agite l'opinion publique en 1901, celui de l'assassinat de Madame de Cornulier par son mari. Lors des audiences, on apprend par l'avocat de la défense que celui-ci « couche avec toutes ses bonnes » [3]. Il a des relations avec Philomène, la cuisinière qui est devenue « la sultane de la maison », mais aussi avec Célestine, la femme de chambre. Personne, pas même l'avocat de Madame de Cornulier, n'a mis en relation ces *amours ancillaires* avérés avec les soupçons concernant l'infidélité dont son épouse est accusée. Or, c'est bien, au nom de son honneur que, sur de simples soupçons, Monsieur de Cornulier, acquitté sous les applaudissements du public, a justifié l'assassinat de sa femme. Ces relations sexuelles ne sont évoquées que pour déconsidérer les témoignages subornés.

Cette même année 1901, lors du procès de Madame Groetzinger, accusée d'avoir tué son mari, sa sœur, pour sa défense, évoque les brutalités de son beau-frère qui « abandonnait sa femme pour aller avec de vulgaires personnes et cherchait à débaucher toutes les bonnes. » [4]

1. *La Gazette des Tribunaux*, 9 février 1895.
2. *Ibid.*, 21 / 22 décembre 1896.
3. *Ibid.*, 26, 27, 28 avril 1901, Cf. aussi Le procès de Cornulier, *Cette violence dont nous ne voulons plus*, Violences conjugales, N° 10, Juin 1990, p. 31 à 35.
4. *La Gazette des Tribunaux*, L'affaire du boulevard Magenta, 22, 23, 24 août 1901.

Les principales intéressées – les bonnes, les servantes – restent encore silencieuses. Elles sont les sujets des discours et des romans [1]. Peut-être, à cet égard, en sus de ses réelles qualités littéraires, peut-on expliquer le succès que rencontre Octave Mirbeau avec le *Journal d'une femme de chambre*, publié en 1923. En faisant parler si fortement Célestine, il a redonné symboliquement la parole à toutes ces femmes privées d'individualité et d'histoire.

Au tournant du siècle, on commence cependant à dénoncer leur situation. Séverine, notamment, prend en 1900 la plume pour défendre les bonnes et « évoque l'incommensurable malheur de la servitude... l'éternelle humiliation, les exigences sans mesure, les corvées sans limites, les fringales jamais assouvies et l'impôt du sexe perçu par le maître ou l'ami de la maison. » [2]

L'épouse, le mari, la bonne

« Le XIXe siècle, nous rappelle Anne Martin-Fugier, est hanté par le spectre de la servante qui devient maîtresse. La servante, c'est l'autre femme de la maison, l'usurpatrice en puissance du titre de maîtresse de maison, du nom et de la fortune. » [3] Dans l'ordre familial dominé par le chef de famille, les deux femmes peuvent se trouver en position de concurrence. Le mari peut, du fait du contrat de mariage, imposer à sa femme des relations sexuelles. Il peut avoir les mêmes exigences avec la bonne, du fait du contrat de travail qui entérine le rapport de subordination. Dans certains cas, l'épouse peut accepter comme un moindre mal la situation qui lui permet

---

1. En ce qui concerne les sources littéraires, on peut se référer à :
– Eugène SUE, *Les mystères de Paris*, Paris, 1841-1843, 4ème partie, Chapitre 8, 9, 10, 12.
– Guy de Maupassant, *Une vie, Rosalie Prudent, Histoire d'une fille de ferme, La maison Tellier, La petite Roque*.
– Honoré de BALZAC, *Les paysans, La Terre*.
– Octave MIRBEAU, *Le journal d'une femme de chambre*.
– Emile ZOLA, *Pot Bouille, La Curée, Le rêve, La terre, Fécondité*.
– MICHELET, *Journal*.
– Edmond de GONCOURT, *Germinie Lacerteux, La fille Elisa, La Faustin*.
– Gustave GEFFROY, *L'idylle de Marie Biré, L'apprentie*.
– Léon FRAPPIÉ, *La Figurante, l'Institutrice de province*.
– Jules RENARD, *Les cloportes, Le pain de ménage*.
2. *La Fronde*, Séverine, La bonne, 24 mai 1900.
3. Anne Martin-Fugier, *op. cit.*, p. 174.

d'échapper à ce que beaucoup considèrent comme une *corvée*. Par orgueil, par refus de s'abaisser au niveau de sa servante, par crainte d'avoir à reconnaître qu'elle est traitée comme elle – voire moins bien qu'elle – l'épouse se tait et souvent refuse de voir l'évidence. Elles « font celles qui ignorent, puisque la vie est ainsi » [1], écrit une commerçante à la maîtresse-servante de son mari pour lui demander de revenir au foyer conjugal et, par là même, de lui rendre son mari. Le statut d'une épouse ne dépend-il pas de celui de son mari, son honneur ne dépend-il pas de *la tenue de sa maison ?* Mais qu'elles « acceptent », sous contrainte, ces relations [2], ne signifie pas qu'elles n'en souffrent pas. Les maris savent que la crainte du scandale leur garantit une quasi impunité. En outre, l'épouse comme la servante seraient probablement tenues pour responsables, l'une de n'avoir pas su choisir sa bonne, ni *contenter* son mari, l'autre de l'avoir provoqué pour en obtenir certains avantages. Si l'épouse souhaite réagir contre ces relations humiliantes, sa liberté est faible. C'est l'argent du mari qui rémunère la bonne ; avoir une bonne, est, en outre, l'expression de son statut social. Ce n'est souvent que lorsque la situation devient socialement gênante, que l'épouse réagit. Une bourgeoise en colère déclare à son mari : « Croyez-vous que j'ignore vos fredaines. Je me tais d'ordinaire pour sauvegarder ma dignité d'épouse, mais ne me poussez pas à bout. » [3] Pourtant, si la situation devient trop dangereuse, si la bonne est enceinte ou si elle émet, en échange de son silence, quelque exigence d'ordre financier – la seule qu'elle puisse espérer – la décision est alors prise de s'en *débarrasser.* L'épouse se dresse contre l'intruse qui menace, à travers l'institution familiale, sa propre situation. Le mari, certes « honteux, baisse les épaules » [4]. Néanmoins, c'est lui, qui, en décidant de chasser la bonne, garantit le bon ordre du ménage et confirme ainsi son pouvoir. Il est d'ailleurs souvent conforté par sa propre femme. « Un jour, la servante d'une marchande de volailles vient dire (à sa patronne) qu'elle était grosse de Monsieur et que, comme celui-ci lui refusait l'argent qu'il avait promis pour accoucher, elle s'adressait à elle. Vous avez du toupet, ma fille, lui répliqua-t-elle, et vous n'êtes qu'une cochonne ! Quant à Monsieur, il est chez lui et il est libre de faire ce qui lui plait » [5].

1. *La Fronde,* May-Armand Blanc, La lettre à Justine, 14 juin 1902.
2. Cf. Nicole-Claude Mathieu, Quand céder n'est pas consentir, Des déterminants matériels et psychiques de la conscience dominée des femmes, et de quelques unes de leurs interprétations en ethnologie, in *L'arraisonnement des femmes, Essai en anthropologie des sexes*, réunis par Nicole-Claude Mathieu, *Cahiers de l'Homme*, Editions de l'Ecole Pratique des Hautes Etudes en Sciences Sociales, 1985, p. 169 à 245.
3. May-Armand Blanc, *art. cit.*
4. Michelet, cité dans Pierre Guiral & Guy Thuillier, *op. cit.*, p. 133.
5. Sur l'hypocrisie bourgeoise, cf. *Le Libertaire*, Gaston Kleyman, Maternité, 26 juillet 1896.

2. Les ouvrières

Aussi disparates et dispersées soient-elles, les sources abondent en ce qui concerne les ouvrières. Julie Daubié, là encore, nous apporte nombre de faits précis. Elle cite les enquêtes d'Auguste Blanqui, d'Eugène Buret et de Louis Reybaud. « La plupart des dispensateurs de travail, pour qui l'ouvrière est une proie facile, la séduisent et l'abandonnent. » [1] En respectant la diversité des approches, des points de vue, des styles, nous pouvons avancer un certain nombre d'informations ponctuelles suffisamment précises pour que nous puissions les considérer comme éléments probants.

Les ouvrières d'usine

En 1890, dans la Bonneterie, à Troyes, selon le *Père Peinard*, « ils sont bougrement rares, les singes qui ne réclament pas des ouvrières girondes des dédommagements » [2]. En 1893, un contremaître du bobinage, nommé Faudier, âgé de 66 ans « aime la chair fraîche » et *guigne* principalement les fillettes de 12 à 14 ans. Dès « qu'une envie tenait sa sale carcasse, il ne reculait devant rien ». C'est ainsi qu'il *arrive à ses fins* avec la petite Maria Paulo, âgée de 13 ans [3]. En 1894, à Halluin, dans le Nord, la rumeur publique accuse depuis longtemps déjà, un tisserand Henri M... de se livrer à des *actes d'immoralité* sur des fillettes de moins de 13 ans. A la suite d'une enquête ouverte par Monsieur Champion, le commissaire de police, sa culpabilité est établie. Plus de dix victimes ont fait au magistrat des dépositions accablantes pour l'inculpé qui, malgré ses dénégations, est arrêté [4]. En 1896, non seulement on exige des peigneuses et des fileuses de laine de Tourcoing « la redevance bestiale pour leur accorder de l'occupation », mais leur *joug* se perpétue une fois embauchées à l'usine, puisque les contremaîtres « ne se gênent pas au besoin pour assouvir sur elles leur brutale passion » [5]. En 1897, à l'usine Burk, à Saint-Denis, des parents s'aperçoivent que leurs fillettes *dépérissent*, sans qu'ils puissent s'en expliquer la cause. Quelques apprenties « fatiguées de servir de jouet »

1. Julie Daubié, *op. cit.*, p. 54.
2. *Le Père Peinard*, Un cochon, 10 août 1890.
3. *Ibid.*, Contrecoup violeur, 25 juin 1893.
4. *La Gazette des Tribunaux*, 6 septembre 1894.
5. *Le Libertaire*, Chair à travail, chair à plaisir, 13 Novembre 1896.

au contremaître le dénoncent [1]. En 1898, Aline Vallette se voit répondre par une ouvrière du tulle que « sans un peu de coquetterie, il n'y a pas d'ouvrage ». Celui-ci ne se donne pas sans condition : « Tu en auras, si tu veux, telle est la formule consacrée. » [2] En 1899, au Creusot, l'un des plus anciens ouvriers de l'usine constate que « bien rares sont celles qui peuvent se soustraire à cette honteuse servitude ». Et l'envoyée spéciale du journal féministe *La Fronde* constate que « parmi les traditions qui sont conservées dans cette ville féodale figure, en première ligne, le droit du seigneur, à cette différence près avec l'Ancien Régime, qu'il est exercé par des centaines de contremaîtres, au lieu de l'être seulement par le chatelain du pays » [3]. En 1900, à Belfort, « certains ateliers mixtes (non cités) sont un sérail pour le directeur ». Celui-ci « choisit parmi les 15 à 20 jeunes filles de l'atelier les plus jolies et quand après quelques mois, il en est fatigué, il les envoie à l'un de ses valets » [4]. En 1902, à Paris, dans l'industrie chapelière, les modistes et garnisseuses « rabaissées au rôle de jouets, tout au plus bonnes à souffrir tous les caprices de leur maître, doivent donner souvent un peu de leurs charmes c'est-à-dire de leur dignité. Chair à profit, chair à plaisir en même temps. » [5] En 1907, à Fougères, « tel patron ou tel contremaître oblige telle ou telle fille, telle ou telle mère de famille à subir ses caprices. Sans cela, elles n'obtiennent pas de travail. » [6] En 1913, à la raffinerie de sucre Lebaudy, « ce qui se passe dans les ateliers est inouï. Les paroles obscènes, les mots crus, les gestes dégoutants, les attouchements cyniques sont de bonne mise. » [7] En 1919, dans un rapport de stage, une surintendante aux usines Renault écrit : « Je constate combien le chef d'équipe, le monteur peut être un sultan, combien les femmes sont à sa merci. » [8] En 1924, à Saint-Etienne, à la Manufacture des Armes et Cycles, on raconte, de manière plus allusive, que le patron « n'est pas insensible au charme des jolies filles » [9]. La même année, à Louviers, un libertaire raconte une scène à laquelle il a assisté : « Dans un tissage, parmi toutes ces femmes qui peinent douloureusement, le directeur passe et repasse parmi toutes ces femmes dont il semble être le dompteur. Le voici arrêté devant une gamine de 18 ans, une maman déjà. Les yeux de l'homme reflètent un désir. Celui de posséder pour un soir cette pauvre fille. Avec un toupet de maquereau, il lui

1. *Ibid*, 22 avril 1897.
2. *La Fronde*, Aline Vallette, Au pays du tulle, 17 avril 1898.
3. *Ibid*., Jeanne Brémont, Les femmes au Creusot, 4 octobre 1899.
4. *La Voix du Peuple*, Le droit du seigneur, 30 décembre 1900.
5. *Ibid*., La journée de 8 heures dans l'industrie chapelière, 12 mars 1902.
6. *L'Humanité*, Prospérité capitaliste, misère prolétarienne, 3 janvier 1907.
7. *La Bataille Syndicaliste*, La raffinerie, 400 femmes en lutte, 10 mai 1913.
8. Annie Fourcault, *Femmes à l'usine en France dans l'entre deux guerres*, Paris, F. Maspéro 1982, p. 99.
9. *L'Ouvrière*, St-Etienne, 23 octobre 1924.

propose... la nuit. Parbleu, à une fille-mère que ne peut-on demander et à un patron que peut-on refuser? La porte n'est-elle pas là?» [1]. Toujours la même année, à Haumont, un contremaître nommé Fraiche est arrêté. Les langues se délient, la peur recule, toute la population se réjouit, «plus particulièrement les femmes qui ont eu beaucoup à souffrir de cet horrible individu [car] il considérait les ouvrières comme de la chair à rendement et, pour peu qu'elles soient gentilles, comme de la chair à plaisir» [2]. En 1925, à l'usine de Thaons, les femmes qui ne «se laissent pas faire par la bande de chefaillons qui leur font la cour sont obligées de partir ou sont mal vues. C'est l'encouragement à la prostitution sur toute la ligne. Des contremaîtres au directeur, tous s'en mêlent.» [3] La même année, à la biscuiterie l'Alsacienne, le contremaître est «très pressant auprès des femmes travaillant sous ses ordres. La chair à travail exploitée dans cette boîte doit-elle également devenir chair à plaisir?» se demande *L'Ouvrière*, le journal du parti communiste [4]. En 1926, à la parfumerie Bourgeois, route Delizy, à Pantin, nombreuses sont les ouvrières qui ont à se plaindre des *avances* du directeur qui les considère comme «des femmes envers qui tout est permis. Il faut se plier à sa volonté, sinon, c'est la porte» [5]. On évoque aussi, en 1926, à Douarnenez, un *scandale de mœurs*: «Des patrons, fils de patrons ont satisfait leur besoin de débauche sur quelques filles de pauvres» [6].

Chair à travail, chair à patron. Peut-on en douter?

Un poème réaliste d'Eugène Pottier, daté de 1884, évoque les conditions régnant dans ce que l'on a appelé les *sérails en haillons* [7]. Il décrit les contraintes imposées aux ouvrières et aux membres de leur famille: pressions des contremaîtres, silence des patrons qui «du côté des mœurs ferment l'œil». Tout se conjugue – y compris le silence du mari – pour qu'elle entre dans le *sérail*, avec pour seul projet d'accéder au statut de *protégée*.

1. *Le Libertaire*, Le droit du patron, 22 mars 1924.
2. *L'Ouvrière*, 13 novembre 1924.
3. *Ibid.*, L'usine de Thaons, 9 avril 1925.
4. *Ibid.*, 23 avril 1925.
5. *Ibid.*, Parfumerie Bougeois, 30 septembre 1926.
6. *Ibid.*, 19 mars 1926.
7. *Le Courrier Populaire*, 21 septembre 1867, cité par Pierre Pierrard, La vie ouvrière à Lille sous le Second Empire, Ed. Bloud et Gay, 1965, p. 168.

Contremaître de fabrique [1].

Comme un pacha, j'ai mon sérail
Ma belle enfant, je veux t'y mettre.
Contremaître est pire que maître
Si tu dis non, pas de travail!

Les blondes, les rousses, les brunes,
Tout y passe; on n'est pas, mon cœur,
Le contremaître, pour des prunes.
J'exerce le droit du seigneur
Que ce soit chose convenue.
Nous nocerons aux bons endroits
Il faut payer ta bienvenue.
Je ne fais plus de passe-droits!

Tes lèvres sont comme deux fraises
Mais tu boudes, je le vois bien:
Mes pièces, dis-tu sont mauvaises,
L'ouvrière n'y gagne rien!
Si c'est pour cela que tu pleures,
J'en ai d'un autre numéro,
Viens me trouver dans mon bureau.

Mon nez bourgeonne et se culote,
Que veux tu, c'est le vin du cru
… … … … … … … … …
… … … … … … … … … (*)
Les plus sages me font des mines,
Pour moi se prennent les cheveux.
Vois déjà ce tas de gamines,
J'en fais déjà ce que je veux.

Mais je suis bon diable, ma biche,
Si j'enfile mon chapelet
Mariée ou non, je m'en fiche.
Épouse ton Jean s'il te plait

1. *Le Père Peinard*, 5 juin 1884.

Un mari geint, puis se résigne;
D'ailleurs s'il vient à broncher
Sur son livret, je fais un signe.
Malin, s'il vient à s'embaucher !

Quand tu passeras ma protégée
Tu la couleras douce ici
Au travail, la mieux partagée
D'honneur tu me diras merci.
Pour la prime, je suis sévère
Faire produire est mon orgueil
Les patrons ne s'en privent pas
Du côté des mœurs ferment l'œil.

Vous vivez tous à la fabrique
Le père et la mère sont vieux
Tes frères parlent politique.
Tous à saquer dans tes beaux yeux
A leur profit, sois bonne fille
Le ménage n'est pas rupin
Fais au moins ça pour la famille
Tu leur ferais perdre le pain.

Comme un pacha, j'ai mon sérail
Ma belle enfant, je veux t'y mettre
Contremaître est pire que maître
Si tu dis non, pas de travail.

Les ouvrières des mines

C'est probablement dans les mines de charbon que les conditions imposées aux femmes, très minoritaires dans un milieu imprégné de valeurs viriles, sont les plus dures. Le droit de cuissage y est, là, sans doute, la norme. Un reportage intitulé, « les filles à cailloux », publié, en 1925, dans *L'Ouvrière*, nous fournit d'utiles précisions concernant les conditions de vie imposées aux ouvrières des mines :

« Le triage et la lampisterie sont des lieux de prostitution autant que d'exploitation. Les ouvrières doivent parfois, pour ne pas être congédiées, se soumettre à la volonté du chef de triage, du surveillant, de l'ingénieur etc, c'est-à-dire donner leurs corps pour la satisfaction de ces brutes. Il n'est pas d'expressions ordurières, il n'est pas d'injures que les ouvrières ne s'entendent dire. Huit jours dans ces lieux-là suffisent pour apprendre son catéchisme à une enfant de 13 ans. Un certain chef de triage barbu est tout fier d'affirmer qu'il a cueilli autant de fleurs d'orangers qu'il a de poils dans sa barbe. Un dernier fait scandaleux à signaler : dès le moindre signe de grossesse, c'est d'abord la visite du médecin et ensuite le renvoi pur et simple. » [1]

Un an plus tard, une nouvelle enquête réalisée dans le même journal auprès des trieuses des mines du Pas de Calais confirme à quel point « leur vie est misérable ». Elles sont environ 2 500 travaillant à la surface et ne sont embauchées que si elles ont entre 12 et 18 ans et célibataires.

« Elles travaillent dans les pires conditions… Il n'est pas de mots orduriers qu'elles ne doivent entendre durant la journée de labeur, et aussi pendant leur retour au coron. Il existe dans presque tous les chantiers de mines des chefs de triage qui, avec des promesses alléchantes de travail facile, ou par des menaces, quand les trieuses résistent, arrivent à se faire un jouet de ces femmes et se servent d'elles. N'est-ce pas les conduire au ruisseau ? Et tout cela pour un salaire de 91 Frs… Le mépris que l'on constate à l'égard de la trieuse se trouve un peu diminué à l'égard de la lampistière. Il n'en est pas moins vrai que de jeunes ouvrières sont ici aussi exploitées de façon odieuse. Insultées, elles le sont de tout comme les trieuses et aussi grossièrement. Elles sont également à la merci de l'instinct bestial des chefs lampistes ou de carreau. Trieuses, lampistières sont des parias parmi les parias de la mine. » [2]

Un troisième article, publié la même année, confirme ces dires, pour l'ensemble de la région du Nord : « La trieuse doit subir les propositions malhonnêtes des chefs porions, des mineurs de fond et de jour et des galibots. La malheureuse doit tout accepter et lorsqu'elle a 13, 14, 15, 16 ans, ce qui n'est pas rare, elle devient enceinte, elle est montrée du doigt, sa famille l'abandonne, le séducteur aussi. » [3] Il faut noter – car le constat est rare dans une publication communiste – que les pratiques abusives des supérieurs hiérachiques sont mises sur le même plan que celles des mineurs.

3. Les femmes employées dans les métiers du tertiaire

Les femmes travaillant dans le secteur tertiaire, venant de milieux de l'artisanat et de la petite bourgeoisie, bénéficient d'une condition meilleure que celle de l'ouvrière. Le statut d'ouvrière – tout en négativité – reste cependant

1. *L'Ouvrière*, Les filles à cailloux, 27 aout 1925.
2. *Ibid.*, Alphonsine Bernard, Dans les mines du Pas de Calais, les lampistières 8 avril 1926.
3. *Ibid.*, Yvonne Autré, Dans les mines du Pas de Calais, 8 avril 1926.

celui de référence, parce que c'est celui auquel elles cherchent à échapper. Leurs conditions de vie, si elles sont encore dures, sont moins pénibles, les contraintes moins lourdes, les grossièretés moins fréquentes, la respectabilité plus affichée. Elles ont un certain niveau de qualification et aspirent à concilier tout à la fois indépendance financière et considération. Malgré tout, les métiers féminins qualifiés ne sont pas épargnés par le droit de cuissage. Nombre de salariées s'en sont plaintes. Si « les employées ont en général plus de tenue que l'ouvrière, [si] elles mettent à se bien conduire une sorte d'honneur professionnel, [si] le milieu ou elles vivent n'est pas aussi indulgent à la faute que les milieux populaires » [1], cela ne signifie pas que les rapports de pouvoirs entre les sexes sont pour autant abolis. Nombre de ces abus se perpétuent, d'autant que « l'accès à ces postes est fort encombré » [2].

Les employées

Dans l'administration, les dénonciations sont plus rares que dans l'industrie. Les moyens de pression – bien que non négligeables – sont moindres sur ces femmes, mieux protégées, mais ayant surtout sans doute aussi une plus grande conscience de leur valeur. Il ne faudrait cependant pas prendre la faiblesse de la revendication dans ces secteurs comme révélateur de la situation réelle : ces secteurs d'activité n'ont qu'une faible implantation syndicale ; les traditions de lutte n'existent pas encore. Un article écrit à la veille de la Première Guerre mondiale affirme que « sous des apparences plus correctes, ou plus hypocrites, on retrouve dans les grandes et petites administrations des faits semblables » à ceux constatés dans les usines. Comme les ouvrières « les employées peuvent être sujettes aux mêmes propos obscènes, aux mêmes tracasseries, aux mêmes abus de pouvoirs » [3]. Beaucoup ne bénéficient que de contrats temporaires qui ne leur accordent que fort peu de garanties ; la concurrence est rude ; les recours quasiment inexistants ; enfin la discipline est particulièrement rigoureuse. « Aucune garantie n'est assurée aux femmes contre les caprices d'un chef », déplore le journal féministe La Fronde [4]. Au lendemain de la guerre, un article évoque pudiquement la réalité selon laquelle, certains chefs de service « qui se croient des personnages respectables » se seraient servi

1. Fenelon Gibon, *Employées et ouvrières, Conditions d'admission et d'apprentissage, Emplois, traitements, salaires etc*, du comte d'Haussonville, Lyon, Librairie E. Vitte, 1906. Préface.
2. *Ibid.*
3. *L'Action ouvrière*, Féminisme officiel, 15 novembre 1909.
4. *La Fronde*, Les femmes bureaucrates, 5 janvier 1898.

de la situation où se trouvaient tant de femmes, devenues soutiens de famille, « pour obtenir, par la suite de gêne familiale, des faveurs qu'ils n'auraient jamais eues dans d'autres circonstances » [1]. Il est question, plus précisément, en 1925, des conditions de travail imposées aux auxiliaires du Ministère des Finances, « brimées, malmenées, astreintes le plus souvent à une besogne souvent peu en rapport avec leurs forces, dans des conditions d'hygiène littéralement intenables. Bref, elles sont traitées – droit de jambage compris – de manière véritablement scandaleuse. » [2] Et, aux douanes du Havre, en 1926, un capitaine, « laid comme un hibou » abuse de ses galons et de son influence, non pas sur ses subordonnés, mais sur leurs femmes qu'il considère « comme de la chair à plaisir » [3].

Les vendeuses

Comme les employées, les vendeuses de magasins sont plus fragilisées que leurs collègues masculins parce qu'elles sont, jusqu'à la guerre, très minoritaires, employées à des postes subalternes, majoritairement embauchées comme auxiliaires et aisément remplaçables [4]. Elles ont au-dessus d'elles une hiérarchie presque totalement masculine (inspecteur, chef de rayon, premier et deuxième second) qui fait la loi ; elles n'ont « aucun recours » [5]. Les chefs de rayons ont le droit d'embauche, de licenciement, de promotion ; les inspecteurs, souvent d'anciens policiers ou militaires, surveillent les rayons et le personnel, reçoivent les réclamations des clientes, ont le droit de *réprimande*. Au sein de cette organisation, « la dignité n'est pas toujours sauve. Des froissements de toutes natures, pour les femmes surtout, rappellent d'autres temps » [6] constate Marie Bonnevial, féministe, sydicaliste et socialiste. Dans le même sens, André Lainé, dans une thèse de droit, publiée en 1911, sur *les demoiselles de magasins* dénonce « la responsabilité certaine de l'employeur et l'odieux de son rôle lorsque celui-ci n'hésite pas à faire d'aussi monstrueux abus de son autorité... Le fait n'est que trop fréquent dans les grands magasins » affirme-t-il. Mais les patrons ne sont pas les seuls à « se faire agents de

1. *L'Ouvrière*, Dans les administrations, 19 mars 1925.
2. *Ibid.*, Un scandale, 10 Décembre 1925.
3. *Ibid.*, La vie de caserne aux douanes, 9 Décembre 1926.
4. In *Le Mouvement Social*, « Travaux de femmes au XIXᵉ siècle » Claudie Lesselier, Employées des grands magasins à Paris avant 1914, Octobre/Décembre 1978, N° 105, p. 109 à 126.
5. *Ibid*, p. 115.
6. *La Fronde*, Les grands magasins, 23 janvier 1898.

démoralisation de (leurs) employées... Certains inspecteurs, certains chefs de rayon contraignent (les vendeuses) à avoir pour eux de coupables complaisances. Le fait est notoire que pour être admise dans tel magasin, la postulante doit satisfaire le caprice de plusieurs chefs si tel est le bon plaisir de ces messieurs. » [1] C'est aussi la situation dénoncée, en 1914, aux Galeries Lafayette : il faut, pour conserver un salaire dérisoire, « avoir un comportement de valet ». Sur la base des rapports écrits des chefs ou inspecteurs du Bon Marché entre 1872 et 1882, analysés par Claudie Lesselier, ce constat apparaît juste. L'attitude envers les chefs, la contestation de leur pouvoir ou l'insuffisant respect de leur autorité est le principal motif d'observation et de renvoi [2]. Là encore, on note que les vendeuses – ici, celles travaillant aux Galeries Lafayette – « doivent subir les caprices des rois fainéants qui les surveillent ». La syndicaliste qui rédige l'article précise bien qu'elles « sont soumises à la pire des servitudes, forme moderne du droit du seigneur » [3]. Au Printemps, c'est dans les annexes du boulevard de Lorraine à Clichy, qu'en 1925, un dénommé Sandches, qui est tout heureux de « faire son petit Primo de Rivera, consulte malproprement les ouvrières et renvoie sans motif celles qui ne veulent pas subir ses caprices » [4].

Les infirmières

Dans un livre publié, en 1905, par un médecin sur la situation des infirmières en France, celui-ci estime que les *atteintes à la morale* dans les hôpitaux sont « un mal aussi fréquent qu'incurable, que l'avancement ne se fait pas toujours au mérite et que les avis des médecins pèsent peu dans la balance, à côté des notes du directeur et de l'appui du conseiller municipal. Or, le directeur est un homme comme les autres. Il est mieux disposé pour les jolis minois ». L'auteur rapporte « une vérité généralement admise dans tous les milieux qui s'occupent de questions hospitalières, c'est que rien n'est plus funeste à la bonne tenue d'un hôpital que de mettre le personnel féminin sous la direction d'un homme ». Quant aux étudiants, c'est « un aphorisme parmi eux que de prétendre que (les infirmières) qui ont une conduite légère sont celles qui font le mieux leur service » [5]. Deux ans après la

1. André Lainé, *Les demoiselles de magasins*, Paris, Arthur Rousseau, 1911, p. 113.
2. Claudie Lesselier, *art. cit.*, p. 117.
3. *Terre Libre*, Un bagne parisien, les Galeries Lafayette, 15 mars 1914.
4. *Le Libertaire*, Aux Annexes du Printemps, 19 janvier 1925.
5. Docteur Marc Blatin, *Les infirmières*, Paris, J. B Baillière et fils, 1905, p. 60.

parution de ce livre, un directeur d'hôpital de Paris dresse, dans un roman qui se veut réaliste, un tableau fort sombre de la vie des employées des hôpitaux. L'une d'entre elles y affirme d'un ton relativement résigné : « Nous devons en passer par là, un peu plus tôt, un peu plus tard. » [1] Mais c'est surtout l'hôpital Tenon qui est à de nombreuses reprises l'objet de dénonciations. En 1924, le directeur est personnellement accusé dans la presse ouvrière ; les femmes, qui y travaillent, « sont en effet atteintes dans leur dignité de femmes et de travailleuses » [2].

Les institutrices

Les premières institutrices laïques placées, seules, dans un milieu qu'elles ignorent et souvent hostile – surtout lorsqu'elles sont chargées de remplacer les sœurs des Congrégations – n'ont, dans leur vie quotidienne, que peu de rapports avec des interlocuteurs masculins. Mais leur vie et leur carrière dépendent largement d'eux : l'inspecteur d'Académie pour leur carrière, le maire et le secrétaire de Mairie pour leurs conditions de vie. C'est une des raisons qui explique que ces femmes devinrent, beaucoup plus que leurs collègues masculins, « la proie facile et désarmée des tyranneaux réactionnaires » [3]. Dans le livre de Danièle Delhomme, Nicole Gault et Josiane Gonthier consacré aux *premières institutrices laïques* [4], on découvre, à travers leurs écrits, que certaines d'entre elles ont dénoncé, souvent avec un réel sentiment d'injustice, ce pouvoir hiérarchique masculin qui peut détruire carrière, amitié, mariage, réputation. L'institutrice de l'école d'Argenteuil raconte ainsi les *propositions odieuses* auxquelles

> « Jeune, laide, seule, orpheline dès son jeune âge, elle a dû faire face. Un maire m'a fait un de ces affronts qu'on ne peut pardonner. Je ne sais comment je pus m'échapper, mais, furieux de n'avoir pu arriver à ses fins, il guetta les moindres petites choses qu'il put relever contre moi, fit de mauvais rapports et finalement je dus quitter l'école que j'avais formée, les enfants que j'aimais et, le jour de mon départ, suprême affront, il rôdait autour de moi et répétait : « Dites oui et vous restez là. Un autre, bien plus tard, j'avais alors 35 ans, voulut un jour m'embrasser, il avait l'excuse d'être ivre, si c'est une excuse ; je me reculais avec dégoût. Que fit-il ? J'avais pour amie

---

1. Paul Bru, *Le roman d'une infirmière*, Paris, P. Placlot 1907.
2. *L'Ouvrière*, Dans les hôpitaux, 8 mai 1924.
3. *La Fronde*, André Théry, La défense de l'institutrice, 13 octobre 1902.
4. Danièle Delhome, Nicole Gault et Jaqueline Gonthier, *Les premières institutrices laïques*, Paris, Mercure de France, 1980, p. 139.

une jeune femme que j'avais connue enfant au couvent où j'avais été élevée, après l'avoir totalement perdue de vue ; je la retrouve avec le plus grand plaisir, nous nous fréquentons, elle n'était pas heureuse en ménage, elle me confiait ses peines, nous nous consolions. Monsieur le maire prétendit que si j'étais rebelle aux hommes, c'est que je me réservais pour l'autre sexe. J'ignorais absolument à ce moment qu'une pareille horreur pût exister ; lorsqu'on m'eut instruite, je demandais mon changement immédiatement, je l'obtins ; je rompis une amitié qui m'eut été douce. Voici pour quelques maires, d'autres sont très bons, c'est vrai, et j'ai le bonheur en ce moment d'avoir un de ceux-là. Et les inspecteurs ? J'ai connu Mr M... non, monsieur Vaupasse [1] ; il est vivant, il est à Paris, joli monsieur que celui-là ! Espérons que l'âge l'a assagi, je le souhaite pour sa femme et ses enfants, mais encore plus, pour ses subordonnés. Quand ce monsieur voyait qu'il ne pouvait rien espérer d'une femme, il la forçait à quitter la circonscription dont il avait fait son sérail. On peut toujours faire de mauvais rapports ».

La palme d'or du droit de cuissage revient sans conteste à cet inspecteur de Mostaganem, en Algérie, Mr Doléac qui, à la fin du siècle selon un instituteur-adjoint nommé Gard, enseignant dans la même ville,

« s'octroya, dit-on, 600 pucelages dans sa circonscription. Il se comportait comme un véritable sultan avec un nombre illimité de favorites émargeant au budget de l'enseignement. Pendant une dizaine d'années environ, avancements et distinctions furent répartis par cet inspecteur à l'immoralité notoire. Menacé de poursuites judiciaires pour débauches de mineures, il fit son testament en faveur de sa pourvoyeuse la plus zélée, Madame Dreyfus (elle-même institutrice), puis il se suicida. » [2].

Si les autorités municipales peuvent exercer un réel pouvoir, que dire de celui des inspecteurs d'Académie qui disposent quasi souverainement des carrières, par le moyen des notations, des appréciations rédigées lors des inspections, mais aussi et surtout des mutations d'office ? Celles-ci, n'étant pas considérées comme une sanction, sont sans appel. Les inspecteurs tiennent de fait dans leur main la vie de ces jeunes femmes et inspirent une véritable terreur [3].

---

1. Allusion au personnage de l'inspecteur primaire du roman de Léon Frapié dans ses relations avec Louise Chardon, *L'institutrice de province*, *Op. cit.* 1897.

2. Danièle Delhome, Nicole Gault et Jacqueline Gauthier, *op. cit.*, p. 145.

3. *Cette violence dont nous ne voulons plus*, Patrick Nicoleau, Quand les institutrices devenaient des maitresses, N° 9, Octobre 1989, p. 34 à 39.

4. L'évolution du vocabulaire

Les termes employés pour évoquer le droit de cuissage et plus globalement les abus sexuels exercés par des hommes ayant un pouvoir sur les femmes
sont révélateurs de la manière dont évolue la perception du phénomène et dont
il est jugé. L'homme est souvent présenté de façon positive et ludique : il est
entreprenant, *galant*, il *aime la fête*, il *s'amuse*, c'est *un bon vivant*. Lorsque l'on
évoque les relations instaurées avec les femmes, celles-ci sont en général présentées comme étant de l'ordre d'une nature masculine positive, aimable, va-
lorisante ; l'homme *fait des avances*, des *propositions* à une femme, il a *des bontés*
avec les femmes. La métaphore peut évoquer le *butinage de fleurs en fleurs* ; dans
le même sens, il *conte fleurette*.

Le vocabulaire évolue cependant. L'appréciation dévoile une critique
quant au sérieux comme à l'honnêteté de l'intention : il *fait des fredaines*, il
conte des *boniments*, des *balivernes*. Cependant, les auteurs de ces *prouesses* sont
en règle générale l'objet de la convoitise. On évoque les *bonnes fortunes* de *cou-
reurs de jupons*, dont certains sont des *amateurs de fruits verts*. Le statut de *tom-
beur de femmes*, d'*homme à femmes* suscite l'envie et provoque le respect. On dit
de ceux qui sont *prévenants* avec les femmes, qu'ils sont *enclins à la galanterie* ;
sinon, pour ceux dont les manières sont plus cavalières, qu'ils sont de *rudes
gaillards*, qui *savent y faire avec les femmes*. Toutefois certaines voix se font plus
critiques, sans, pour autant, remettre frontalement en cause une conception
naturaliste, instinctive, passionnelle d'une sexualité masculine, considérée
comme incontrôlable. On peut même aller jusqu'à évoquer des *oublis regret-
tables*. Cette vision dominante explique certaines expressions : l'homme *cède
à un entraînement*, il est *dominé par la passion, saisi par une flambée d'amour*, il *as-
souvit sa passion* ou, pour les moins raffinés, *ils culbutent une femme*. De manière
plus allusive, il peut *se permettre des privautés, s'offrir un caprice, se passer une fantaisie*. Pour d'autres, il faut simplement *jeter sa gourme*, car *il faut bien que jeunesse se passe*.

La reconnaissance d'une pression afin d'*obtenir les faveurs* d'une femme peut
être évoquée ; l'homme *lutine, tourmente, poursuit une femme de ses assiduités*, par
des propos ou des gestes *insistants* ; il la *surprend, prend des libertés* avec elle, plus
ou moins *scandaleuses*. La notion d'abus apparaît. Les pressions sexuelles apparaissent de moins en moins comme de l'ordre de la nature de sexes et des
pouvoirs, tandis que les pratiques masculines deviennent l'objet de la critique,
en des termes encore réservés. Il est désormais question d'*actes téméraires*, de
gestes trop hardis, de *familiarités indues*, de *froissements*, de *tracasseries*, de *gestes
déplacés*, de *coupables avances*. Les femmes qui *n'échappent pas aux assiduités des*

hommes, sont alors *subornées, mises à mal*. Mais c'est encore largement au sein d'une problématique d'une morale masculine que la dénonciation se pose : une femme est *déshonorée*, elle a *subi les derniers outrages* ; la violence n'est encore évoquée qu'à mots feutrés, toujours sous-estimée ; on parle de *mœurs froissés*, d'*affronts*, d'*attentats à la pudeur consommés*. Si hommes et femmes peuvent être unis dans une commune réprobation tenant à leur *immoralité* ou à leur *inconduite*, néanmoins ce sont bien les femmes qui sont le plus communément l'objet de la critique ; elles sont *faciles, légères, dévergondées, inconstantes* et dès lors rendues responsables non seulement de leur *chute*, mais aussi d'avoir *entraîné, provoqué les hommes* ; c'est parce qu'elles sont *séductrices*, qu'ils *cèdent à leurs allures provocantes*. Elles ne sont reconnues comme victimes que consentantes ou coupables.

Ces jugements ambivalents montrent à quel point, lorsqu'il s'agit du comportement sexuel des femmes, la frontière est difficilement posée entre contrainte et liberté. On peut ainsi lire le jugement suivant, pour le moins ambigu : un homme est considéré comme ayant *usé de pressions pour contraindre (une femme) à se donner à lui ; alors, prise de force, elle cède*. Une femme peut être ainsi *séduite par des prévenances*, mais elle est aussi *contrainte à la complaisance*, à moins que celle-ci ne soit *achetée* ; elle *cède à la contrainte*, à moins qu'elle ne *se laisse faire, s'abandonne* ou *se soumette* ; elle *accorde ses faveurs, se donne* ou *se livre*.

Progressivement, cependant, le jugement devient condamnation : on décrit, on déplore, on s'indigne des *mauvais traitements*, des *avances coupables*, des *propositions malhonnêtes*. Et, si l'homme *arrive à ses fins*, c'est parce qu'il *a eu raison des scrupules* de celle, qui a désormais un statut de *victime*, de *malheureuse*.

La responsabilité des hommes est clairement posée ; la dénonciation s'affiche de plus en plus clairement ; la colère, la menace, le désir de vengeance s'expriment. On sort de l'analyse individuelle pour évoquer des logiques sociales. On parle de *droit de cuissage*, de *traite des blanches*, tandis que la métaphore de l'*esclavage*, du *servage*, du *harem*, du *sérail*, se banalise. Plus les rapports de pouvoirs entre hommes et femmes sont inscrits dans le réel, plus la condamnation se fait violente. Les patrons, les contremaîtres sont voués à l'anathème ; ce sont des *salauds*, des *gougeats*, des *misérables*, des *sadiques*, des *malfaiteurs*, des *noceurs abjects*, des *satyres d'ateliers*, voire des *cochons*, des *pourceaux*.

Ces termes sont ceux employés par les hommes ; les femmes quant à elles, se bornent à évoquer le terme de *défense de leur dignité*.

Chapitre 3
La dépossession du corps
de femmes ; la subordination
des êtres

Les patrons acceptent volontiers les ouvrières
parce qu'elles sont des instruments plus souples,
plus dociles que les hommes. Les ouvrières n'ont
pas, comme les ouvriers, d'esprit de corps [1].

Est-ce vraiment émanciper la femme
que de vouloir la précipiter
à corps perdu dans les ateliers ? [2]

Au XIXe siècle, le processus de séparation du corps et de la force de travail est, pour les femmes, largement inachevé. La grande spécificité du travail féminin, c'est que, dans le prolongement des logiques familiales, les différents droits d'usage du corps des femmes ne sont pas autonomisés. Qu'il

1. Claude Weyl, *La réglementation du travail des femmes dans l'industrie*, Loi du 2 novembre 1892. Paris, Larose 1898, p. 13.
2. L'Ouvrier du Havre, cité par *l'Echo des tabacs*, août 1903.

s'agisse du corps dégradé, dénudé, caché, déformé, ou du corps affiché ou *faire-valoir*, c'est bien lui qui est asservi, approprié. Aussi, ce qui importe, ce sont moins les formes – souvent contradictoires – des contraintes corporelles ou vestimentaires qui sont imposées aux femmes, que le fait que ces contraintes leur soient imposées, du fait de leur sexe.

C'est bien le corps même des femmes qui est au cœur d'un dispositif d'assignations différenciées. Celles-ci évoluent de la contrainte à la prostitution à la virginité contrôlée, de la promiscuité sexuelle à la ségrégation des sexes, de la négation de leur féminité à l'imposition de stricts canons de beauté. Néanmoins, progressivement, les femmes s'attachent à se réapproprier leur corps, à fixer les limites de l'exploitation, à dissocier ce qui est de l'ordre du travail et du privé, à ne vendre que leur force de travail.

1. La dépossession des corps

Aline Valette cite, sans le nommer, un philosophe du Second Empire, selon lequel « le travail de la femme, c'est la promiscuité absolue dans l'isolement absolu » [1]. C'est probablement au cœur de cette apparente contradiction que l'on peut comprendre les processus de dépossession collective du corps des femmes au travail, lesquels ouvrent la voie et légitiment l'appropriation singulière sexuelle.

L'analyse de ces formes de dépossession du corps des femmes est indissociable de celle du droit de cuissage.

La dépersonnalisation

L'usine est, par excellence, le lieu de la dépersonnalisation qui, selon l'historienne américaine Joan Scott, « contraste étonnamment avec l'intimité du milieu familial. Sur les gravures et les photos, des rangées de jeunes femmes se tiennent au garde à vous devant les métiers. La représentation de nombreuses ouvrières dont la posture, les vêtements, la coiffure sont identiques permet d'apprécier la taille de l'entreprise. Ces images confèrent au travail féminin une uniformité et une impersonnalité étrange pour l'époque. » [2] Les ouvrières, emprisonnées dans l'atelier, attachées aux machines, emmurées dans

---

1. *La Fronde*, Aline Valette, L'hygiène dans l'atelier, 20 mars 1898.
2. *Pour la science*, Joan Scott, Les femmes et la mécanisation du travail, Novembre 1982, p. 111.

l'étroitesse de leur condition, isolées entre elles pour le plus grand profit de la concurrence, divisées par une multiplicité de statuts professionnels sont soumises à une implacable uniformité et dépossédées de toute individualité. Un dénommé M. Rocher, à qui on a demandé de définir la filature, répond, en 1898, sans états d'âme : « C'est une femme et de l'eau chaude. »[1] Lorsque l'on sait que l'industrie textile est le plus gros employeur de femmes à la fin du XIXᵉ siècle, le singulier utilisé pour les définir toutes donne une idée de la valeur accordée à chacune d'entre elles.

Les ouvrières sont vêtues identiquement, dans des alignements sans faille, fondues dans la masse, parfaitement interchangeables. Les tenues-maison les blouses, les uniformes obligatoires accompagnés d'interdictions ou d'impositions vestimentaires strictes, sont les symboles les plus voyants de cette appropriation du corps des femmes par l'entreprise et de cette négation d'elles-mêmes.

Comme les femmes mariées, mais aussi les religieuses et les prostituées, les travailleuses perdent souvent leur nom en travaillant hors de chez elles. Un nom, un prénom propre est le signe d'une identité ; ils supposent une personnalité, une histoire propre. « Marie, c'est très gentil aussi, et c'est court. Et puis toutes mes femmes de chambre, je les ai appelées Marie. C'est une habitude à laquelle je serais désolée de renoncer. Je préférerais renoncer à la personne » déclare son nouveau patron – le fétichiste des bottines – à Célestine, dans le roman d'Octave Mirbeau, *Le journal d'une femme de chambre*. « Ils ont tous cette bizarre manie de ne jamais vous appeler par votre nom véritable, constate-t-elle, désabusée, elle à qui l'on a déjà donné tous les noms de toutes les saintes du calendrier. »[2] Cette dépersonnalisation des employées de maison est la plus connue. Mais cet usage se retrouve aussi dans l'industrie comme dans les bureaux ; c'est rarement par leur nom de famille, mais par leur prénom, quand elles ne doivent pas en changer, qu'elles sont appelées. Dans certains cas, c'est même par un simple chiffre qu'elles sont *nommées*. Un médaillon en laiton où un nombre est inscrit tient lieu de reconnaissance pour Aline Vallette, lorsqu'elle est embauchée à l'usine : « Me voilà étiquetée, écrit-elle, je ne suis plus une femme, je suis un numéro. »[3] Dans la bourgeoisie, on va même jusqu'à mettre une cagoule sur le visage de la nourrice lorsque l'enfant dont elle a la charge pose, face au photogaphe ; sans visage, elle est alors vraiment un substitut de fauteuil ou de peau de bête[4].

---

1. *La Fronde*, cité par Aline Vallette, La filature lyonnaise, 24 février 1898.
2. Octave Mirbeau, *Le Journal d'une femme de chambre*, roman, Paris, E. Fasquelle, 1927, p. 12.
3. *La Bataille syndicaliste*, Aline Vallette, L'usine de la lampe Osram, 30 septembre 1913.
4. Souvenir personnel d'une photo de famille.

Cette dépersonnalisation, plus aggravée pour elles que pour les ouvriers, ne leur est pas spécifique ; la manufacture, l'usine sont pour tous et toutes « le lieu de l'obéissance, de la hiérarchie, du mépris » [1]. En revanche, les ouvrières sont, plus spécifiquement – sinon exclusivement, du moins dans la grande majorité des cas, – l'objet de pratiques qui mettent à nu, humilient et dégradent les corps.

La mise à nu des corps

Si « attenter à sa propre pudeur, c'est renoncer à sa qualité d'homme » [2], que dire alors d'une femme ?

Les corps dénudés

C'est autour du corps dénudé, comme offert à tous, des ouvrières des filatures du Nord que se concentre l'attention. Elles travaillent, à la fin du siècle, dans une atmosphère surchauffée, variant entre 28 et 36 degrés, imprégnée d'odeurs nauséabondes provenant des bassins d'eau nécessaires au lavage des laines. Les contremaîtres ne manquent pas, en outre, selon les témoins et dans le style de l'époque, « au besoin, d'assouvir leur bestiale passion sur ces femmes qui travaillent, les seins, les bras, les pieds nus » [3].

Marcelle Capy évoque pour nous, à la veille de la guerre, le défilé des fileuses, quittant l'usine, « gamines de quinze ans, jambes, bras, poitrine au vent ; les cheveux mouillés, les joues rouges et suantes, un sac humide sur les reins, un chiffon d'indienne sur les seins, elles offrent à l'air libre leur chair blême... Il en sort toujours de ces fillettes en sueur et si peu vêtues. » [4]

C'est aussi la description des sucrières qui, « les nerfs tendus, les traits contractés sont débarrassées de presque tous leurs vêtements » [5].

1. *La Revue du Nord*, Marie-Hélène Zylberberg-Hocquard, L'ouvrière dans les romans populaires du XIXᵉ siècle, Nº spécial. Histoire des femmes du Nord. 1981, p. 629.
2. Jean-Claude Bologne, *Histoire de la pudeur*, Paris, O. Orban, 1986, p. 325.
3. *Le Libertaire*, Léon Wolke, Chair à travail, chair à plaisir, 13 novembre 1896.
4. *La Bataille Syndicaliste*, Marcelle Capy, Midi à la porte d'une filature, 3 avril 1914.
5. *Ibid.*, L'enfer des raffineries, 14 mai 1913.

La promiscuité des corps

Rien n'est conçu pour faciliter la présence des femmes au travail ; tout est fait pour leur enlever leur identité corporelle et affective, ainsi que tout sentiment de sécurité, dans une logique de dénégation et de mise à nu. L'usine n'est pas la place des femmes ; c'est à elles d'assumer les conséquences de leur présence. Ces cumuls de sujétion rendent particulièrement difficile la situation des femmes salariées confrontées à un monde d'hommes ; leurs collègues ne manquent pas, alors, de *profiter des occasions*, ainsi offertes. Les ouvriers et ouvrières de la métallurgie de chez Schneider à Harfleur sont, dans les années 1920, véhiculés quotidiennement – le voyage dure une heure – de Honfleur à Hoc dans de véritables wagons à bestiaux, sans lumière et sans banc. Une ouvrière « écœurée, se plaint que les femmes sont victimes de fâcheuses méprises, l'obscurité étant complice des agissements de certains ouvriers inconscients, qui abusent de la situation ». Au point que l'une d'entre elles, enceinte, est obligée, pour se protéger, d'allumer une bougie et de se tenir dans un coin. « Bien que cette situation ne soit pas drôle, cela fait rire tout le monde. » [1] La militante, qui nous transmet cette scène de vie, rend responsables de cette situation « les gros requins de la métallurgie » qui ne s'intéressent pas à la situation morale des ouvrières. Mais, de fait, ici, ce qu'elle dénonce implicitement, c'est l'inégalité des rapports entre les sexes, au sein même de la classe ouvrière ; ce sont bien ses camarades hommes qui ne respectent pas les femmes et se moquent d'elles. Mais, en tant que communiste, elle ne peut les accuser formellement d'immoralisme, de mépris des femmes, au risque de rompre la solidarité de classe, ou de reprendre à son compte les jugements bourgeois sur les ouvriers. C'est ainsi qu'elle reconnaît que ses camarades masculins peuvent à la fois abuser de la situation - ce qui pose leur responsabilité - et les qualifier d'*inconscients* – ce qui les déresponsabilise.

Les corps dévoilés

Se laver, se déshabiller, aller aux toilettes apparaissent comme l'occasion de contrôles supplémentaires, comme autant de façons de les humilier en leur rappelant qu'elles ne sont malgré tout que des femmes. Si la suppression de

---

1. *L'Ouvrière*, Chez Schneider à Harfleur, 10 décembre 1925 et 10 février 1926.

la fouille est une vieille revendication ouvrière, les femmes doivent la subir plus longtemps [1] et surtout différemment des hommes ; d'autant que ce sont parfois des hommes qui effectuent ces fouilles sur des femmes. Dans les manufactures des Tabacs, celle-ci est quotidienne et très mal supportée par les ouvrières ; elles doivent se mettre en rang dans la cour en attendant les préposé-es chargé-es de cette tâche. En 1900, elle n'a plus lieu que 4 à 5 fois par mois, à l'improviste, sur l'ordre de l'ingénieur ; elle peut être publique, si elle est superficielle ou à huis clos si elle est complète. [2] En 1925, dans l'alimentation, en région parisienne, les vendeuses sont fouillées tous les jours ; ce procédé est qualifié, par L'Ouvrière, de « suprême humiliation, de procédé ignoble et dégradant » [3]. Quant à l'hôpital Tenon, à Paris, en 1926, c'est un dénommé Bouscary, concierge de son état, « un bien triste sire, d'un sans gêne incroyable », qui se permet non seulement de fouiller tout le monde à l'entrée, mais s'arroge en outre le droit de « palper les femmes afin de se rendre compte qu'elles ne cachent rien d'interdit aux malades » [4].

Sous couvert de contrôler la fauche, voire de rechercher un objet volé, il arrive que les femmes soient contraintes, régulièrement ou exceptionnellement, de se déshabiller complètement ; le cas est relevé dans les usines, les ateliers, le commerce.

Les vestiaires, le seul espace qui leur soit propre, eux aussi sont fouillés : aux Jambons français, le chef du personnel qui « passe chaque jour ou presque les vestiaires en revue, ne trouve jamais (le contrôle) assez minutieux » [5]. Mais souvent, les femmes – c'est aussi le cas des hommes – n'ont pas de vestiaires propres et n'ont que de simples clous pour accrocher leurs affaires. Lorsqu'ils existent, ils sont trop étroits, rarement personnels, n'ont pas de fermeture de sûreté, tandis que ce qui peut y être déposé est étroitement réglementé. Dans les années 1920, chez un fabriquant d'articles de voyages, « chacune accroche ses vêtements là où elle peut, les uns sur les autres, n'importe où, dans la poussière et le cambouis » [6]. Dans une fabrique de briques réfractaires, dans le Vaucluse, les ouvrières doivent se déshabiller « dans l'encoignure d'un pilier » [7] ; chez Motte, « alors que le directeur a pour lui deux bureaux, dans un endroit où tout le monde passe » [8] ; tandis qu'à l'usine Dunlop, hommes et femmes se

1. La fouille des vendeuses se pratiquait encore au Prisunic des Champs Elysées en 1953, cf. L'employé du commerce, C. G. T. Février 1953.
2. Le Mouvement Social, M. H Zylberberg-Hocquard, Les ouvrières d'Etat, Oct-décembre 1978, p. 102.
3. L'Ouvrière, L'exploitation des travailleuses de l'alimentation, 3 décembre 1925.
4. Ibid., A l'hôpital Tenon, 19 août 1926.
5. Ibid., Jambons français, 20 janvier 1926.
6. Ibid., Chez Sylvain Roche, 27 janvier 1927.
7. Ibid., A Bollène, 15 janvier 1925.
8. Ibid., Chez Motte, 9 avril 1925.

déshabillent *pêle mêle*. [1] Mais cette promiscuité sexuelle n'a pas la même signification pour les hommes et pour les femmes : à la Manufacture des Tabacs du Havre, en 1897, les ouvrières déplorent que « le surveillant se promène devant la porte d'entrée de leur vestiaire lorsqu'elles se déshabillent » [2].

Dans les toilettes des femmes se pratique un voyeurisme quasi-institutionnel ; on peut y lire des graffitis, anonymes ou non, où les propositions obscènes et les dénonciations ont libre cours.

Sous couvert de contrôle du temps, en 1926, à la Brasserie polaire du Havre, pour aller aux *lieux d'aisances,* il faut demander la clé au contremaître « qui surveille attentivement la fréquence des besoins des ouvrières » [3].

Les règles des femmes, tabou par excellence, peuvent être l'objet d'une surveillance humiliante de la part d'hommes qui jouent sur la honte que de nombreuses femmes éprouvent vis-à-vis de leurs corps pour leur rappeler leur statut inférieur. [4] Des questions, des insinuations sur leur vie sexuelle, souvent présentées comme autant de *plaisanteries*, révèlent la volonté de posséder, d'humilier au plus intime des êtres. Un commis au sanatorium Clémenceau – dont on précise que la seule capacité est d'avoir été officier en temps de guerre – reçoit ainsi une jeune fille arrêtée une journée pour maladie : « Comment ça se fait-il que vous soyez malade ? C'est-il vos règles qui vous fatiguent ou autre chose ? Vous pouvez me répondre ; je dois tout entendre. S'il y a quelque chose qui vous gêne, il faut me le dire. » [5] Les termes employés sont révélateurs : la réponse aux questions qu'il pose relève plus de la contrainte que de l'autorisation.

Les corps violés. Les visites sanitaires à l'embauche

Sous couvert d'embauche, certains employeurs ou supposés tels, arguent de la nécessité d'un contrôle médical, pour effectuer des *visites sanitaires*. C'est à l'occasion de campagnes contre la *traite des blanches,* que certaines pratiques se dévoilent. En 1902, une jeune modiste de 18 ans, Henriette V., engagée

1. *Ibid.*, La femme à l'usine Dunlop, 21 avril 1923.
2. *L'Echo des Tabacs*, Janvier 1897.
3. *L'Ouvrière*, Brasserie Polaire, 16 septembre 1926.
4. Concernant l'humiliation par les règles sur les lieux du travail, pour une période plus récente, on pourra se référer à : Collectif, *18 millions de bonnes à tout faire*, Syros, 1978, p. 141 ; Suzanne Van Rokengem, in *Les Cahiers du Grif*, F. N, 1974, Une grève pour rien, Les femmes font la fête, Les femmes font la grève, décembre 1974. p. 41 ; *les Cahiers du féminisme*, Contre les agressions sexistes, Au Brésil, mars/avril 1980.
5. *L'Ouvrière*, Un commis au sanatorium Clémenceau, 19 Fevrier 1925.

par l'Office central des concerts, rue du Faubourg Saint-Martin, signe un contrat pour se produire à Capetown. Les *employeurs*, MM. Hayum et de Beaucourt, avant de prendre le train pour l'embarquement, l'amènent dans un hôtel proche de la gare Saint Lazare, « pour voir si elle est bien constituée pour la danse » [1], puis la conduisent chez un médecin qui établit qu'elle « n'est atteinte d'aucune maladie vénérienne ». Au magistrat stupéfait qui lui demande si le fait d'avoir été examinée *sous toutes les coutures* ne l'a pas mise en éveil, celle-ci répond : « M. Hayum m'a dit que tous les passagers de bateaux anglais étaient soumis à cette formalité par crainte de la fièvre typhoïde. » [2]

En 1907, une jeune femme de 23 ans ayant déposé une annonce de recherche d'emploi reçoit une lettre d'une supposée actrice de la Comédie Française. Celle-ci vient, selon les termes de la lettre, de se séparer de son ancienne femme de chambre anglaise qui a *attrapé une maladie intime* ; aussi exige-t-elle que la postulante soit *vue* par son docteur. Un citoyen informé explique à la future victime que cette lettre est l'œuvre d'un malandrin qui « veut abuser de son inexpérience de la vie ». Il saisit la police » [3].

2. La dégradation des corps

Le corps des femmes au travail gêne et embarrasse ; il ne doit pas troubler le bon ordonnancement de l'espace de travail. Quand il n'est pas indûment exposé, on le fait disparaître sous des tenues qui le gomment, le déforment, lui enlèvent toute féminité. Si la culture ouvrière masculine permet aux ouvriers de s'identifier au travail productif, si la force physique, voire la saleté, identifiée à la virilité, est perçue comme la reconnaissance de leur statut [4], il n'en est pas de même pour les femmes. A l'inverse, cette dégradation des corps justifie qu'elles soient encore plus mal traitées. Ces femmes, ne sont que des caricatures de féminité, jouent un rôle de repoussoir ; elles ne peuvent plus alors inquiéter l'ordre des sexes.

1. Concernant les abus sexuels sur les jeunes filles, sous couvert d'exigences professionnelles, notamment dans la danse, pour une période plus récente, on pourra se reporter à l'histoire d'Albina, l'hôtesse de l'air dans le roman de Julia Voznescenskaya *Le Décaméron des femmes*, Actes Sud, 1988.
2. *Le Rappel*, Un infâme trafic, 3 mai 1902.
3. Archives de police de Paris, Dossier Traite des blanches,
4. Lion Murard et Patrick Zylberman, *Le petit prolétaire infatigable ou le prolétaire régénéré*, Recherches, Novembre 1976.

Les vêtements de travail, l'odeur

Situées au plus bas de l'échelle de la reconnaissance ouvrière, les ouvrières ne peuvent même plus faire valoir les *attributs* caractéristiques de leur sexe. Elles portent sur elles la marque de leur déchéance. Leurs vêtements sont le signe de la valeur qu'on leur accorde : blouses poisseuses, moites de la sueur de la veille des *wheeleuses* ; tabliers de toile à sac, raides à se tenir debout tout seuls des raffineuses de sucre, gris de poussières pour les trieuses de charbon, humides et sales pour les ouvrières des filatures ; haillons imprégnés d'huile des garnisseuses de cardes ; vêtements imprégnés d'une « odeur effroyable, fade, écœurante, indélébile des sardinières de Saint Guénolé. Une station d'une heure dans cet enfer putride rend bons à jeter les vêtements de ceux qui n'aiment point transporter partout avec eux une atmosphère *sui generis*, intolérable aux narines qui n'y sont pas accoutumées. » [1] Dans le même sens, une ouvrière des filatures se reconnaît à son odeur, même dans la rue. [2]

La saleté des corps

Rien ou presque n'est prévu pour que les ouvrières puissent se nettoyer ; elles doivent souvent rentrer chez elle dans un état physique pitoyable. Si des lieux de toilette sont prévus sur les lieux de travail, les femmes peuvent en être exclues. Ainsi, dans les mines d'Anzin, la direction construit de nouveaux bains-douches en 1926 ; les femmes n'ont pas été prises en compte et les trieuses n'y ont pas droit. [3] Aux usines Dunlop, en 1923, l'ouvrière quitte l'usine « le visage encore recouvert d'une couche de graisse laissée par la poussière de caoutchouc mêlée aux vapeurs d'essence » [4]. A Rouen, celles qui travaillent avec de l'esprit de sel, n'ont pas de lavabos et doivent se laver à l'essence. [5] A Apt, à quelques rares exceptions près, des centaines de femmes travaillent, des heures durant, dans la chaleur provoquée par la cuisson des fruits, sans que les confituriers n'aient prévu de lavabos. [6]

---

1. *La Fronde*, Osmont, Les sardinières de Saint Guénolé, 15 octobre 1901.
2. *La Revue du Nord*, Thierry Leleu, Scènes de la vie quotidienne, Les femmes dans la vallée de la Lys, 1870-1920, No Spécial, Histoire des femmes du Nord, 1981, p. 661.
3. *L'Ouvrière*, Dans la mine, 7 mai 1926.
4. *Ibid.*, Aux usines Dunlop, 21 avril 1923.
5. *Ibid.*, Chez Desmarais, 22 octobre 1925.
6. *Ibid.*, Conserves de fruits, 15 décembre 1923.

Les toilettes, lorsqu'elles existent, ne sont pas nettoyées par la direction ; il n'y a pas de lumière, pas d'eau, pas de savon. Au Havre, en 1926, à la maison Gisels, « tout est dégoûtant, depuis le lieu de travail, en passant par le vestiaire, mais surtout les W. C. Plutôt que d'installer des toilettes hygiéniques et propres, le directeur a trouvé plus simple de transformer ses trieuses en vidangeuses. [1] Toutes les ouvrières de la maison doivent nettoyer à tour de rôle. Celles qui refusent sont mises à la porte. » [2]

Certes, les usines de femmes n'ont pas le monopole de la saleté, mais le statut de la propreté n'est pas le même selon les sexes. Un mineur, noir de poussière de charbon, arbore son identité professionnelle sur son visage, tandis que sa femme est supposée l'attendre au logis pour le laver dans le *tub* dont elle a eu soin de faire chauffer l'eau. Une femme au visage noir porte sur elle l'infamie de son statut et suscite quolibets et railleries. C'est le cas des *filles à cailloux* qui sont la risée d'une partie des ouvriers parce qu'elles sont noires, lorsqu'elles reviennent du travail. [3]

Les travaux de force

Il faut insister sur les conséquences de cette dévalorisation généralisée du corps des femmes dans la production ; puisqu'il est si dévalorisé, pourquoi le protéger ? Dans les travaux domestiques, à la campagne notamment, beaucoup d'entre elles n'accomplissent-elles pas déjà des activités de *bêtes de somme* ? De fait, les femmes ont souvent été employées dans des emplois physiquement très durs. Michelle Perrot a noté qu'au début du XIXe siècle, les chantiers de construction, de terrassements, les chemins de fer, emploient des femmes. [4]

On peut aussi parler de celles qui, dans les caves de Champagne, « doivent fournir un travail d'hommes » [5], des confiturières d'Apt dont le travail est « au-dessus de leurs forces » [6], des trieuses de charbon qui « accomplissent un métier de forçat » [7], des domestiques, « plus particulièrement encore

---

1. Concernant une période plus récente, sur le rôle joué par les ouvrières dans le nettoyage des toilettes, on pourra se référer à : M. V. Louis, La lutte des femmes de Bekaert-Cockerill, *Les Cahiers du Grif*, La mise à nu, Septembre 1983, p. 14.
2. *L'Ouvrière*, Au Havre, 26 avril 1926.
3. *Ibid.*, Les filles à cailloux, 25 août 1925.
4. *Le Mouvement Social*, Michelle Perrot, Travaux de femmes au XIXe siècle, oct-décembre 1978, p. 8.
5. *L'Ouvrière*, La fabrication du vin de champagne, 10 novembre 1923.
6. *Ibid.*, Industries confiturières d'Apt, 30 septembre 1926.
7. *Ibid.*, Dans les mines de charbon, 2 juillet 1925.

de couleur, capables de porter de lourds fardeaux et d'assurer les services les plus lourds »[1] ainsi que des ouvrières des imprimeries sur métaux, qui « manient par jour 7 à 8 000 kilos et plus de fer »[2].

Citons, en outre, pour la fin du XIXᵉ siècle, les exemples suivants. Les *wheeleuses* dans la fabrication du tulle sont employées dans des conditions « qui réclament une position des plus pénibles et un extrême déploiement de force. Les hommes sont unanimes à trouver que cette besogne ne devrait pas être laissée aux femmes. »[3] Quant aux pousseuses du Creusot, – des centaines de femmes en 1899 – elles travaillent, douze heures par jour, exposées à toutes les intempéries, occupées à empiler dans des brouettes les résidus de charbon. « Pour 32 sous par jour, il faut qu'elles aient chargé et roulé 25 brouettes contenant chacune un hectolitre de charbon ; et lorsque le temps est pluvieux, que la poussière du charbon s'attache aux doigts engourdis et que la tâche épouvantable n'a pu être remplie dans la journée, une diminution est encore faite sur le dérisoire salaire qu'on ose offrir à ces femmes en échange d'un travail qu'on n'imposerait point à des forçats. »[4] Enfin, les sucrières de Lebaudy sont employées, « à une tâche où les hommes peineraient terriblement, dans une atmosphère suffocante, viciée par une intense poussière de sucre, et par 60 degrés de chaleur. Ces femmes vont comme des automates et font des efforts comme des bêtes de somme, donnant toute leur énergie pour s'aquitter d'une tâche qui les accable, qui les exténue. »[5] *Enfer des femmes, paradis des hommes,* n'est-ce pas ainsi que l'on décrit la tradition dans les raffineries de sucre ?

Tous ces témoignages expliquent, au XIXᵉ siècle, les recours à la métaphore de l'esclavage, de la servitude, pour évoquer le travail des femmes. Cette réalité gênante de la condition des femmes au travail a été occultée par l'histoire ; elle remet en effet en cause le discours sur leur faiblesse supposée qui justifiait la protection dont on les accablait. Cette réalité a aussi contribué à renforcer la prégnance par la culture ouvrière de l'image de la femme au foyer comme le symbole de la santé, de la stabilité et de la prospérité d'une maisonnée.

1. *Ibid.*, Lucie Collard, La crise des domestiques et la main d'œuvre de couleur, 14 avril 1923.
2. *Ibid.*, Marseille, 12 mai 1923.
3. *La Fronde*, Au pays du tulle, 17 avril 1898.
4. *Ibid.*, Les femmes au Creusot, 4 octobre 1899.
5. *La Bataille Syndicaliste*, Marcel Laurent, L'enfer des raffineries, 14 mai 1913. Pour une description plus récente de l'univers des sucreries, on pourra se référer au livre de Christiane Peyre, *Une société anonyme*, préface d'Albert Memmi, Julliard, 1963.

3. La discipline des corps

A cette dégradation des corps, se surimpose un contrôle du corps, de sa mobilité, de ses fonctions naturelles, imposé collectivement ou singulièrement.

Le contrôle de la coiffure

Les cheveux courts apparaissent dans les années 1920 comme des symboles d'indépendance ; nombreux sont les pères et maris qui s'opposent formellement à cette nouvelle coiffure. En 1926, un époux demande et obtient le divorce de ce fait. [1] Il n'est donc pas étonnant que ces impositions se retrouvent sur les lieux du travail. En 1925, aux Magasins Réunis de Bar-le-Duc comme à Halluin, à la maison Defretin, en 1927, à Paris, aux magasins du Louvre, il est interdit de se faire couper les cheveux. Dans ce dernier cas, le directeur menace de renvoi celles qui ont les cheveux coupés et celles qui ont les bras nus. [2] En 1925, une jeune fille décrit sa stupéfaction de s'être vue proposer un emploi aux écritures à 14 francs par jour au journal *Le Matin*, à cette unique condition. [3] Dans certains cas, pour humilier les récalcitrantes, pour *moraliser* en enlaidissant, on impose la coupe de cheveux. Raser la tête des *mauvaises têtes* – dont on vend la chevelure aux fabricants de perruques – est courant dans les institutions catholiques du Bon Pasteur.

Le contrôle des besoins naturels des corps

Dans certains ateliers de couture, en 1900, « pour que les ouvrières n'aient pas prétexte à flânerie et ne puissent se lever de leur tabouret, les cabinets sont fermés dans la journée et les besoins pressants sont interdits. Le robinet d'eau est aussi fermé. Dame, c'est la conséquence du verrouillage des lieux d'aisance ! » dénonce l'une d'entre elles. [4] Demander la permission d'aller aux toilettes est la pratique au Bon Marché en 1906 : il faut en référer au chef

---

1. *L'Ouvrière*, les lois françaises en désuétude 8 Juillet 1926.
2. *Ibid.*, Gare aux cheveux coupés et aux bras nus, 2 juillet 1925.
3. *Ibid.*, Au journal *Le Matin,* 16 avril 1925.
4. *La Voix du Peuple*, Dans la couture, 1er décembre 1900.

de rayon qui, suivant sa disposition, accorde ou n'accorde pas la liberté de satisfaire à ses besoins [1]. L'autorisation peut être aussi décidée arbitrairement, à heures fixes, pour toutes : elle est limitée à dix minutes par jour pour les demoiselles des téléphones en 1909 [2], à deux fois dix minutes par jour, après le coup de cloche réglementaire, dans la chaussure, en 1931. Les femmes s'y précipitent « telles des sauvages » ; il faut faire vite, car elles sont nombreuses [3].

Le contrôle de l'habillement

C'est sur les normes vestimentaires que la discipline se fait particulièrement stricte et contraignante. Mais, quel que soit le critère, qui lui-même évolue, l'essentiel est, qu'en marquant le statut, il fonde le pouvoir. Aux magasins du Louvre, les vendeuses n'ont pas le droit de porter des bas clair [4] ; chez Baze, dans les Bouches du Rhône, les commises doivent être uniformément vêtues de soie noire [5] ; chez Pillot, dans la chaussure, c'est d'une blouse blanche qu'il faut se vêtir [6]. L'inspection peut être quotidienne et l'on peut se voir renvoyée chez soi pour se rhabiller. Mais cet uniforme qui marque la distance entre l'employée et les clientes, peut aussi avoir pour fonction de marquer la distance entre elles-mêmes et d'accentuer les rivalités. Dans les grands magasins à Paris, « la lingerie porte des robes de laine, les confections sont vêtues de soie. Les lingères parlent de leurs voisines avec des moues révoltées d'honnêtes filles. » [7] Les magasins reprennent aussi les modèles de pensionnats qui ont fait leurs preuves : à Nice, aux Galeries Lafayette, « le cortège uniforme des robes et costumes noirs réglementaires fait penser, tant les vendeuses sont jeunes, à un pensionnat d'écolières en habit noir. » [8]

On peut aussi se voir imposer, d'*avoir de la toilette*, au gré des critères des employeurs : chez Walline à St-Denis, le patron veut que les ouvrières soient habillées *à son goût*. Une ouvrière porte un béret. Il lui en fit l'observation :
— Je veux vous voir en chapeau.

1. *Le Libertaire*, La vie au Bon Marché, 4 novembre 1906.
2. *La Révolution*, L'exploitation des femmes, 26 février 1909.
3. *L'Ouvrière*, Chez Pillot, 16 janvier 1931. Pour une description récente du contrôle urinaire dans les entreprises, on pourra se référer à Carrefour Montesson, in *Cette violence dont nous ne voulons plus*, No. 7, Syndicalisme et Sexisme, Mars 1988, p. 13 à 16.
4. *L'Ouvrière*, Au Louvre, 21 mai 1925.
5. *Ibid.*, La misère en robe de soie, 4 juin 1925.
6. *Ibid.*, Chez Pillot, 16 janvier 1931.
7. Françoise Parent Lardeur, *Les demoiselles de magasins*, Paris, Les Editions de l'Atelier/Editions Ouvrières, 1965, p. 102.
8. *L'Ouvrière*, Aux employées de Nice, 14 mai 1925.

L'ouvrière lui répliqua :

– Un chapeau coûte 30 francs ; ce béret me revient à 5 francs, car c'est moi qui l'ai fait.

Le patron paya. Mais, nouveau scandale. L'ouvrière cette fois était trop coquette et ce fut un motif de renvoi. [1]

En 1897, les institutrices se voient formellement interdire par le directeur de l'enseignement primaire de la Seine, le costume spécial, sorte de jupe-culotte pour lequel *la Fronde* fait de la réclame, qu'impose, à l'époque, l'usage de la bicyclette. L'argument qui leur est opposé est qu'elles ont « besoin du respect des élèves et de la considération des parents ». La note de service poursuit ainsi : « Nous entendons que notre personnel enseignant veille à ce que jamais sa tenue ou son attitude ne donne prise au soupçon, ou matière à raillerie. » [2] Ces conseils de conformité sociale liés à cette interdiction vestimentaire peuvent aussi être interprétés comme une réprobation de l'indépendance des femmes dont la bicyclette est à l'époque le symbole. En 1894 encore, une dénommée Lanjallée – la *fille* Lanjallée selon la terminologie des tribunaux – est condamnée par le tribunal correctionnel de Paris à 15 jours de prison pour avoir utilisé la bicyclette, « les jupons retroussés, sans pantalon, avec aux jambes de simples chaussettes ». Motif : outrages publics à la pudeur [3].

Dans certains métiers – où la présentation joue un grand rôle – les femmes sont elles-même un *faire-valoir* de l'entreprise ; dans le commerce, elles sont un argument de vente. Là encore, sur d'autres critères, la toilette est réglementée : « La vendeuse est dans le magasin l'objet qui flatte au premier coup d'œil. Elle fait parfois à elle seule la fortune de la maison. Parée dès huit heures du matin, elle pousse à la vente par son charme et ses manières. » [4] C'est en ces termes que les demoiselles de magasins étaient décrites en 1840 ; ils sont encore adéquats pour la fin du siècle.

L'interdiction de s'asseoir

Mais ce fut surtout sur l'interdiction faite aux vendeuses de s'asseoir, durant leur journée de travail, dans les magasins que l'attention se concentre.

---

1. *Ibid.*, Chez Walline à St-Denis, 13 janvier 1931.
2. *La Fronde*, Les institutrices et la bicyclette, 25 décembre 1897.
3. *La Gazette des Tribunaux*, Tribunal correctionnel, 7 Octobre 1894.
4. Françoise Parent Lardeur, *Les demoiselles de magasins, op. cit.*, p. 22.

Un comité de dames de Paris animé par la Marquise de la Tour du Pin prend l'initiative, en 1888, d'une pétition adressée aux grands magasins. Celle-ci dévoile le sens caché de cette interdiction : « Il s'agit d'assurer d'une manière constante à la clientèle le service d'un personnel toujours diligent et en éveil. » [1] Au nom d'une solidarité entre clientes et vendeuses, ces femmes aisées, conscientes des conséquences pour la santé du fait de rester debout toute la journée, demandent que cette coutume « qui a quelque chose d'inhumain » soit abrogée. Les directeurs résistent. Ce serait, selon eux, transformer le magasin en salon où l'on cause ; les employées auraient tendance à ne pas se lever à l'arrivée des clientes. De fait, ce qui est exigé d'elles, c'est une disponibilité permanente. Une loi – dite *loi des sièges* – est cependant votée, le 1er février 1901. Dans la mesure où elle ne s'applique qu'aux femmes, certains patrons utilisent cet argument pour renvoyer leurs employées et embaucher des hommes.

4. La subordination des êtres

L'organisation hiérarchique du travail reproduit et aggrave la dépendance de ces femmes par rapport aux hommes, en analogie avec les fonctions traditionnellement dévolues aux femmes dans la famille.

Le logement sur place

On sait que l'expérience des *couvents-usines* s'est exclusivement limitée aux femmes [2] ; elles sont par ailleurs beaucoup plus nombreuses que les hommes à être logées sur le lieu même de leur travail. La plupart du temps, elles y sont étroitement surveillées ; il leur est interdit de recevoir quiconque et les horaires et le réglement de ces dortoirs sont quasiment ceux des pensionnats. C'est la situation des ouvrières en soie, des fileuses de la Drôme, de l'Ardèche et du Gard, des ouvrières en brosserie de Rennes, des fromagères de Roquefort. Ce type de logement se maintient pour les infirmières et les vendeuses qui

---

1. André Lainé, *Les demoiselles des magasins à Paris, op. cit.*, p. 204.
2. Sur les couvents-usines, on pourra se référer à Jules Simon, *L'Ouvrière, op. cit.*, Louis Reybaud, *Rapport sur les ouvriers vivant du travail de la soie, op. cit.*, p. 188 ; Jeanne Bouvier, *la lingerie et les lingères. Op. cit.* p. 337.

se voient cependant progressivement attribuer de petites chambres individuelles. Si ces solutions ont surtout été proposées aux orphelines, si elles ont
facilité la mobilité géographique des jeunes filles et contribué à élargir leurs
horizons, en contrepartie, elles accroissent l'état de dépendance de ces femmes
vis-à-vis de leurs employeurs. Aux magasins du Louvre, si une jeune fille n'observe pas la discipline qui lui est imposée, l'administration lui enlève son logement [1]. Et lors de la grève des ouvrières fleuristes de Hyères, en 1907, ce
sont celles qui logent chez les patrons qui ont brisé la grève [2].

La perpétuation des formes du travail domestique

Les tâches attribuées aux femmes sont souvent une perpétuation des formes
traditionnelles du travail domestique : les femmes balaient, nettoient les ateliers, les toilettes, font les courses, voire les repas. N'est-ce pas leur *vocation
naturelle* ? Dans les filatures de lin en 1914, les ouvrières doivent, non seulement nettoyer elles-mêmes les métiers, mais aussi balayer l'atelier. Le temps
passé à cette opération, qui a lieu le samedi après-midi à partir de 4 heures,
n'est pas payé et celles qui refusent cette corvée sont frappées d'une amende
de 5 à 10 sous [3]. C'est également le cas chez Cartier-Bresson, où le temps af-
fecté au nettoyage, étant pris sur le temps de travail, empêche de se faire des
primes [4]. A Marseille, en 1923, une ouvrière qui travaille dans une imprimerie se plaint que « toutes les femmes, et elles seules, sont obligées, après
l'heure réglementaire de nettoyer les machines » [5]. Enfin, dans le Nord, à l'usine
Guillemaud Aîné, non seulement celle-ci sont, seules, chargées de nettoyer
les métiers « afin de faire honneur à Messieurs les actionnaires », en visite à
l'usine, mais elles doivent en outre fournir le savon, la potasse et le pétrole
nécessaires [6]. La gratuité du travail domestique inclut ici jusqu'à ses moyens
de production matériels. La grève des fileuses en soie de 1908 au Vigan a
d'ailleurs lieu sur ces motifs : suppression de la taxe de 1 % sur les balais, suppression des amendes, suppression du nettoyage en dehors des heures de travail [7].

---

1. Fenelon Gibon, *Employées et ouvrières*, Lyon, E. Vitte, 1906, p. 236.
2. *L'Humanité*, Grève des ouvrières fleuristes de Hyères, 22 décembre 1907.
3. *La Bataille Syndicaliste*, Filatures de lin, 29 mars 1914.
4. *L'Ouvrière*, 24 décembre 1925.
5. *Ibid.*, Marseille, 12 mai 1923.
6. *Ibid.*, Région du Nord, 19 mars 1925.
7. *L'Humanité*, Grève des fileuses en soie au Vigan, 2 décembre 1908.

Dans le commerce, aussi, le cumul du travail salarié et des tâches domestiques se perpétue. Dans les petites boutiques, l'employée fait aussi couramment fonction de domestique ou de manutentionnaire. Un syndicat des laitiers-crémiers dénonce les dures conditions de ce travail, où l'on commence à 5 heures du matin pour terminer à 10 heures du soir, et où « les employées font toutes les corvées, depuis le portage du lait jusqu'à l'astiquage des cuivres et le ménage de la patronne ». [1]

En ce qui concerne les uniformes des femmes au travail, il est significatif que ce soit à elles de les acheter, les nettoyer, voire les confectionner, comme dans les Tabacs où – contrairement aux hommes – seul le tissu leur est fourni. C'est à elles, à la maison, de le couper et de le coudre. Madame Jacoby, déléguée au Comité central du Congrès national des Tabacs de 1911, refuse ce qui, pour elle, est une obligation indue : « Quand j'ai donné ma journée de travail à l'administration, j'ai en rentrant chez moi des soins à donner à mon ménage ; je n'ai pas le temps à me mettre à confectionner des tabliers ; je ne veux pas réduire mon salaire pour en payer la confection. » [2]

5. Les humiliations ; violences, punitions, grossièretés

Violences physiques, punitions, amendes, coups et menaces de coups, gestes obscènes, injures ne sont pas l'apanage des femmes ; mais elles en supportent incontestablement, avec les apprentis, les formes les plus humiliantes et en sont les cibles privilégiées.

Les violences

Le recours à la violence physique se retrouve sur les lieux du travail. Cette violence y est cependant beaucoup moins fréquente qu'elle ne l'est dans les familles. On note que dans les mines, les surveillants jettent en plein hiver de l'eau froide sur les trieuses, « pour les obliger à continuer leur travail » [3].

1. L. M. Compain, *Les femmes dans les organisations ouvrières*, Paris V. Giard & Brière, 1910, p. 37.
2. In *Le Mouvement Social*, cité par Marie-Hélène Zylberberg-Hocquard, Les ouvrières d'Etat, octobre-décembre 1978, p. 100. Cf aussi : *Le libertaire*. A Lyon, une pharmacie élégante cour Moraud. 15 février 1896.
3. *L'Ouvrière*, Dans les mines du Pas de Calais, 8 avril 1926.

Chez Chauvet à Orléans, il est courant de « distribuer des gnons aux gamines incapables de se rebiffer » [1].

Les punitions

Celles-ci sont beaucoup plus souvent pratiquées sur les femmes que sur les hommes. Lors de la grève des casseuses de sucre de l'usine Lebaudy, on apprend que celles-ci, pour une tablette tachée de leur sang – le sucre exerçant sur leurs doigts l'action d'une rape – sont condamnées à un certain nombre de jours de balais, travaux de nettoyage, corvées. Le tarif est de quinze jours de balai pour un morceau de sucre taché dans un carton. Et si elles s'obstinent à se blesser, c'est la mise à pied. La *pêche* – spécialité de l'usine – consiste, pour les punies, à rester une heure à genoux à trier les morceaux de sucre tombés dans les déchets [2]. Les ouvrières du pétrole sont elles aussi l'objet de punitions. Avant la Première Guerre mondiale, elles doivent, lorsqu'elles ont été surprises en train de parler, gratter à sec, toute une journée, la peinture sèche des vieilles caisses, ce qui leur emplit la bouche, la gorge, le nez, de poussières nocives [3]. Il en est de même dans les magasins – les punies sont assignées aux réserves, à la manutention [4] –, comme dans les bureaux. Dans les Postes, des dimanches de punition sanctionnent les retards, même de faible durée, et les employées peuvent être retenues après l'heure, sans justification [5].

Tout est fait pour infantiliser ces femmes salariées, les maintenir dans des relations de dépendance personnelle qui perpétuent l'infériorité de leur statut au sein de la famille. Cette réalité du monde du travail n'est pas pour autant acceptée sans réactions. Un article publié dans *La Fronde*, en 1889, explique à qui veut bien l'entendre que les dames employées dans « les postes ne sont plus des enfants et que le téléphone n'est plus une école » [6].

---

1. *Le Père Peinard*, Le bagne Chauvet, 18 juillet 1897.
2. *L'Humanité*, Léon et Maurice Bonneff, Les ouvrières aux mains usées, 16 mai 1913.
3. *Ibid.*, Léon et Maurice Bonneff, Les ouvrières pétrolières, 16 octobre 1913.
4. *L'Ouvrière*, Les employées, 15 décembre 1923.
5. *La Fronde*, Ces demoiselles du téléphone, 29 juillet 1898.
6. *Ibid.*

Les grossièretés

Les injures adressées aux femmes sont révélatrices des statuts auxquels on les affecte, comme de la manière dont on les traite. Les métaphores par lesquelles on les désigne sont de trois ordres. Elles sont définies en relation avec le règne animal : *vachères, grosses vaches, bourriques, troupeaux d'oies, espèces de veaux, tas d'huîtres,* les *poules,* les *bêtes,* mais aussi avec le régne végétal : *poires blettes, vieux citrons.* En ce qui concerne le règne humain, c'est par analogie avec les prostituées qu'elles sont le plus couramment désignées : *grues, gourgandines, petits jupons, gonzesses, rôdeuses, péronnelles, traînées.* Mais elles sont aussi désignées comme des *bonnes-à-rien* ou des *moins-que-rien,* voire des *canailles,* mais aussi comme des *fainéantes,* des *maladroites.*

Le langage est en général soit scatologique, soit sexuel, toujours dénégateur.

6. La division sexuelle de l'organisation du travail

Si la subordination hiérarchique est la pierre angulaire des relations du travail, les formes qu'empruntent l'expression de l'autorité sont indiscutablement marquées – lorsqu'elles s'adressent aux femmes – par celles qui prévalent dans les familles. C'est parce que le pouvoir hiérarchique s'est coulé dans le moule du pouvoir familial, que la division sexuelle des tâches a pu si aisément se perpétuer dans le salariat ; elles aggravent donc les formes plus connues de l'exploitation.

L'absence de reconnaissance de la qualification

En règle générale, les conditions matérielles de travail placent les femmes dans un rapport de subordination : postes sédentaires, isolés, plus souvent que pour les hommes rémunérés au rendement ; mobilité étroitement surveillée, travaux répétitifs, dénués de responsabilité surtout quand l'équipe comprend des hommes. Les hommes seuls ont la maîtrise de la technique. L'interdiction légale pour une femme de réparer une machine en marche, instaurée par le décret du 21 mars 1914, est l'expression la plus claire de cette discrimination sexiste, fondant institutionnellement la dépendance technologique des femmes par rapport aux hommes. Dans certains ateliers, les contremaîtres font délibérement attendre les ouvrières avant de réparer leurs machines ; cela se traduit par une paye réduite à la fin de la quinzaine [1]. Quelles que soient leurs aptitudes, leurs capacités, leur productivité, elles sont, à de rares exceptions près, maintenues aux niveaux hiérarchiques inférieurs à ceux des hommes. Les postes qui leur sont affectés sont majoritairement fondés sur le principe du nécessaire maintien de cet ordre. Ce sont les hommes qui, dans la grande majorité des cas, embauchent, décident des arrêts de travail, de l'affectation des postes, des amendes, des promotions, des salaires, rédigent les réglements intérieurs, dépannent les machines, organisent l'agencement intérieur de l'espace de travail.

Cette division sexuelle du travail peut expliquer que les femmes sont souvent affectées aux postes de travail les plus fatigants, les plus dangereux pour la santé. Julie Daubié évoque cette réalité : « les femmes sont généralement occupées aux travaux homicides » [2]. Il arrive aussi dans certains cas – ainsi aux filatures – que « les travaux les plus répugnants, les plus durs, les plus affreux sont exécutés par des mères » [3]. Des femmes enceintes peuvent être transférées à des postes plus durs que ceux qu'elles avaient avant leur grossesse.

La notion de qualification paraît presque incongrue pour les femmes : servantes de l'homme comme de la machine, elles doivent être disponibles – mobiles ou attachées – et ne sont pas reconnues pour elles-mêmes. *Femme-machines* ou *femmes-toutes-mains*, c'est la machine qui définit leurs fonctions et à laquelle elles s'adaptent.

Elles sont alimenteuses, scieuses, lingoteuses, rangeuses, peseuses, ficeleuses, dégringoleuses, pousseuses, dans les sucreries ; traîneuses, empoteuses, glaceuses, frotteuses, émailleuses dans la fabrication des pipes de Saint-Omer ; tisseuses, dévideuses, tordeuses, canneteuses, tavelleuses, remondeuses, ourdisseuses dans la filature lyonnaise ; compteuses, ouvreuses, classeuses, étireuses, équarisseuses, brosseuses, débordeuses, plaqueuses, monteuses pour la préparation des peaux de lapins ; peintres, gratteuses, futeuses, encaisseuses dans les industries du pétrole ; survideuses, tamboureuses, dévideuses, wheelleuses dans l'industrie du tulle mécanique ; cigareuses, cigarettières paqueteuses, robeuses, dégarnisseuses, emboîteuses, époulardeuses dans les Tabacs ; apprêteuses, finisseuses, étoupeuses, brunisseuses, chez les batteuses

1. *L'Ouvrière*, 23 Bd Sadi carnot, C. A. M Ateliers, 30 septembre 1926.
2. Julie Daubié, *La femme pauvre au XIXᵉ siècle, op. cit.*, p. 38.
3. *La Fronde*, Aline Vallette, Dans la filature lyonnaise, 24 Février 1898.

d'or ; jupières, corsagières, manchières, apprêteuses, garnissseuses dans la couture ; cotières, piéteuses, dévideuses dans la bonnetterie, mais toujours ou presque non qualifiées.

Notons à cet égard que la langue française – présentée comme si réfractaire à la féminisation du vocabulaire (notamment en matière de métier) – ne l'est pas ici. Une avocate, une écrivaine est refusée comme un outrage à la langue ; l'emploi d'aucun des termes de métiers non qualifiés n'a, au XIXᵉ siècle, choqué quiconque.

L'absence de promotion

Plus que la non-reconnaissance de leurs qualifications, c'est la quasi-impossibilité de promotion offerte aux femmes que les travailleuses dénoncent. La différence systématique des salaires apparaît comme la preuve de l'impossibilité pour une femme d'obtenir un emploi élevé et rémunérateur. Dans les banques, l'avancement des employées ne dépasse pas les échelons supérieurs des postes subalternes [1]. Dans les Postes, en 1902, les hommes, seuls, peuvent prétendre aux emplois de chefs. Les féministes régissent :

> « N'est-il pas inacceptable, monstrueux, de condamner certains êtres à ne jamais s'élever au-dessus de certains travaux, quelle que soit leur valeur, à ne jamais pouvoir améliorer leur sort, quelle que soit leur activité, leur énergie. C'est là une forme renouvelée de l'esclavage. La Révolution, en brisant les cadres privilégiés, en abolissant maîtrises et jurandes, a libéré l'activité masculine. Seule la femme voit encore devant ses efforts s'élever les vieilles barrières d'autrefois ; son activité reste entravée. Elle demeure l'esclave que la Révolution n'a pas affranchie »,

écrit Renée Rambaud dans *La Fronde* [2].

Les rares promotions, les augmentations parcimonieuses relèvent moins de la reconnaissance de leur valeur propre et de leur mérites qu'elles n'apparaissent comme un témoignage de liberalité, une récompense dont on doit être redevable. L'exemple de cette lettre administrative, datée de juin 1897, en est un exemple significatif :

---

1. Melle Schirmacher Käthe, *Le travail des femmes en France*, A. Rousseau, Paris, Mémoires et documents du Musée social, 1902, p. 353.
2. *La Fronde*, Renée Rambaud, La femme dans le service des postes, 20 mai 1902.

Chemin de fer PLM.
4ème division. Contrôle.
1er bureau. 212 rue de Bercy.

Madame,

J'ai l'honneur de vous annoncer que, sur ma proposition, Monsieur le chef d'exploitation, a bien voulu accorder une gratification de 10 frs (ou plus) pour votre bon travail.
Je vous serais très obligé de me retourner la présente, comme l'accusé de réception.

Le chef de division.

NB. L'employée doit mettre ici ses remerciements et signer [1].

Non seulement les femmes sont embauchées dans des postes ou des fonctions où elles ne peuvent concurrencer les hommes, mais on leur abandonne aussi ceux dont les hommes ne veulent plus. Si l'histoire syndicale a surtout retenu les dangers, pour les hommes, de la concurrence des femmes, elle a eu tendance à occulter le fait que la seule présence des femmes peut avoir comme conséquence une promotion des hommes, ou tout au moins éviter ou retarder un processus de déqualification. En 1898, Louis Frank, auteur d'un essai sur la condition politique de la femme, tente d'expliquer aux hommes – inquiets des dangers du travail féminin – pourquoi leurs craintes devaient être vaines :

« L'emploi des femmes ne peut causer à l'homme aucun préjudice réel, car on confiera généralement aux commis et aux auxiliaires féminins des occupations secondaires qui répugnent à l'homme et dans lesquelles les femmes apporteront plus d'ordre, des soins plus minutieux, une ponctualité plus grande. L'Etat, de son côté, a un très sérieux intérêt à abandonner aux femmes tous les travaux accessoires dont les hommes s'aquittent fort mal et que des employées rempliront beaucoup mieux. Ce sera en même temps rendre un grand service aux hommes eux-mêmes que de les tenir à l'écart d'une série d'emplois inférieurs de bureaux. La plupart de ces emplois sont en effet sans avenir, mal rétribués, et l'homme à la longue finirait par s'y abrutir. »

---

1. *Ibid.*, Melle Chevreuse, Les employées de chemin de fer, 1er septembre 1898.

La Fronde qui reproduit ce texte d'un auteur qu'elle considère comme féministe, estime cependant qu'il exprime, « naïvement, dans son ingéniosité égoïste, toute la pensée masculine » [1].

Le salaire des femmes

Pour reprendre un constat de Stuart Mill, dans *les Principes de l'économie politique*, « le sexe (des femmes), à lui seul, constitue, une cause de dépréciation de leur travail » [2].

En effet, si les femmes sont moins payées que les hommes, c'est parce qu'elles le sont sur des critères qui relèvent plus du maintien de l'ordre masculin que d'une logique strictement professionnelle. Les conditions de calcul du salaire marquent la différence.

Dans l'industrie, les femmes sont souvent payées à la pièce et les hommes à la journée ; dans l'administration, les femmes à la journée et les hommes au mois : c'est le cas dans les postes, les chemins de fer, au Crédit Lyonnais.

On relève ainsi nombre d'exemples qui montrent que les critères d'ordre familial ou moraux décident aussi du salaire des femmes. A la fin du XIXᵉ siècle, la *morale* veut que lorsqu'une employée de maison est enceinte sans être mariée, elle soit renvoyée. On retrouve le cas dans les usines du Nord. Si on veut, par charité, la garder, il est normal d'en profiter pour baisser son salaire. C'est ce qui est arrivé à Eulalie Michaud, qui, *enceinte des œuvres d'un fils de famille,* est licenciée de l'atelier de passementerie où elle travaille, puis, reprise au salaire de 12 francs par mois au lieu de 50 [3]. En 1897, à Armentières, on prête à un industriel de la ville l'intention de renvoyer toutes les filles-mères et les filles enceintes travaillant dans son tissage [4]. En 1901, les nourrices-filles gagnent 45 francs, les femmes mariées, 60 frs [5]. A Caen, en 1923, le patron d'une imprimerie qui « veut de la moralité » paie une fille-mère 1 franc de moins que les autres ouvrières [6]. Dans certaines industries, si le

---

1. *Ibid.*, Bureaux de femmes, 17 février 1898.
2. Stuart Mill, cité dans Claude Weyl, *La réglementation du travail des femmes dans l'industrie*, 1898.
3. André Rossel, *Le bon juge, A l'enseigne de l'arbre verdoyant*, Ed. 1983, p. 29. Sur Eulalie Michaud, cf. p. 198 de ce livre.
4. *La Revue du Nord*, Thierry Leleu, Scènes de la vie quotidienne des femmes dans la vallée de la Lys, 1870-1920, *op. cit.*, p. 659.
5. *La Fronde*, Tony D'Ulmès, Ventres de filles, Ventres de femmes, 22 octobre 1901.
6. *L'Ouvrière*, Dans le Calvados, 2 juin 1923.

mari est employé à l'usine, la femme gagne 1 franc par jour de moins que ses compagnes [1].

Les femmes elles-mêmes acceptent plus aisément la faiblesse de leurs salaires ; c'est d'abord en référence à la gratuité du travail domestique qu'elles le jugent. Jeanne Bouvier raconte dans son livre sur la lingerie, comment en 1884, à l'ouverture de la manufacture de la Motte, le directeur se rappelle avoir entendu de divers côtés : « Est-ce bien vrai que l'on paie en argent ? » [2]

Logique et ambivalence de la division sexuelle du travail

Il apparaît, à travers les exemples cités que, pour être appréhendé, le travail des femmes doit être d'abord saisi dans son rapport avec le pouvoir masculin. Mais ce pouvoir est pluriel ; il recouvre de multiples fonctions, de multiples rôles, au sein de plusieurs institutions : l'Etat, la famille, l'usine ou le bureau. Les hommes défendent ainsi globalement dans leurs rapports aux femmes des intérêts le plus souvent convergents ; mais ceux-ci peuvent s'avérer différents, voire contradictoires. En outre, tous les hommes ne profitent pas également de cet ordre patriarcal ; nombreux sont ceux qui en souffrent, même si cette réalité est le plus souvent cachée.

Le capitalisme, pour sa part, s'est tout à la fois coulé dans cet ordre familial masculin, mais il en a aussi profondément bouleversé l'agencement. Pour permettre aux classes dirigeantes de préserver leurs pouvoirs, il a en effet mis en œuvre des stratégies de gestion du personnel, en contradiction avec les logiques traditionnelles. Les sexes, loin d'être posés comme complémentaires, ont pu être délibérément mis en concurrence. Ainsi, des hommes sont employés dans des emplois traditionnellement considérés comme féminins (les vendeurs en lingerie par exemple) et réciproquement ; certaines femmes – peu nombreuses – peuvent être payées plus que certains hommes ; sans évoquer le fait que des femmes travaillent alors que des hommes sont au chômage. Dès lors, les frontières sont brouillées, les antagonismes surgissent ; l'angoisse et l'agressivité à l'encontre des femmes s'expriment. La division sexuelle du pouvoir n'épouse plus exactement la division sexuelle du travail.

---

1. *Ibid.*, A l'huilerie franco-coloniale, Dans la Gironde, 17 septembre 1925.
2. Jeanne Bouvier, *La lingerie et les lingères*, Bibliothèque sociale des métiers, O. Doin, 1928, p. 369.

C'est ainsi que l'on peut comprendre pourquoi, progressivement, les salaires ne seront plus exclusivement définis par le sexe. La mise en concurrence des hommes par rapport aux femmes peut avoir, dans certains cas, pour conséquence une revalorisation relative des salaires des femmes. Et dans certains cas-limites, encore peu nombreux, le sexe importe peu ; seule compte la productivité de chaque salarié-e.

Les rapports hommes/femmes sur les lieux du travail

Cette mise en concurrence entre les sexes est traversée par d'autres contradictions. Les femmes entretiennent avec ces pouvoirs masculins des rapports qui varient au gré des formes qu'ils prennent ; elles peuvent les intérioriser, les subir contre leur gré, les reproduire passivement, mais aussi lutter contre eux, par la ruse, le mensonge, la vengeance, l'affrontement individuel ou collectif, physiquement violent ou non.

Ces réactions dépendent aussi de leurs interlocuteurs, selon qu'ils sont patrons, supérieurs hiérarchiques, collègues ou – beaucoup plus rarement – hommes situés à des niveaux hiérarchiques inférieurs au leur. Elles dépendent aussi de leur statut familial, selon qu'elles sont mariées, divorcées, veuves, mères célibataires, chefs de famille, mais aussi de leur classe sociale, laquelle peut-être ou non celle de leur mari.

Enfin, dans cette complexe division sociale et sexuelle du travail, l'ambivalence des différentes fonctions maritales, maternelles, productives, domestiques et sexuelles se reproduisent dans le salariat. C'est pourquoi l'identité des femmes sur leur lieu de travail reste profondément marquée par la perpétuation de l'ambivalence de ces fonctions.

Le dialogue suivant imaginé par Léon Frapié, sociologue avisé des rapports entre les sexes au tournant de ce siècle, nous révèle comment cette ambivalence se retrouve dans la perception masculine du travail des femmes.

La scène qui réunit plusieurs collègues a lieu au moment de l'annonce de l'embauche des femmes dans la Fonction Publique :

« – Vous connaissez la nouvelle, messieurs ? lança-t-il. On va féminiser les ministères.

Simultanément tous les collègues dressèrent le nez, comme fait un chien auquel on présente un morceau de sucre.

Cadouran continua :

– Chaque employé sera associé à une employée.

Minet ouvrit son cœur :

– Chic, je fourrerai tout le travail à mon associée.

Alors, monsieur Jadot, cria Lapalette, au lieu d'avoir un monsieur Minet devant vous, vous aurez une petite minette.

Blanblan fut le seul à ne pas rire. Il grinça et montra la face d'un paysan capable d'asssassiner sa mère par cupidité.

— C'est un abus ! Les femmes ne sont bonnes à rien. Il ne manquerait plus que cela, qu'elles viennent nous voler nos places !

Jadot intercéda, suppliant, respectueux :

— Voyons, monsieur Blablan, soyez indulgent.

— Selon la règle, les femmes bénéficieront de la mauvaise besogne ; elles manieront de lourds dossiers, elles avaleront la poussière… Vous ne pouvez pas leur refuser cela ; tous les défenseurs de la famille vous prouveront que les femmes sont par destination naturelle des filtres à poussière.

— Et puis, dit Marcellin, joyeux, les femmes monteront à l'échelle faire des recherches dans les cartons du haut.

Aussitôt éclata un feu d'artifice de bons mots… » [1]

Le processus de construction de la mixité de l'emploi ne fut donc ni linéaire, ni constant, ni exempt de contradictions, entre les sexes d'abord, entre l'intérêt purement économique de l'utilisation de la force de travail féminine et la défense de l'ordre des familles, ensuite. Les mécanismes de la mise en œuvre de la division sexuelle du travail ne peuvent donc être assimilés de façon binaire à une opposition hommes / femmes. Dans chaque situation historique donnée, les rapports de genre ne peuvent être que conceptuellement construits.

Cette opposition n'en est pas moins fondamentale ; l'appropriation sexuelle du corps des femmes, dont le droit du cuissage est l'expression la plus claire, en est la marque la plus évidente.

---

1. Léon Frapié, *Marcelin Gaillard*, Paris, Calman-Lévy, 1902, p. 168. 169.

Chapitre 4
De l'appropriation sexuelle
du corps des femmes au travail

*Pour combattre la misère, il faudrait d'abord
combattre la faim, et puis la coquetterie.
Vaincre, dans l'ouvrière, l'animal humain
et la femme* [1].

*Faut-il s'étonner qu'elles soient si rares
celles qui résistent ? Sont-ils si communs
les héros ?* [2]

Dépossédées collectivement de leur individualité pour être mieux réappropriées singulièrement dans leur sexualité, les travailleuses ont été efficacement maintenues dans des rapports de domination. C'est par leur corps qu'elles sont privilégiées ou humiliées, par lui qu'elles sont distinguées et opposées les unes aux autres. Si la beauté est un critère fréquent de sélection, elle est rarement appréciée comme seule valeur ; il faut qu'elle s'accompagne de *complaisance*. L'accès

1. Charles Benoist, *Les ouvrières de l'aiguille à Paris*, Paris, L. Challey, 1895, p. 143.
2. Marie-Louise Gagneur, *Le calvaire des femmes*, Paris, Achille Faure Ed., 1867, p. 340.

à la disponibilité de leur corps devient un élément fondamental, quand il n'est pas le seul, de leur identité ; il faut être jeune et jolie, seule et dépendante, mais surtout compréhensive et gentille. C'est ainsi que les orphelines, les enfants naturelles, les *filles-mères* ayant enfant à charge, peuvent être particulièrement recherchées ; la contrainte au travail est alors plus forte et le chantage plus aisé. Dès lors, l'embauche, le salaire, la carrière – pour les rares femmes qualifiées ou promues – sont moins le signe de la valeur personnelle que celui de la *distinction.* L'emploi est moins une reconnaissance professionnelle de l'adéquation au poste, qu'un *service* qu'il faut savoir apprécier, une faveur dont on est redevable, un *don* qui demande une contrepartie, voire une *gêne* pour celui qui embauche, laquelle implique *dédommagements.* Le travail n'est pas encore un droit ; il reste subordonné au bon vouloir et à la tolérance d'hommes qui procèdent par *grâce* ou par *disgrâce.* La promotion des femmes passe largement, au XIXe siècle, par la *faveur* individuelle.

1. Les conditions d'embauche, de licenciement, d'affectation

Les femmes partagent, au même titre que leurs collègues masculins, le contrôle patronal à l'embauche ; mais les critères diffèrent : pour les hommes, ils sont politiques et syndicaux, pour les femmes, physiques, et moraux.

L'embauche

Embauche et apparence physique des femmes

A l'embauche, être jolie peut être, en soi, un critère de choix. Dans certaines professions – la couture et le commerce plus particulièrement – celles que la nature n'a pas qualifiées d'un joli visage, d'un beau corps ont bien du mal à trouver du travail. « Malheur aux laides ! » constate la romancière Marcelle Tinayre, à l'écoute des conversations masculines [1]. Si les femmes ne sont pas les seules à subir l'arbitraire de l'embauche, ce sont sur elles que pèsent le plus l'injustice de la discrimination qui leur vaut d'être jugées, embauchées

---

1. *La Fronde*, Marcelle Tinayre, Le devoir de beauté, 5 février 1899.

et payées sur le critère de leur apparence physique : « Une employée est-elle moins gracieuse que d'autres, c'est une cause suffisante pour qu'elle soit toujours et uniquement employée à la manutention où les conditions de travail sont très dures et la rémunération extrêmement faible ? Une autre est laide, elle sera constamment prise pour faire des heures supplémentaires non payées » constate, pour les employées de commerce, Clothilde Dissard, bonne analyste des conditions du travail féminin au tournant du siècle [1]. Cette importance accordée à l'apparence, qui joue incontestablement en faveur des plus jolies, des plus jeunes, peut aussi se retourner contre elles. Plus fréquemment l'objet d'attentions masculines, plus souvent soumises au chantage, elles risquent davantage d'être sujettes aux pressions si elles refusent les propositions qui leur sont faites. De là, toute une littérature de romans populaires sur « le malheur d'être jolie ». Le roman d'Hector Malot : *Séduction*, publié en 1881, nous fait ainsi vivre la longue suite des malheurs d'une institutrice honnête et trop jolie, courtisée par tous les hommes qu'elle rencontre, et qui ne trouve la paix que lorsque, défigurée par la petite vérole, « personne ne la regarde plus, personne ne s'occupe plus d'elle ; elle gagne sa vie honnêtement ». Et son école est « à la tête de toutes celles de son arrondissement. » [2] La morale de ce livre est tout entière fondée sur l'incompatibilité de la beauté et du travail pour une femme : « laide, elle n'eut pas à souffrir ces outrages... » [3]

Embauche et « bonnes mœurs »

Pour certains postes, dans l'administration notamment, des enquêtes privées, plus ou moins discrètes, auprès des anciens employeurs, des concierges, des autorités municipales ou religieuses font de ces femmes des êtres toujours potentiellement soupçonnés de *relâchement moral*, du seul fait de leur autonomie professionnelle. Au Crédit Lyonnais, en 1903, une employée – qui fait une description fort désenchantée du travail offert aux femmes – se plaint qu'elles sont « surveillées, espionnées comme des coupables. Selon elle, l'administration s'occupe de leur vie privée avec autant d'intérêt que de leur travail. Les concierges

1. *Ibid.*, Clothilde Dissard, Les employées de commerce, 12 avril 1900. Egalement dans *La Fronde*, Marie Bonnevial, Les grands magasins, 23 janvier 1898.
2. Hector Malot, *Séduction*, Paris, E. Dentu, 1881, p. 376.
3. *Ibid.*, p. 113.

reçoivent même la visite de ces messieurs de la police des banques pour savoir qui l'on reçoit, ce que l'on fait le soir et le dimanche, si l'on paie régulièrement son loyer. » [1] Dans l'administration des Postes, par exemple, au début du siècle, les postulantes doivent inclure dans leur dossier un certificat du maire de la commune confirmant qu'elles sont de « bonne vie, de bonnes mœurs et de nationalité française » [2]. Ce certificat sera officiellement supprimé par un décret du 16 mars 1952.

Pratiques patronales, pratiques masculines

Le jour de l'embauche, où il faut se présenter bien habillée, les questions auxquelles les femmes doivent répondre ont souvent plus à voir avec leur vie privée qu'avec leurs compétences : « Vivez-vous seule ? Avez-vous des parents, des amis, un ami ? » sont des questions courantes posées avec l'assurance, le sans-gêne d'un supérieur ou la suffisance d'un homme habitué aux *bonnes fortunes*. Le tutoiement unilatéral est perçu par certaines comme une prise de possession symbolique qui marque l'inégalité des conditions. Les postulantes sont *examinées, soupesées, déshabillées du regard*. C'est la femme que l'on teste, que l'on *scrute,* que l'on *jauge.* Dans certaines maisons de couture, on leur demande même d'enlever leur manteau, s'indigne *L'Ouvrière,* « afin de mieux les examiner, tels des chevaux de courses » [3].

Les pratiques de certains employeurs, en matière de sélection, sont dénoncées, tant pour le mépris de la personne qu'elles révèlent, que pour la suspicion prostitutionnelle à laquelle elles donnent prise. Ainsi, les dirigeants des Biscuits Pernot, en 1927, à Dijon, font passer dans les journaux locaux une petite annonce par laquelle on demande des *petites mains* de 13 à 16 ans. Une trentaine de jeunes filles se présentent. On prend leur nom, leur âge, leur adresse. On leur fait subir un véritable interrogatoire, puis on leur dit : « Revenez lundi ». Se croyant embauchées, toutes reviennent, mais on leur fait passer un examen : opérations d'arithmétique, dictée sur les règlements de l'usine, les devoirs de l'ouvrière envers le patron etc. Puis, on les congédie ainsi : « Revenez mardi ». Le mardi, on les fait défiler, une à une, tandis que l'un des potentats de l'usine les examine, les évalue du regard. Et puis,

1. *La Fronde*, Le travail des femmes au Crédit Lyonnais, 3 février 1903.
2. Fenelon Gibon, *Employés et ouvrières*, 1906, Lyon, E. Vitte, p. 56.
3. *L'Ouvrière*, Les employées, 8 mai 1924.

la parade terminée, celui-ci leur dit : « Vous pouvez vous en aller, maintenant, quand on aura besoin de vous, on vous écrira. Et voilà… Quel calcul ou quelle fantaisie de mufles se cachent derrière ces procédés ? » se demande le journal communiste [1].

Nombre d'hommes considèrent, quant à eux, que les femmes ainsi *choisies* bénéficient en outre d'un privilège, accordé à celle qui a été ainsi *élue*. Et, de toutes façons, « puisqu'elle doit y passer, autant que ce soit moi plutôt qu'un autre. J'aurais tort de m'en priver » affirme simplement un couturier célèbre du quartier du Roule tout étonné de se voir accusé d'avoir voulu *abuser* d'une de ses jeunes vendeuses [2].

Le chantage sexuel

Lors de certains entretiens, le chantage sexuel est explicite ; l'alternative proposée a au moins le mérite de la franchise : « C'est dur de gagner sa vie, surtout quand on n'est pas laide, et que, partout, dans toutes les places, et au dehors, quoi qu'on tente, où qu'on frappe, on entend ce même refrain : 'Couche ou crève' », déclare une héroïne du roman de Victor Margueritte, qui vient de trouver une place de *secrétaire particulière*. Comme l'intitulé du poste l'indique clairement, elle n'échappera pas aux pressions de son nouveau patron [3]. La plupart du temps, cependant, les employeurs se refusent à s'abaisser en explicitant leur demande qui, clairement posée, suppose que l'offre puisse être récusée. Aussi, le plus souvent, la proposition est implicite, jouant sur l'ambiguïté de la suggestion amoureuse. C'est aux femmes de comprendre ce que l'on attend d'elles. Elles sont alors placées dans une situation difficile : aborder sans ambages la gêne que provoque une invite qui n'est qu'insinuée, n'est-ce pas risquer d'être accusée de vanité, de prendre leurs désirs pour la réalité ? Dans un scène du roman déjà évoqué d'Hector Malot, *Séduction,* la jeune institutrice, à la recherche d'un emploi, est reçue par un marquis. Celui-ci lui demande d'enlever ses gants et de relever son voile, afin qu'elle soit plus libre pour écrire une lettre. « Elle hésite un moment, mais il lui semble que refuser ce qui lui était demandé, c'était attacher précisément à cette demande une importance maladroite » [4]. Elle obtempère ; le marquis profite alors de l'occasion pour préciser ses avances.

---

1. *Ibid.*, A Dijon, 24 mars 1927.
2. André Lainé, *La situation des femmes employées dans les grands magasins*, Thèse de Droit, Paris, 1911, p. 113.
3. Victor Margueritte, *Le Compagnon*, roman de mœurs, Flammarion, 1923, p. 17.
4. Hector Malot, *op. cit.*, p. 103.

Il est aisé, pour un homme confrontés à un refus formel, de démentir l'interprétation faite de la proposition, dès lors qu'elle est perçue et vécue comme abusive et récusée en tant que telle. Mais, quelle qu'en soit la forme, ces hommes, humiliés, ont du mal à accepter la résistance des femmes qui ne sont pas supposées avoir tant de susceptibilité. Leur refus est vécu comme une remise en cause de l'autorité masculine, de la hiérarchie professionnelle, de l'ordre social. Qu'une fille, qu'une femme – en outre en situation de dépendance – renverse, de la sorte, les rapports de force masculins traditionnels provoque alors un regain d'autorité ; l'humiliation engendre le dépit, la colère et un désir de vengeance.

Les employées ; concours et recommandations

Si les ouvrières, moins respectées, moins qualifiées que les employées, sont plus souvent l'objet de ces exigences masculines, ces dernières n'y échappent pas pour autant. En 1900, le nombre d'emplois publics accessibles aux femmes est en effet largement insuffisant par rapport à la demande : en 1900, 25 nominations par an pour 6 000 demandes à la Banque de France, 100 nominations pour 300 demandes au Crédit Lyonnais, 64 nominations pour 250 demandes à la Société Générale, 50 places pour 3 000 candidates aux Chemins de Fer métropolitain, 193 postes pour 7 000 postulantes dans l'enseignement primaire de la Seine, 200 places pour 5 000 demandes dans l'administration des Postes [1]. Léon Frapié, évoquant plus spécifiquement la question des institutrices, estime, dès lors, que

> « peu à peu les dispensateurs de places ont été affranchis de toutes les règles avouables de leur choix. L'ancienneté de la demande ne comptant pour rien (il y a trop de postulantes) et la loi ayant nivelé tous les candidats à la même valeur en spécifiant le même brevet exigible pour enseigner, le choix ne pouvait être guidé que par des considérations personnelles. Selon lui, l'administrateur précieux, c'est celui qui, ayant une seule place à donner, laquelle est convoitée par 300 affamés, réussit à éloigner 299 bouches voraces, sans qu'il en résulte ni émeute, ni scandale. » [2]

1. Fenelon Gibon, *op. cit.*, p. 11.
2. Léon Frapié, *L'Institutrice de province*, Paris, E. Fasquelle, p. 40, 42.

Les concours officiels représentent cependant un réel progrès vers l'anonymat des postulantes et diminuent d'autant les contraintes pesant sur elles à l'embauche. En tout état de cause, le poids des recommandations morales et religieuses a toujours été plus important pour les femmes que pour les hommes.

Pour les postes d'employées, de fonctionnaires – qui sont à peu près les seuls qui permettent aux filles de la petite bourgeoisie de travailler sans être déclassées – des *relations* sont souvent exigées ou suggérées, pour faire avancer un dossier. Au Crédit Lyonnais, en 1903, après l'examen très sommaire « qui n'a d'autre but que de permettre au piston de s'exercer, la postulante doit remplir un questionnaire visant sa famille et ses références. La première demande est alors : 'Par qui êtes vous protégée ?' Il est bien vu d'avoir des recommandations d'un ministre, d'un député, d'un chef de service, d'un évêque. » [1] Celles-ci peuvent alors – en ce qu'elles représentent une garantie morale – contribuer à effacer ce que le travail peut avoir encore de dégradant pour les femmes de la petite bourgeoisie, avant la Première Guerre mondiale. Mais à y regarder de plus près, certaines recommandations sont plus suspectes. Dans les Chemins de fer, en 1898, il est notoire que la protection d'un actionnaire « souhaitant assurer une place à quelque minois chiffonné qui a su lui plaire » est un des moyens les plus efficaces de se faire embaucher [2]. Proposer un emploi peut aussi s'avérer un moyen de faciliter une rupture : « Il est arrivé, affirme Daniel Lesueur, que des demoiselles compromises n'ont tiré de leur séducteur que ce genre de dédommagements... Un administrateur complaisant rend ainsi un service apprécié à celui qui veut se débarrasser d'une charge. » [3] Dans ces conditions, il est clair que les capacités de la personne proposée à l'embauche entrent peu en ligne de compte.

Progressivement, cependant, le statut de fonctionnaire de l'État devient une garantie, sinon de moralité, du moins de crédibilité. Madeleine Pelletier raconte dans son roman autobiographique, *La femme vierge*, comment, vers 1900, seul son statut d'institutrice lui permit de n'être pas suspectée de prostitution par les concierges de sa maison [4].

---

1. *La Fronde*, Le travail des femmes au Crédit Lyonnais, 3 février 1903.
2. *Ibid.*, Melle Chevreuse, Les employés de chemin de fer, 1er avril 1898.
3. Daniel Lesueur, *L'évolution féminine. Ses résultats économiques*, A. Lemerre Ed., 1905, p. 30.
4. Madeleine Pelletier, *La femme vierge*, roman, Bresle, 1933, p. 76.

Les réactions des femmes

Les femmes les plus conscientes de leur valeur vivent ces propositions comme humiliantes ; elles se sentent *salies, blessées* et sont alors contraintes, pour se défendre, soit de faire référence à une autre autorité masculine, censée les protéger : « Je suis mariée, monsieur », soit à se justifier quant à leur moralité : « Pour qui me prenez-vous ? ou : Je ne suis pas celle que vous croyez… »

« Si les femmes aisées pouvaient avoir une idée approximative de ce que souffrent les malheureuses créatures obligées pour avoir du travail de se soumettre aux exigences monstrueuses des hommes, il y aurait une levée en masse de toutes les femmes de cœur », écrit une ouvrière à Marie Pognon en 1900. Malheureusement, « ces faits sont ignorés » constate cette dernière [1].

A la fin du XIXe siècle, de plus en plus nombreuses sont cependant les femmes qui n'acceptent plus l'interprétation abusive qu'ont les patrons de leur pouvoir ; certaines posent le problème du droit à leur corps, à leur image. En 1893, une ouvrière écrit à *La Fronde* pour demander si « un patron a le droit d'obliger ses ouvrières, sous peine de renvoi immédiat, à se faire photographier et d'en garder le portrait. N'y a-t-il pas là quelque chose d'illégal ? Est-ce seulement une idée malsaine, dont les conséquences pourraient, dans certains cas, prendre un caractère de gravité dangereux pour la personne qui en a été victime » ? Tout en affirmant le caractère odieux et l'illégalité du procédé : « un patron n'a que le droit d'exiger de ses ouvrières qu'elles remplissent les devoirs de leur emploi », le journal féministe lui conseille cependant de « se soumettre sans récrimination ou, franchement révoltée, de partir en claquant la porte » [2]. Au nom du réalisme, la *malheureuse* doit alors renoncer à la défense de son droit au travail.

La prise de conscience progressive des femmes, confrontées à ces rapports inégaux, s'élargit cependant. Léon Frapié évoque, dans un roman publié en 1902, *Marcelin Gayard*, les déboires de Lucette, qui cherche un poste dans les administrations et qui découvre, honteuse, « la façon singulière dont s'éveillent les regards des personnages sollicités. Dès lors, que ce fussent des regards arrondis de gaieté, ou des regards aigus, voraces, elle se sentait attaquée, salie, comme par un arrachage de vêtements, elle en avait des frissons et des poussées de fièvre. » [3] Certaines réagissent frontalement, tout au moins dans les

---

1. *La Fronde*, Maria Pognou, Salaires et misères des femmes, 24 Janvier 1900.
2. *Ibid.*, Chair à patron, 25 juin 1899.
3. Léon Frapié, *Marcelin Gayard*, Paris, Calman-Lévy, 1902, p. 195.

romans : « N'approchez pas, ou je cogne » s'écrie Agathe, dans un autre roman de mœurs de 1907, intitulé *La faim et l'amour*, lorsque convoquée pour une place d'institutrice, elle comprend qu'il s'agit d'être en réalité la maîtresse d'un vieux monsieur. Celui-ci considérait que c'était « un crime de faire une maîtresse d'école d'une gentille oiselle comme elle » [1].

Les renvois

L'arbitraire qui préside à l'embauche joue également pour les renvois. Les mortes-saisons, si fréquentes dans les métiers féminins, sont autant d'occasions pour certains de demander des faveurs. Les pressions sont d'autant plus aisées que la nécessité du travail est plus forte. A Lyon, en 1925, une jeune fille de 17 ans, accusée d'infanticide, fait ce récit sans fioriture au chef de la Sûreté : « Une période morte arriva. Le patron me fit signifier mon congé. Je lui fis part de mon ennui. Il me pria de le voir après le départ des ouvrières. Dès le début de l'entretien, il me parla de tout autre chose que du travail. Il devint pressant. J'avais peur d'être mise à la porte. Vous devinez le reste. Quand le bébé vint au monde, je l'ai mis sous les couvertures. Il est mort comme ça. » [2] Est-il besoin de rappeler que le chômage n'est pas payé ; que le chômage saisonnier dure en moyenne, selon les enquêtes de Jules Simon, trois mois au moins dans la petite industrie des métiers féminins et qu'il peut atteindre jusqu'à six mois. « La morte saison tue la vertu » constate laconiquement un auteur de l'époque [3]. La même année, lors de la grève chez Citroën à Saint-Ouen, de nombreuses femmes sont licenciées. Le journal *L'Ouvrière* estime qu'elles le furent sur des critères très *personnalisés* ; les contremaîtres Coulon et Morisset sont alors nommément accusés [4].

Cette réalité propre au travail des femmes n'exclut pas, par ailleurs, le fait que, comme les hommes, les femmes sont aussi licenciées pour des raisons politiques ou syndicales.

1. Gaston Dubois Dessaulle, *La faim et l'amour*, Librairie de la raison, 1907, p. 253.
2. *L'Ouvrière*, En régime capitaliste, 9 avril 1925.
3. André Lainé, *op. cit.*, p. 111.
4. *L'Ouvrière*, Chez Citroën, 19 mars 1925.

Les bons et mauvais emplois

Dans les ateliers, les usines et les bureaux, de bons postes, de bonnes affectations, de bons horaires font toute la différence entre une vie facile, voire agréable et une vie insupportable. L'aide d'un homme, surtout s'il a du pouvoir, est alors chose précieuse. Certains ne se privent pas pour le tarifer.

Les exemples ne manquent pas. Chez Wallert, en 1913, dont le directeur est le très catholique Monsieur Lebas, « les ouvrières qui ne veulent pas servir de paillasses aux surveillants et aux contremaîtres se voient réserver le mauvais travail »[1]. A la chocolaterie Meunier, en 1926, dont le patron est pourtant un moraliste,

> « le travail est réparti de la façon la plus arbitraire, suivant que l'ouvrière plaît plus ou moins ou se refuse à certaines habitudes avec lesquelles évidemment la morale n'a que de lointains rapports. A l'usine de Noisel, pour gagner sa vie et accomplir un travail moins malsain et moins pénible, il est bon (pour les femmes) d'aller chaque dimanche faire une petite visite à l'un des personnages influents de l'usine. »[2]

La même année, chez Peyronnet, à Clermont-Ferrand, « les meilleures places et le bon travail sont réservés à celles qui veulent bien accorder leurs faveurs au contremaître »[3], tandis qu'à l'usine de pétrole d'Avignon, en 1926, il faut, pour obtenir un bon boulot, « supporter les attouchements du surveillant »[4].

De l'affectation à ces postes dépendent aussi les salaires, surtout lorsqu'ils sont liés, comme dans le commerce, aux résultats de la vente. Un exemple particulièrement parlant nous en est fourni dans les grands magasins :

> « Germaine V. et Christiane D. sont entrées le même jour aux magasins X., toutes deux jeunes et bien faites. Mais Christiane était blonde, délurée, facile et l'administrateur n'est pas insensible à ce genre d'arguments. Christiane a été affectée à l'électricité et Germaine au ruban. A l'électricité, la vente est rapide et cela vaut cher. Au ruban, quand une cliente fait un achat de 20 frs, c'est un gros chiffre. Christiane gagne 1600 francs par mois et Germaine, 850 frs... »[5]

La fonction publique, malgré l'existence d'une échelle des salaires qui confère une apparence de justice au système, n'échappe pas non plus à cet arbitraire.

1. *Le Cri du Peuple*, Lille, 25 octobre 1913.
2. *L'Ouvrière*, A la chocolaterie Meunier à Noisel, 20 mai 1926.
3. *Ibid*, 7 octobre 1926.
4. *Ibid*, L'usine de pétrole d'Avignon, 26 août 1926.
5. Francis. Ambrière, *La vie secrète des grands magasins*, Flammarion, Paris, 1932, p. 191.

Certes, le renvoi n'est plus aussi facile et certaines garanties statutaires protègent les femmes contre le licenciement brutal. Le supérieur hiérachique reste cependant en mesure de noter les comportements au travail, d'effectuer les inspections, de proposer les promotions ; il garde donc le pouvoir de bloquer la carrière de celle qui aurait refusé ses avances ou d'aider, au contraire, celle qui les aurait acceptées. Une description nous en est fournie, en 1925, par le personnage trop réel pour être totalement imaginaire de Monsieur Téron.

> « C'est un homme que l'on rencontre dans chaque usine ou chaque adminis-
> tration. Il a presque toujours la cinquantaine, est grisonnant et occupe un emploi
> de directeur ou de chef de service. Il est honorablement connu et père de famille.
> Pour le grand malheur du personnel, c'est lui qui propose, refuse, ratifie les aug-
> mentations. Cet homme d'apparence si intègre, a un faible. Chacun ici-bas, a ses
> défauts et personne n'est parfait. Le faible de M. Téron est pour les femmes au-
> près de qui il aime tournoyer. Comme il aime encore les bonnes fortunes, il peut
> trouver parmi son personnel quelque assoiffée d'avancement, si toutefois ce n'est
> pas une protégée qu'il fait admettre dans son service. Comme dans la bureaucra-
> tie, le traitement est établi d'après la tête, M. Teron fait en sorte que Madame Louise,
> sa protégée, bénéficie d'augmentations successives. Mais il faut être prudent ; aussi
> les rares autres privilégiés auront quelque chose : l'os que l'on donne à ronger au
> chien. » [1]

Les affectations, les demandes de mutation sont également soumises au bon vouloir d'hommes qui ont, là aussi, un moyen de pression sur leurs subordonnées. On remarque ainsi, en 1922, que tel inspecteur d'Académie – que l'auteure de l'article affirme pouvoir nommer – place dans un hameau perdu, en pleine montagne, la jeune normalienne qui l'intéresse. Puis, sous prétexte d'inspection, il vient, un jour d'hiver, à la fin de la classe [2].

Ce pouvoir est réel ; de ces demandes de changements, décidées lors des inspections, dépendent vies quotidiennes, possibilités d'échapper à des postes pénibles, rejoindre un compagnon, faire carrière. La loi Goblet du 31 octobre 1886, qui réglemente jusqu'en 1944 les modalités de nomination, de sur-veillance et de sanction des instituteurs et institutrices de l'enseignement pu-blic, ne considère pas les déplacements, les mutations d'office comme une sanction. Les décisions de l'Inspecteur primaire qui diligente l'enquête et fait propositions et rapports, ne font donc pas l'objet d'un jugement contradic-toire ; elles sont simplement contresignées par le Préfet et l'Inspecteur

1. *L'Ouvrière*, Pierre Ravine, Un parasite, 19 mars 1925.
2. *Ibid.*, Comment on respecte la femme, 14 octobre 1922.

d'Académie [1]. Dans l'Éducation Nationale, en 1902, on compte 448 inspecteurs primaires pour 3 inspectrices.

De la même manière, il faut également mentionner les propositions de prêt personnel, qui remplacent, pour certains, une augmentation de salaire ; les requêtes personnelles, qui sont vécues ou interprétées par la hiérarchie comme autant de demandes de faveurs, accordées discrétionnairement selon que l'on se montre plus ou moins gentille ; les offres de services qui obligent et rendent redevables et dépendantes ; les compliments personnels qui déplacent l'objet des relations et déstabilisent celles qui se croient embauchées pour leurs seules compétences.

Mais progressivement ce pouvoir peut plus difficilement s'affirmer de manière brutale. C'est dans l'ambivalence des relations amoureuses entre un homme et une femme et des relations imposées par le rapport hiérarchique que ce pouvoir s'exprime, perpétuant ainsi l'ambiguïté du statut professionnel et sexuel des travailleuses.

La scène de l'inspection de Louise Chardon par l'inspecteur Vaupasse dans le roman de Léon Frapié, *l'institutrice de province*, publié en 1897, restera à cet égard comme l'une des analyses romancées les plus justes que nous possédions, au point où le nom de cet inspecteur deviendra un symbole de cet abus de pouvoir :

« M. Vaupasse fit une entrée brusque dans la petite classe. C'était un jeune homme chez qui certaines recherches de toilette trop apparente indiquaient des prétentions à plaire ; trop pommadé, lissé trop en rond, trop brillamment cravaté, par le grain rose de son visage fade, il s'appareillait au garçon boucher.

Continuez votre leçon, Mademoiselle, ordonna-t-il.

Et au grand trouble de Louise, il se campa à distance pour la toiser, la détailler ; il la contemplait crûment, d'un air d'autorité humiliant ; avec un sans gêne de supérieur mal élevé vis-à-vis d'un inférieur sans défense, il évaluait la femme et non l'institutrice.

La leçon finie, ses questions défilèrent sur la méthode d'enseignement, sur les progrès des élèves ; et il n'écoutait pas les réponses ; sa pensée poursuivait un autre objet ; soudain, il trouva une critique à formuler, son front se chargea de menaces. Puis pour achever de décontenancer Louise, presque au même moment, un sourire le transforma en personnage poli, protecteur, aimable ; une plaisanterie compatissante sur les difficultés du début et la monotonie lassante des premières leçons sortit de sa moustache à bouts redressés en hameçons.

Son changement de ton et de manières exposait, pour ainsi dire, les deux faces d'une même situation, donnait le choix à l'institutrice entre la rigueur et la faveur

---

1. *Cette violence dont nous ne voulons plus*, Patrick Nicoleau, Quand les institutrices deviennent des maîtresses, No 9, Octobre 1989, p. 34 à 29.

administrative, lui indiquait une classification du personnel en protégés et mal notés : la pluie ou le beau temps, Mr l'inspecteur changeait à volonté. Il se retira à petits pas, l'air perplexe, en prononçant distraitement des paroles banales, en balayant du haut en bas, de ses regards hardis, l'institutrice qui le reconduisait. Il laissa à Louise cette impression que la bienveillance de l'inspecteur n'était pas due ; que cette faveur était subordonnée à des considérations arbitraires, étranges, parmi lesquelles la valeur professionnelle n'avait pas place. » [1]

Pour atteindre un objectif inchangé, les méthodes évoluent vers plus de finesse. Des employeurs cherchent à attirer la sympathie, jouent le jeu de la sincérité, dévoilent leurs faiblesses, offrent leur amitié et laissent, en dernière instance, la liberté de choix à celle qui est l'objet de leurs propositions. Mais il est rare qu'ils acceptent jusqu'à leur terme les règles du jeu qu'ils ont ainsi apparemment posées.

2. La promotion par le corps

Dans ces conditions, les promotions sont alors réservées aux femmes *privilégiées,* parce que *protégées.* Favorites d'un moment, reines d'un jour, d'une saison ou plus rarement d'une vie, elles ont été choisies, embauchées, affectées, promues non pas sur leur capacité ou sur leur mérite — ce qui ne signifie pas qu'elles n'en aient pas — mais sur le critère de l'accès à la disponibilité de leur corps, réel ou escompté.

Le don plus ou moins contraint de leur corps est bien l'une des premières formes de promotion professionnelle — si ce n'est sans doute la première — pour les femmes, à la fin du XIXe siècle. C'est souvent le seul moyen qui leur soit laissé de sortir du rang, d'échapper au sort commun, d'améliorer leur condition ou simplement d'obtenir une reconnaissance professionnelle. Ne peut-on pas penser d'ailleurs que le refus par les femmes de la mésalliance — au même titre que leurs ambitions amoureuses qui sont souvent au-dessus de leur condition — est, dans le contexte d'une société qui ne leur accorde pas de pouvoirs propres, la forme féminine dominante de l'ambition ? Si un homme n'aide pas une femme à gravir quelques degrés de l'échelle sociale, ses chances propres sont encore exceptionnelles.

1. Léon Frapié, *L'institutrice de province*, A. Fayard, *op. cit.*, p. 35-36.

Pour une Madeleine Pelletier, qui, venant d'un milieu pauvre réussit à devenir la première femme médecin des asiles de la Seine [1], combien de vies, sans espoir autre qu'amoureux ? Logiques de promotion sociale et logiques « morales » ne se recoupent pas. C'est ainsi que, pour reprendre le vocabulaire de l'époque, tant de *chutes* commencent d'abord par des *ascensions*. Une ouvrière de la couture se voit même, dans le roman populiste de Marguerite Audoux, *L'atelier de Marie-Claire*, parce qu'elle est attirée par les théâtres et les restaurants, menacée par son patron, d'un avenir où « elle tomberait dans les grandeurs » [2].

Sans même évoquer les conditions différenciées de la répartition dans l'espace, dans le temps, de la division sexuelle du travail – que Madeleine Guilbert a si bien analysées pour le XXe siècle [3] – le pouvoir de la hiérarchie masculine est réel en matière de promotion ; les femmes les plus *compréhensives* peuvent se voir récompensées par des affectations gratifiantes. Au Creusot, en 1899, « les bobineuses et les électriciennes sont toutes choisies parmi les protégées des chefs. Bien rares sont celles qui peuvent se soustraire à cette honteuse servitude » constate avec tristesse l'envoyée spéciale de *La Fronde* [4]. Pour elles, le travail n'est pas pénible, le salaire est assez raisonnable. Quant aux autres, des centaines de femmes, le travail qu'elles effectuent est si dur, si mal payé, que les hommes ont, avant elles, refusé de l'effectuer. L'enjeu de leur affectation n'est pas secondaire ; c'est bien leur santé, leur vie même qui est en cause. C'est cette même réalité qui est décrite dans les caves de Champagne en 1923 : ce sont « les femmes légères qui ont droit à toutes les faveurs des contremaîtres » [5]. Il en est de même, en 1926, chez Gysels et Cie, dans la région Rouennaise : celles qui sont promues, c'est parce qu'elles ont « de beaux yeux ou des cheveux superbes » ; ce sont aussi celles qui acceptent de moucharder leurs camarades [6]. En la matière, les femmes rejoignent la situation qui est celle de nombreux hommes, selon les règles classiques des promotions-maisons. Mais ce double favoritisme reste cependant spécifique : les patrons se paient ainsi de « la chair à

---

1. Cf. Linda Gordon, *The intregral feminist*, Madeleine Pelletier, 1874-1939, Polity press, Cambridge 1990 ; Charles Sowerwine et Claude Meignien, *Madeleine Pelletier*, Les Editions Ouvrières, 1992 ; *Madeleine Pelletier* (1874-1939), *Logiques et infortunes d'un combat pour l'égalité*, sous la direction de Christine Bard, Ed. Côté femmes, 1992.
2. Cf Marguerite Audoux, *L'atelier de Marie Claire*, roman, Fasquelle, 1920. p. 43.
3. Madeleine Guilbert, *La fonction des femmes dans l'industrie*, Mouton, Paris, La Haye, 1976.
4. *La Fronde*, Les femmes au Creusot, 4 octobre 1899.
5. *L'Ouvrière*, La fabrication du vin de Champagne, 10 novembre 1923.
6. Ibid., Région Rouennaise, 9 décembre 1926.

plaisir et une police à bon compte » [1]. Dans bien des usines, le chef d'atelier a sa maîtresse, comme le contremaître, le régleur, le chef d'équipe ; la *poule,* la *cocotte* du chef fait partie de la vie de travail. Dans *L'Éducation sentimentale,* Flaubert campe, avec force, en quelques lignes, le personnage, tout entier défini par son apparence physique, de la Bordelaise qui tranche si clairement dans la grisaille de l'usine :

> « Alors que toutes les ouvrières avaient des costumes sordides, on en remarquait une, cependant, qui portait un madras et de longues boucles d'oreilles. Tout à la fois mince et potelée, elle avait de gros yeux noirs et les lèvres toutes charnues d'une négresse. Sa poitrine abondante jaillissait sous sa chemise, tenue autour de la taille par le cordon de la jupe. » [2]

Cette ouvrière est la maitresse d'Arnoux, le patron des lieux. C'est ainsi qu'une seconde hiérarchie, fondée sur des relations de type personnels, non dite, redouble ou contredit la hiérarchie officielle. La Bordelaise refuse ainsi d'obéir aux ordres du contremaître, sans qu'il lui en soit tenu rigueur.

Contrairement aux hommes, les femmes ne bénéficient donc que rarement de promotions dues à leur qualification, au sein de leur classe sociale ; lorsqu'elle existe, c'est du fait de leur corps et dans une logique de dépendance aux hommes. Les femmes ne peuvent encore sortir du rang par elles mêmes ; sauf exception, la surenchère, par le travail, dans un rapport de concurrence aux hommes, est perdue d'avance.

C'est pourquoi, les conditions de ces promotions, rarement durables, les rendent fort fragiles. Puisque c'est le supérieur qui prend l'initiative d'instaurer une relation – qui devient alors un statut –, c'est aussi lui qui a la possibilité de la maintenir ou de la faire cesser. Lorsque la passion, l'interêt ou le jeu – amoureux ou non – disparaissent, l'appui fait défaut. De fait, l'inégalité sociale de la relation n'est que rarement effacée dans la relation amoureuse. Le rapport de subordination, un instant effacé, peut ressurgir à tout moment et se retrouver même encore aggravé ; l'abandon de l'amant s'accompagne nécessairement de la perte de l'emploi. Pourquoi un homme qui a le pouvoir de s'en *débarrasser,* garderait-il une femme qui a cessé de lui plaire ? Pour les moins scrupuleux ou les plus lâches, la rupture est, en outre, plus aisée : pas d'explication pénible, pas de fausse justification, pas de scènes. Il suffit d'évoquer la faute professionnelle, la rupture de contrat, la nécessité

---

1. *Ibid.*
2. Gustave Flaubert, *L'Education sentimentale,* Ed. Garnier Flammarion, 1985, p. 259.

économique du licenciement. Pourquoi en outre s'inquiéter, puisque l'usine, la manufacture, les bureaux drainent inlassablement de nouvelles recrues ?

La vision romanesque du jeune patron séduit par la jeune et pure ouvrière est à écarter ; celle de l'ouvrière promue grâce à ses charmes ne doit pas l'être. La sentimentalité féminine est d'ailleurs fondée sur cet imaginaire et en a été nourrie ; tous les romans populaires que lisent avec avidité ces travailleuses sont construits sur ce double espoir : échapper à l'usine par un amour hors de sa classe. Il est significatif que le roman de Victor Marguerite, *Le Compagnon*, tout entier construit sur ces thèmes, ait été très lu par les ouvrières.

La presse de gauche, consciente du danger, vilipende ces feuilletons, ce *second pain* de l'ouvrière, qui transportent les femmes au pays de l'illusion et laissent croire à l'ouvrière que sa beauté suscitera un jour la passion d'un millionnaire. N'est ce pas, plus profondément aussi, la crainte que ce rêve d'amour ne les détourne de leur prolétaire de mari et de la nécessaire lutte de classe ?

Arrivées par la faveur, ces femmes se croient au-dessus des lois, parce qu'on les a transgressées en leur faveur ; de fait, elles ne sont plus dépendantes que du bon vouloir d'un seul.

Celles qui arrivent à garder leur emploi, déconsidérées, sont souvent l'objet de jeux pervers ; elles deviennent des *occasions* de s'amuser ; on s'échange les femmes après s'en être servi. Tout est permis avec elles puisqu'elles sont désormais *tenues* ; il est alors possible de leur faire sentir la déchéance de leur position. Que certaines d'entre elles ne soient maintenues à leur poste qu'en devenant des entremetteuses, des pourvoyeuses de *chair fraîche*, n'est pas fait pour surprendre. Le personnage de Simone Lourdal dans le roman de mœurs de Victor Margueritte, déjà évoqué, nous en fournit un bon exemple. Vieille maîtresse de Pierre Lebeau, le directeur du journal *l'Appel*, Simone Lourdal n'avait plus d'autre alternative que

> « d'aider son amant à jouir de tout. Et ce d'autant plus que Lebeau était un de ces médiocres dont la prétention prend ombre de toute supériorité. De la féminine surtout. Simone Lourdal, avec son esprit et son talent reconnu, lui eut semblé insupportable sans les distractions spéciales qu'elle lui facilitait... Vieillissante, la directrice artistique de l'Appel se raccrochait à sa situation par un vigilant proxénétisme. Amies complaisantes, modèles à peine nubiles, théâtreuses en mal de publicité, tout lui était bon pour retenir la salacité changeante du patron. » [1]

Ce constat n'empêche pas la critique, voire le mépris – rarement affichés – à l'égard d'hommes, souvent mariés, qui refusent d'assumer publiquement une relation socialement inégale.

---

1. Victor Margueritte, *Le Compagnon, op. cit.*, p. 44 et 61.

Femmes promues et femmes ouvrières

Ces femmes doivent alors – pour exercer leur autorité – tout à la fois se faire pepétuellement confirmer leur pouvoir par leur protecteur, tout en faisant oublier aux salariées, les conditions de leur promotion. Aussi dépassent-elles en exigence le modèle ; elles ne peuvent exercer le pouvoir que par une surenchère dans l'expression de l'autorité hiérarchique, qui la transforme souvent en caricature. Les salariées doivent alors, eux aussi, leur plaire et leur obéir, sans rechigner. C'est le cas de la directrice du personnel féminin de l'usine de la Vigneronne en 1913, Madame Beer, vindicative et autoritaire : « Peu importe la bonne volonté et le travail ; toute ouvrière doit lui faire la cour, sinon, c'est le renvoi. » [1] Leur conduite justifie alors les stéréotypes sur les femmes-chefs-qui-sont-pires-que-les-hommes ; elles contribuent, alors, par leur seul comportement, à déconsidérer le statut des femmes salariées et à confirmer la dévalorisation que la société attache à leur sexe.

Ces femmes sont accusées par une certaine bourgeoisie de viser plus haut que leur condition, par les syndicalistes de trahir leur classe par un amour indigne et par les féministes, d'abandonner leurs compagnes de labeur.

Celles qui ont bénéficié de ces promotions-maisons alimentent les ragots, suscitent des jalousies, provoquent des fantasmes ; elles sont un objet d'anathème mais aussi de flatteries et peut-être d'envie.

> « Dans le fond et à son insu, écrit Léon Frapié – évoquant l'une de ses héroïnes en mal de reconnaissance sociale – elle éprouvait presque cette aversion spontanée des honnêtes femmes pour les déshonnêtes, aversion qui est simplement le regret de libre sentiment ; jalousie d'esclaves volontaires contre d'autres esclaves, plus malheureuses, mais portant une chaîne différente ; rancune de créatures restées trop longtemps chastes, puis rivées lâchement à un service unique, contre d'autres créatures plus audacieuses qui connaissent peut-être les assouvissements rêvés. » [2]

C'est contre ces *femmes légères,* plus souvent en contact avec les ouvrières que ne l'est la hiérarchie masculine, que se focalise l'agressivité : on oppose alors les *ouvrières conscientes* aux *créatures* – terme employé lors de la grève des transporteuses d'oranges d'avril 1907 [3]. Car, ces pratiques injustes

---

1. *La Bataille syndicaliste*, Marcelle Capy, Les esclaves de la Vigneronne, 4 septembre 1913, cité dans Marcelle Capy et Aline Vallette, *Femmes et travail au xixe siècle*, présentation et commentaires, E. Diebolt et M. H Zylberberg-Hocquard, Syros, 1984, p. 88.
2. Leon Frapié, *Marcelin Gayard, op. cit.*, p. 277.
3. *L'Humanité*, La grève des transporteuses d'oranges, 15 avril 1907.

ravivent douloureusement la conscience que l'on a de la dépendance personnelle dans laquelle chacun-e est placé-e vis-à-vis des chefs, petits ou grands, et pose inéluctablement le problème des critères et des fondements de la promotion et de la hiérarchie. Tout ordre alors devient suspect. Ainsi à l'usine de pétrole d'Aubervilliers, en 1926, les ouvrières ont fort à se plaindre des brimades d'une contremaîtresse. « Est-ce pour y recevoir ses ordres qu'elle se rend auprès du directeur en dehors de l'usine ? se demande-t-on, avec une feinte naïveté. » [1]

Fragilisé par les conditions de sa nomination, ce pouvoir devient, plus encore, l'objet de la contestation.

On note ça et là quelques grèves menées par des femmes contre les abus de contremaîtresses : ce ne sont plus seulement des salariées qui contestent des conditions de travail, ce sont aussi des femmes qui refusent d'obéir à d'autres femmes. Leur pouvoir, même compétent, est considéré comme illégitime. Ainsi, à Marseille, en 1913, dans une usine de liège, une *protégée* de Mr le directeur, « récemment bombardée contremaîtresse du personnel féminin » élabore un nouveau réglement particulièrement insupportable (défense d'aller aux toilettes pendant les heures de travail, interdiction de boire, défense de relever la tête de dessus l'ouvrage, interdiction absolue de parler). Toute infraction à la règle est punie. Mais cela ne suffit pas encore ; la contremaîtresse brutalise, insulte grossièrement les ouvrières. Elle gifle même une jeune fille. Une de ses compagnes ayant protesté est immédiatement renvoyée. Tout le personnel, hommes et femmes, se met alors en grève, en exigeant le renvoi de la protégée. Celle-ci ne peut sortir de l'usine qu'encadrée du comptable, de deux employés de bureau, du fondé de pouvoir et de deux agents, devant plusieurs centaines de personnes qui l'attendaient. « Elle paie, même avec usure, les mauvais traitements qu'elle a infligés. » [2]

C'est ainsi que l'on peut expliquer pourquoi tant de femmes salariées préfèrent travailler sous l'autorité d'un homme ; les règles sont mieux connues. Dans certains cas, il est même possible, avec certains d'entre eux, de faire appel à leur compréhension, à leur protection, voire de jouer de la séduction. Les femmes-chefs, elles, doivent se montrer rigides, impitoyables, vindicatives, afin de paraître crédibles ; le moindre signe de faiblesse porte en lui le danger de dévoiler l'illégitimité de leur autorité.

Là, résident sans doute les raisons pour lesquelles les ouvrières les plus conscientes, sont si attachées à l'avancement par l'ancienneté qui diminue

1. *L'Ouvrière*, Dans les pétroles, 25 mars 1926.
2. *La Bataille Syndicaliste*, Une grève de dignité, 8 novembre 1913.

d'autant les moyens de pression discrétionnaires de la hiérarchie. En 1902, les ouvrières des Tabacs et Allumettes de Reuilly obtiennent gain de cause sur cette revendication : l'*avancement au tableau*, qui était en vigueur et qui légitimait tous les arbitraires, est remplacé par l'avancement à l'ancienneté. Ces ouvrières savent que l'administration n'aime ce système que pour le favoritisme qu'il permet. A l'occasion de cette victoire des femmes, *La Voix du Peuple*, explique en effet que « dans la pratique, telle ouvrière qui plaisait n'avait pas de rejet, tandis qu'une autre, pourtant plus habile, mais plaisant moins, en avait » [1].

La rivalité : une affaire de femmes ?

Cette mise en dépendance personnelle des femmes par rapport aux hommes, aggravée par la concurrence spécifique propre au salariat, est sans doute la raison majeure des difficultés à mettre en place une véritable solidarité féminine permettant de dévoiler ces injustices. Accorder certaines faveurs aux unes pour exciter la jalousie des autres, n'est-ce pas le meilleur moyen de les isoler entre elles ? Les femmes vivent alors leurs relations à la fois sur le mode de la concurrence professionnelle et sur celui de la compétition féminine. Les directions utilisent efficacement à leur profit cette double concurrence. A Saint-Nazaire, en 1911, « tous les 10 mètres, (on trouve) un café buvette, dont les serveuses sont de jolies et avenantes fillettes. Lorsque dans le bistrot d'à côté, la bonne est mieux habillée, plus aimable, la patron dit ces simples mots : 'ma fille, on sera obligé de nous quitter'. » [2]

Après avoir affirmé que « rien n'est mauvais dans un hôpital comme la direction d'un homme (car) l'omnipotence avec laquelle il règle la destinée d'un nombreux personnel féminin prête aisément à des suppositions désagréables, qui ne sont malheureusement pas toujours sans quelque vraissemblance », le docteur Marc Blatin, dans son livre sur les infirmières, poursuit ainsi : « Rien ne vaut une femme pour surveiller d'autres femmes, surtout lorsque l'une est un peu jalouse et que les autres sont jeunes et jolies. » [3]

1. *La Voix du peuple*, Victoire de femmes, 15 juin 1902.
2. *Le Libertaire*, Saint-Nazaire, 19 août 1911.
3. Marc Blatin, *Les infirmières*, Baillière et fils, Paris, 1905, p. 188.

C'est bien là que se jouent les mécanismes de la reproduction des pouvoirs patriarcaux par les femmes. Les relations entre elles, passant en effet préalablement par les critères de leurs rapports individuels aux hommes, elles sont alors amenées à ne plus se voir qu'à travers le prisme des normes de type privé qui les aliènent le plus efficacement.

Une scène vécue par Marcelle Capy, *établie* dans une usine de femmes, nous montre tout à la fois la reconnaissance par les femmes du pouvoir accordé à l'homme-patron et l'effet de la prégnance du regard masculin sur un groupe de femmes. Elle évoque aussi les formes cachées, si souvent déniées et souvent si ténues de la solidarité entre femmes :

« … C'est alors qu'Il arriva. Il ouvrit la grille, s'avança dans la ruelle. C'était un homme aux fortes épaules, à la face massive, à la nuque rouge et boudinée. Les mains dans les poches, la cigarette à la bouche, il venait faire un tour d'inspection. C'était le patron.

Il entra dans l'atelier. Le nez baissé et l'œil sournois, les femmes faisaient du zèle. Humble, la contremaîtresse le suivait avec discrétion. Il longea le hangar, il se campa devant moi, me dévisagea avec insistance et s'écria avec un gros rire :

Hé ! Hé !, la belle gaillarde…
Et me pinça sous le menton…

L'homme au cou de taureau tourna un moment autour de moi en me clignant de l'œil. Puis il partit…. Mais la jalousie haineuse avait fait place à l'admiration. J'étais promise au rang de favorite et les malheureuses esclaves qui me haïssaient, lorsqu'elles me croyaient une concurrente, firent la haie afin de me laisser passer la première à la sortie. Je m'en allais. Quelqu'un courut après moi. Je me retournais et me trouvais face à face avec la femme du séchoir.

Écoute, me dit-elle, je ne peux pas garder ça pour moi. Méfie toi de ce type ! Il est malade. Tout le monde le sait. T'as la santé, garde-la. Elle me donnait ce qu'elle pouvait : la charité de la vérité.
On ne me revit jamais plus dans ce cloaque de la zone. » [1]

Les femmes sont alors en concurrence à la fois avec les hommes et entre elles, par leur travail et du fait de leur sexe ; la rivalité par la toilette – certaines évoquent même « l'émulation dans la futilité » [2] – est l'une de ces expressions de cette opposition. Quant aux crêpages de chignon, aux crises

---

1. Marcelle Capy, *Avec les travailleuses de France*, 1937. Ce texte postérieur à notre périodisation a été néanmoins utilisé compte tenu de son intérêt. p. 73.
2. Marie-Louise Gagneur, *op. cit.*, p. 237.

nerveuses, au don des larmes – dont on dit qu'il est l'apanage des femmes comme la preuve de leur faible maturité – ne sont-ils pas les formes d'expressions de ces manœuvres de divisions, multiples, souvent contradictoires, qu'elles subissent, ainsi que de leur isolement et de leur impuissance ? Les femmes sont alors moins solidaires que jalouses, moins alliées que rivales. Elles se divisent et s'affrontent sur les critères qui leur ont été imposés : celles qui plaisent contre celles qui ne plaisent pas ; celles qui ont cédé contre les autres ; celles qui savent que l'on n'a que le bon temps que l'on se donne contre celles qui restent dans le devoir ; celles qui cachent leur plaisir contre celles qui le revendiquent ou l'affichent… les *girondes*, les *traînées*, les *mijaurées*, les *pimbêches*…

En 1917, un journal socialiste de Montbéliard prêchant l'entente entre les ouvrières évoque cette réalité qui divise si efficacement les femmes entre elles.

> « Il ne se passe pas de jour où l'on n'ait à observer des choses déplorables dans les usines employant des femmes. Certaines sont mal payées et tracassées ; d'autres bénéficient de l'indulgence des contremaîtres ou des chefs d'équipe parce qu'elles sont recommandées par un ami ou encore, et c'est le cas le plus fréquent, parce qu'elles ont un minois agréable et la conversation facile, pour ne pas dire mieux.
>
> Oui, cela est et toutes les dénégations possibles n'y changeront rien…
>
> Cet état de chose crée un courant d'antipathie entre les ouvrières elles-mêmes et la moindre injustice involontaire, la moindre faveur enregistrée, par exemple, un travail avantageux à telle ou telle, suffisent à transformer l'atelier en un champ de discorde où évoluent deux clans bien décidés. Doit-on dire qu'hélas, celles qui n'ont pas été touchées par la sympathie des chefs sont des victimes expiatoires. Un seul oubli, un ou deux retards, une réplique soudaine, vite regrettée et les voilà mises à la porte. » L'auteure qui dénonce cette injustice, finit son article en souhaitant « la fin des faveurs, des jalousies, des passe-droits, des rancunes. »[1]

Dans ce contexte dominé par la force des préjugés et des habitudes, fondés très largement sur des critères définis par des hommes, les femmes sont particulièrement dures entre elles. Les hommes, eux, peuvent s'offrir le luxe d'être magnanimes, tant qu'ils ne sont pas directement concernés. Étant, le plus souvent, les dépositaires du pouvoir, c'est en outre, souvent à eux que les femmes sont amenées à faire appel, soit pour défendre leur point de vue,

---

1. *Germinal*, 29 septembre 1917.

soit pour trancher leurs conflits. Ils peuvent, alors, dans ce rôle d'arbitre, se montrer conciliants, faire la leçon ou affirmer avec force leur autorité en privilégiant l'une ou l'autre. Les hommes sont alors confortés dans leur identité et leurs privilèges tandis que les femmes sont confirmées dans leur petitesse, leur médiocrité et leurs rivalités de *bonnes femmes*.

La séduction : l'arme des femmes

La *citoyenne* Jacoby, figure de proue du syndicalisme féminin des Tabacs, regrette ces « discussions intestines qui éclatent dans les Manufactures ». Si elle responsabilise les femmes, c'est parce qu'elle estime qu'aucune solidarité n'est possible sans la prise en compte d'un regard critique lucide : « Guidée par un égoïsme révoltant, chacune de vous convoite un bon poste, on fait des bassesses, on rampe pour y arriver. » [1]

Les hommes étant les seuls dépositaires du pouvoir réel et donc les seuls garants de la reconnaissance sociale, il est tentant de mettre à profit sa jeunesse pour capter la bienveillance de ses supérieurs, d'utiliser la séduction pour *se faire une position*. Découvrant qu'une relation sexuelle avec un homme permet d'agir sur lui, certaines jouent de leur sexe, comme d'un appât qu'on promet, qu'on refuse, qu'on donne et qu'on retire ; alors, elles peuvent beaucoup et elles le savent bien. Il arrive même que certaines ne sachent que cela de la vie.

Mais « l'amour ne dure pas toujours », constate lucidement Madeleine Pelletier [2]. Il est alors urgent d'utiliser le seul capital qu'elles ont et elles se donnent les moyens de le mettre en valeur. Elles savent que leur avenir n'est fondé que sur ce qu'elles ont de plus passager : leur jeunesse. Tout se joue dans le choix de celui sur lequel elles jettent leur dévolu et des moyens qu'elles se donnent pour arriver à leurs fins. Celles qui savent attendre et calculer, peuvent souvent mieux *négocier leurs charmes* ; un refus, savemment exprimé, peut ainsi contribuer à modifier le rapport de force et faire monter les enchères.

Les historiennes Louise Tilly et Joan Scott ont, à cet égard, une hypothèse intéressante. Elles considèrent que l'investisssement en coquetterie a pu, en

---

1. *L'Echo des Tabacs*, novembre 1903.
2. *La Brochure mensuelle*, Madeleine Pelletier, Le droit au travail pour la femme, Paris,, No 107, novembre 1931.

quelque sorte, jouer, pour les jeunes salariées, le rôle de substitut de l'ancienne dot :

> « C'était important pour les jeunes filles d'avoir l'air jolie, car l'apparence personnelle entrait en jeu dans le processus de choix. Beaucoup de jeunes filles investissaient des sommes qui, autrefois auraient constitué une dot, dans des vêtements bon marché et prêt à porter, afin de rehausser leur charme aux yeux des hommes. Le fait que le mariage soit l'union de deux salariés qui, le plus souvent, n'apportaient rien en se mariant, donnait encore plus d'importance à la séduction personnelle. » [1]

C'est ainsi que l'on peut comprendre le paradoxe défendu par Madeleine Pelletier qui, soucieuse avant tout de défendre le droit des femmes, justifie la prostitution pour les femmes du peuple qui n'ont d'autre alternative de vivre mieux. Après avoir estimé que « la vie de demi-mondaine est de beaucoup préférable à l'existence de souffre-douleur départie aux femmes d'ouvriers » [2], elle considère que «celles qui ne disposent pas de capacités intellectuelles élevées… ont raison de s'adonner à la galanterie » [3]. C'est en effet au nom d'une certaine conception de la moralité, dont on sait toute l'hypocrisie, que l'on dénie à des femmes le droit de quitter une vie de misère en tentant de monnayer ce que la plupart des hommes leur prennent sans leur demander leur avis [4]. Pour certaines enfin, la séduction – qui n'est pas incompatible avec l'amour – peut aussi être utilisée en vue d'une fin supérieure qui la transcenderait. Marguerite Durand, l'une des grandes figures intellectuelles et politiques du féminisme français, faisant le bilan de l'histoire du journal *La Fronde* qu'elle a dirigé pendant cinq ans, n'a-t-elle pas l'honnêteté d'écrire que « le féminisme devait à ses cheveux blonds quelques succès ? » [5]

Les hommes contre les femmes

Pour de nombreux hommes – jugement d'ailleurs partagé par bien des femmes – ces femmes font, en captant, de cette manière, la bienveillance des supérieurs, une concurrence déloyale aux hommes : elles utilisent des armes que leurs collègues masculins ne possèdent pas.

---

1. Louise Tilly et Joan Scott, *Les femmes, le travail et la famille*, Paris, Rivages/Histoire, 1987, p. 221.
2. Madeleine Pelletier, *La femme en lutte pour ses droits*, Paris, Giard et Brière, 1908.
3. Madeleine Pelletier, *Ibid.*
4. Cf. Marie-Victoire Louis, Sexualité et prostitution, in *Madeleine Pelletier*, sous la direction de Christine Bard, *op. cit.*, p. 109 à 125.
5. *La Fronde*, Marguerite Durand, Confession, 1er octobre 1903.

« Si la femme est gracieuse, toutes les carrières s'ouvrent devant elle, son avancement est rapide. Que de travail et de science il faut à l'homme pour contrebalancer l'attrait naturel de la femme ! Ses fautes, ses omissions n'en sont pas lorsqu'elle a pour chef un homme. Comme on le voit, loin de se plaindre, le sexe faible est à envier et l'on a peut-être raison de dire qu'il crée un vrai préjudice à l'homme fonctionnaire. » [1]

Et comme il est supposé, selon l'analyse de Danièle Delhomme, Nicole Gault et Suzanne Gonthier concernant les inspecteurs de l'Education Nationale, que « ces hommes ne sont sultans que parce qu'ils trouvent des femmes complaisantes, l'homme et le pouvoir sont saufs et la femme fait seule figure de trouble-fête dans une institution dont elle dérange le fonctionnement et les valeurs » [2]. Et c'est alors que l'éternelle logique qui, sous couvert d'analyse, transforme ce qui est la conséquence d'une situation inégale en traits structurels, en caractères permanents et chacun-e se met en place, d'autant plus aisément que chacune a sous les yeux nombre de situations censées démontrer l'irréfutabilité du constat. Certaines féministes nuanceront cependant ce propos : si dans un troupeau se trouvent certaines *brebis galeuses*, est-ce une raison pour condamner tout le troupeau ?

Souvent même, par une inversion de l'analyse, c'est l'immoralité des femmes qui devient la cause de la corruption du système. Et la rancœur contre ces quelques femmes alimente tous les préjugés contre leur sexe. Proudhon, théoricien de la misogynie, a fourni les éléments fondateurs de ce sophisme : les femmes n'aiment que les privilèges, les distinctions, les faveurs. Elles sont, en fait, assoiffées de pouvoir et n'acceptent leur esclavage que pour mieux assurer leur empire ; elles ne séduisent les hommes que pour mieux les posséder.

Longtemps encore, on opposera le thème du pouvoir, occulte ou non, des femmes sur les hommes, à leurs revendications et à leurs droits. Exceptionnellement, quelques esprits ouverts, analysent les limites imparties à ce pouvoir. Louis Legrand dans un ouvrage couronné par l'Académie Française, intitulé : *Le mariage et les mœurs en France*, fait une critique pertinente de cette thèse.

« Ce pouvoir féminin, explique-t-il, n'est qu'un pouvoir d'influence, non sanctionné pas la loi, dû tout entier à la puissance de l'attrait, à des usurpations délicatement déguisées, où plutôt à des concessions affectueusement faites. Il faut que son interêt force la femme à être aimable et qu'elle soit condamnée à plaire, son empire n'étant que celui de son charme. » [3]

---

1. *L'Echo des employés*, 16 juin 1895, cité par Guy Thuillier, in *La vie quotidienne dans les ministères*, Hachette, p. 199.
2. Daniele Delhomme, Nicole Gault et Josiane Gonthier, *Les premières institutrices laïques*, *op. cit.*, p. 118.
3. Louis-Désiré Legrand, *Le mariage et les mœurs en France*, Hachette, 1879, p. 283.

Lorsque la concurrence entre les sexes se fait plus rude, comment les hommes peuvent-ils se défendre ? Sur le terrain de la qualification, c'est de plus en plus difficile ; les femmes obtiennent diplômes de valeur, s'affirment compétentes et sont compétitives, dès lors qu'on laisse jouer les règles de la concurrence. Pire, elles sont plus travailleuses et moins chères. Que reste-t-il alors ? la dénégation par le sexe. Il faudra attendre les emplois qualifiés féminins de l'entre-deux-guerres pour que des femmes puissent commencer à faire carrière. Mais les promotions des femmes resteront toujours marquées par cette suspicion. En tout état de cause, la question est toujours posée : à qui doivent-elles leur chance ? Elle n'est pas toujours impertinente.

Les stratégies de promotion des femmes

Il est facile de faire une critique de l'essentialisme réactionnaire des analyses, de type proudhonien, sur les rapports entre les sexes ; il serait erroné d'en prendre strictement le contrepied. Car, face à la découverte de l'égoïsme des hommes, dans un monde qui nie les femmes avec une telle constance, leurs stratégies de promotion sociale empruntent bien des chemins de traverses et sont fondées sur bien des calculs. Puisqu'elles ne peuvent arriver par elles-mêmes, puisque la seule ambition qui leur est concédée est de se réaliser à travers la reconnaissance d'un homme – plus ou moins habillée du masque de l'amour – comment ne pas penser qu'elles entrevoient, ainsi, un destin possible ? Que les probabilités de réussir soient rares, le prix souvent coûteux en terme de perte de dignité, pour un résultat aléatoire, ne signifie pas que la possiblité d'une vie meilleure soit exclue. Par ailleurs, un rapport sexuel peut effacer l'ennui et donner, pour un temps, le sentiment d'exister. Une relation, même inégale, procure le contentement d'avoir été choisie.

> « De si bas qu'il vienne, constate Célestine, la femme de chambre du roman d'Octave Mirbeau, que son cochon de capitaine veut mettre dans son lit, c'est tout de même un hommage et cet hommage me donne davantage confiance en moi même et en ma beauté. » [1]

Nombreuses sont alors celles qui subissent ces rapports pour ce qu'ils sont, c'est à dire souvent pas grand'chose, dès lors que l'on a appris, grâce au *devoir conjugal* notamment, à s'en abstraire, que l'on sait éviter une grossesse et se cacher du monde. L'immoralité que l'on reproche aux femmes, la capacité

---

1. Octave Mirbeau, *Le journal d'une femme de chambre, op. cit.*, p. 377.

qu'elles ont de céder aux désirs des hommes, peut aussi se réduire à cette ap-préciation : « Pour ce qui sera demandé en échange ! Qu'est-ce donc ? D'ailleurs qui le saura ? Tous ces scrupules, des bêtises ! » [1] A force de soumission, ces rapports sexuels, perdent leur signification. Ce qui importe alors, est-ce la contrainte, l'habitude, ou le résultat escompté ? Aussi, certaines estimant le jeu faussé – ou l'ayant appris à leur détriment – mettent en relation, avec plus ou moins de lucidité, coûts et avantages, sans dramatiser outre mesure ce qui est attendu d'elles. Un calcul d'ordre économique, sans perversité ni passion, « trois cent francs par mois, un appartement, et un mobilier » sont aussi des arguments de poids : « C'est une affaire, un établissement. » [2] On retrouve, là encore, la Célestine d'Octave Mirbeau, qui « rêve de servir chez un vieux. C'est dégoûtant, mais on est tranquille au moins et on a de l'avenir. » C'est elle aussi qui, ayant couché avec tant d'hommes, « par amour ou plaisir, veu-lerie ou vanité, pitié ou intérêt » s'interroge pour savoir si elle va « donner du bonheur à son patron, qui en est si privé. Un de plus ou un de moins, au fond qu'est-ce que cela fait ? Et puis j'aurais de la joie aussi, car en amour, donner du bonheur aux autres, c'est peut être meilleur que d'en recevoir. » [3]

En outre, lorsque les femmes sortent de la logique de l'exclusive appro-priation sexuelle, c'est la conception même de « la morale », mais aussi de l'amour qui change. En 1911, Madeleine Pelletier estime que ces femmes – ouvrières, employées, fonctionnaires, étudiantes – qui

> « prennent des amants, et qui ne sont pas entretenues contribuent à cette évo-lution. Elles ne se comportent pas en effet comme les autres, les prostituées ou demi-prostituées ; dans leurs relations, elles mettent une certaine dignité et chacun commence à comprendre que, bien qu'elle ait un amant, une femme peut quand même être honnête, du moment qu'elle vit de ses revenus ou de son travail. » [4]

Certaines prennent alors leur plaisir, là où elles le trouvent. Pierre Hamp évoque, dans les filatures, « le renvoi d'une fileuse de 35 ans, parfaite ouvrière, qui, à l'heure de midi, enseignait aux petits varouleurs autre chose que leur métier » [5].

Puisqu'elles existent aussi par leur corps, elles l'affichent ; hors de toute fausse pudeur, elles le démystifient. Elles peuvent alors, si besoin est, tout à la fois exprimer, sans honte, leur propre désir, inverser les rapports entre les sexes et symboliquement, utiliser leurs corps comme une arme contre les

---

1. Charles Benoist, *Les ouvrières de l'aiguille à Paris, op. cit.*, p. 119.
2. *Ibid.*, p. 125.
3. Octave Mirbeau, *op. cit.*, p. 72 et 108.
4. Madeleine Pelletier, *L'émancipation sexuelle de la femme*, V. Giard & Brière, 1911, p. 111.
5. Pierre Hamp. *Le lin*, Paris, Gallimard 1924, p. 83.

hommes, dès lors déstabilisés, impuissants. Le même Pierre Hamp raconte la mésaventure arrivée à un directeur, dont « la jeunesse énervait les ouvrières... Comme il traversait la salle au mouillé, douze fileuses se mirent nues, ce qui fut vite fait, n'ayant sur elles que jupons et chemises. Elles dansèrent la ronde autour de l'homme confus et affolé qui n'osait les toucher pour rompre leur cercle. » [1]

1. *Ibid.*

Chapitre 5
De l'ambivalence entre salariat et prostitution

La beauté est une marchandise
dont on peut battre monnaie [1].

L'histoire du travail féminin
est comme doublée de noir par
l'histoire de la prostitution [2].

Au XIXe siècle, le salariat et la prostitution sont traditionnellement appréhendés comme deux mondes clos, relativement étanches. Le droit concourt à cette séparation : « Les femmes entretenues ou celles qui, à côté d'un travail insuffisamment rémunérateur cherchent à se procurer par l'inconduite quelques ressources accessoires, sont exclues de la prostitution. » [3] Cette séparation contribue à masquer la réification massive du corps et de la sexualité des femmes, y compris au sein de l'institution du mariage et relève plus

---

(1) Jean Amblard, *De la séduction*, Université de Paris, Faculté de Droit, A. Rousseau, 1908, p. 217.
(2) Evelyne Sullerot, *Histoire et sociologie du travail féminin*, Gonthier, 1968, p. 37.
(3) *La Gazette des Tribunaux*, 10 mai 1894.

d'une tentative d'exorcisme que de la réalité. Une catégorie des femmes, chargée de tous les fantasmes sexuels, est ainsi isolée ; tout se passe comme si l'anathème social, le mépris voué aux prostituées devaient inciter les autres à se conformer aux modèles dominants d'*honneur* et *vertu féminine.* Or, cette ligne de partage entre les femmes – celles censées être affectées au pouvoir d'un seul et les autres collectivement appropriées – est profondément normative ; la croissance du salariat féminin contribue à faire éclater cette dichotomie arbitraire. Délimiter clairement où commence et où finit la prostitution [1], est un exercice impossible ; il supposerait, en effet, l'autonomie sexuelle des femmes. Aussi, bien que l'histoire ait le plus souvent occulté les relations entre salariat et prostitution – comme s'il fallait effacer une tare originelle – il apparaît plus conforme aux faits d'analyser leurs relations réciproques.

1. L'ambivalence sexuelle du statut des femmes

L'attachement de la société française à la *galanterie* (la *gauloiserie* en étant la forme populaire) ne cache-t-elle pas sous sa forme la plus aimable et la moins dérangeante, cette ambivalence du statut de la dépendance sexuelle féminine ? Les prostituées ne sont-elles pas aussi appelées des *femmes galantes* ? De fait, pour reprendre une appréciation de l'époque, « ces aimables galanteries que nous envient toutes les nations » [2] ne sont pas nettement dissociées – pour certains, de l'imaginaire, pour d'autres, de l'exigence – d'un droit sexuel sur les femmes.

Sur ces thèmes, l'absence de rigueur du vocabulaire, l'ambivalence des signifiants – qui occultent les rapports de pouvoirs entre les sexes – doit être noté. Pour reprendre les termes du dictionnaire *Littré,* au mot *galanterie,* quelles relations y a-t-il entre « l'empressement auprès des femmes qu'inspire le désir de leur plaire », « les propos flatteurs qu'on tient à une femme » et « le commerce amoureux » ? On peut retrouver les mêmes ambiguïtés avec le mot *séduction,* qui signifie tout à la fois, toujours selon le *Littré* : « faire tomber dans l'erreur, détourner de la vérité, faire manquer à un devoir, corrompre, suborner, persuader, se faire illusion à soi-même et plaire ».

Par ailleurs, comment évolue t-on du statut d'homme ou de femme séduisant-e, à celui de séducteur ou séductrice, alors que ces expressions n'ont pas, en outre, la même signification selon le sexe ?

---

1. Docteur O. Commenge, *La prostitution clandestine à Paris*, Schleicher frères, 1897, p. 4.
2. Jean Amblard, *op. cit.* p. 212.

Cette ambiguïté est aussi inscrite au cœur des différentes approches de la prostitution qui distinguent mal entre rapports marchands et rapports dépendants. Ainsi, en 1872, le docteur Martineau définit la prostitution comme « le commerce du plaisir », et la prostituée comme « la femme qui se tient à la disposition de celui qui la paie » [1] ; en 1889, pour le docteur Reuss, la prostitution est « le commerce habituel qu'une femme fait de son corps » et la prostituée, « la femme qui, se tenant à la disposition de tout homme qui la paie, se livre à la première réquisition » [2].

De fait, la prostitution est moins une situation isolable qu'elle ne s'inscrit au sein d'un *continuum* de situations de dépendance sexuelle féminine s'exerçant dans des formes, des lieux, des modalités différentes. La ligne de partage évolue selon l'âge, le milieu familial – et notamment l'intégrité sexuelle des jeunes filles –, la situation de famille et la conjoncture économique et politique. Pierre Pierrard note ainsi la recrudescence de la prostitution à Lille après la grande crise économique de 1853-1856 [3], Françoise Thébaud la souligne de même au lendemain de la démobilisation, après la Première Guerre mondiale [4].

Il existe ainsi une multiplicité de situations intermédiaires entre le salariat comme unique source de revenu, l'aide ponctuelle ou durable d'un ou de plusieurs hommes, le *cinquième quart de la journée,* la prostitution clandestine, appelée aussi *prostitution des insoumises,* les contraintes sexuelles au travail, le droit de cuissage, la *mise en carte,* l'enfermement dans les bordels.

La capacité de faire évoluer les relations que les hommes entretiennent avec les femmes d'un statut à l'autre – notamment sexuel et professionnel – représente un pouvoir énorme ; les femmes sont ainsi maintenues dans l'incertitude de leur identité propre. Définir les femmes comme courtisanes ou ménagères, soumises ou insoumises, ouvrières ou prostituées, suppose que ces statuts soient définitifs et étanches. Le plus couramment, les femmes sont contraintes à assumer l'un et l'autre – l'un ou l'autre – de ces statuts et ce, à des divers moments de leurs vies, comme à la demande d'hommes différents. Cette instabilité des statuts sexuels et sociaux féminins, le plus souvent définis par d'autres qu'elles-mêmes, est sans doute la raison majeure de la fragilité psychologique, sociale et politique des femmes confrontées à un monde d'hommes.

---

1. Docteur Martineau, *La prostitution clandestine*, Adrien Delahaye, 1885, cité par O. Commenge, *op. cit.*, p. 3.
2. Dr Reuss, *La prostitution au point de vue de l'hygiène et de l'administration*, Paris, 1889, J. B. Baillière, cité par O. Commenge, *op. cit.*, p. 3.
3. P. Pierrard, *La vie ouvrière à Lille sous le Second Empire*, Paris, Bloud et Gay, 1965, p. 215.
4. Françoise Thébaud, *La femme au temps de la guerre de 14*, Paris, Stock, 1986, p. 289.

Pour se limiter au monde du travail, de quelle sécurité peut jouir une femme si elle ne sait pas si ce sont ses capacités professionnelles qui sont recherchées, et qui, dès lors, ignore quel rôle est attendu d'elle ? Comment une femme qui a les compétences exigées par l'emploi auquel elle est affectée et qui souhaite accéder à une promotion, peut-elle aisément réagir face à une proposition *sous conditions* ? Quelle maîtrise du monde et de sa propre vie, peut avoir une *petite bonne* si, après avoir été appréciée et embauchée sur sa capacité à faire le ménage et la cuisine, elle se trouve contrainte à l'initiation sexuelle du fils de famille, enceinte de ses *œuvres,* puis licenciée, au nom de la morale bourgeoise ? Et que peut-elle penser du comportement de la maîtresse de maison qui s'empresse d'embaucher, dans les mêmes conditions, une autre *petite bonne* ?

Une symbolique sexuelle, plus ou moins grossière, reste ainsi fortement attachée au travail féminin. Ce sont les devises proposées en 1893 pour l'emblème du syndicat de l'aiguille par des « hommes graves », mais refusées parce que jugées tendancieuses : « Piquante, mais attachante » ou « Bien taillé, mais il faut recoudre » [1]. C'est aussi Hamelin qui, lors du congrès de la Fédération du Livre de Bordeaux demande que « les femmes soient accueillies à bras ouverts » [2]. On peut multiplier les exemples. Cette symbolique révèle que le statut professionnel des femmes n'est pas acquis, car « elles ont été parquées dans leur sexe, transformé, qu'on le veuille ou non en profession, pour ne pas dire en métier », selon l'expression de Jules Guesde [3].

2. Femmes en grève, femmes prostituées

A l'occasion des grèves de femmes, d'ouvrières en particulier, l'ambivalence entre le statut de salariée et de prostituée apparaît avec force. Madeleine Rebérioux écrit, fort à propos : « Il n'est pas facile d'être une gréviste. Aux yeux de ce qu'on appelle déjà l'opinion, si l'ouvrière est à peine une femme, que penser d'une ouvrière en grève ? Elle suscite l'ironie, quand ce n'est pas l'obscénité. » [4] En effet, à l'exception de quelques secteurs féminins syndicalisés, les femmes en grève, sont, soit considérées avec condescendance comme des victimes peu conscientes dont il faut prendre en charge les intérêts et

1. Charles Benoist, *Les travailleuses de l'aiguille à Paris*, Paris, L. Challey, 1895, p. 149.
2. *L'Humanité*, 25 juillet 1910.
3. *Le Socialiste*, Jules Guesde, La femme et son droit au travail, 9 octobre 1896.
4. Madeleine Rebérioux, *L'Ouvrière*, in Jean Paul Aron, *Misérable et glorieuse, La femme au XIXᵉ siècle*, Paris, Fayard, 1980, p. 71.

reformuler les exigences, soit dévalorisées par des jugements de type moraux, en réalité sexistes et sociaux. Un exemple : lors de la grève des sardinières de Douarnenez de 1905, les ouvrières qui contestent la violation patronale du contrat de travail, consultent officiellement le juge de paix de cette ville. Celui-ci, ancien notaire, les voyant arriver en compagnie de Géguel, responsable de la Bourse du Travail et secrétaire du syndicat du bâtiment, les apostrophe, en guise d'introduction aux débats, par ces mots : « Vous couchez donc avec Géguel pour qu'il vous représente ? » [1].

Si l'ivresse et les mauvaises fréquentations politiques figurent, le plus fréquemment, dans les jugements policiers sur les meneurs, les meneuses sont, pour leur part, accusées de *mauvaises mœurs*. Michelle Perrot souligne que le moralisme triomphant provoque, lorsque les femmes se mettent en grève, des jugements sommaires. Ainsi, à l'occasion de la grève des chapelières de 1881, « les plus mauvais renseignements sont donnés sur chacune des co-prévenues dont les mœurs légères sont de notoriété publique », peut-on lire dans le *Journal de Villefranche* [2]. Françoise Thébaud cite des appréciations identiques relatives aux munitionnettes en grève, arrêtées en 1917 : « Marie P. : agressive et insolente a beaucoup d'amants ». Elle note que « pour les policiers qui dressent ces constats, il n'y a pas de militantes convaincues, il n'y a que des femmes aux mœurs douteuses et au caractère faible » [3].

Ces appréciations révèlent le peu de considération que l'on accorde aux femmes, et donc le peu de cas que l'on fait de leurs revendications.

En outre, leur protestation dérange, suscite la colère et la violence de la part d'hommes, mais aussi de femmes, qui s'inquiètent de l'éventuelle propagation de leurs comportements. Les contestataires qui sont déjà suspectées de vouloir, par le travail, échapper à la dépendance à l'égard des hommes, osent, en outre, affirmer publiquement leur autonomie, en manifestant leurs revendications. Exiger ainsi l'amélioration de sa propre condition de femme est insupportable pour tous ceux et toutes celles dont le statut repose sur l'évidente légitimité de l'hégémonie du pouvoir masculin. Les grèves de femmes déstabilisent ainsi l'ordre sexuel et social ; les assimiler aux prostituées est bien la meilleure antidote aux velléités de révolte des autres femmes, comme à l'émergence d'une solidarité masculine envers les femmes en grève.

1. *L'Humanité*, 20 juillet 1905.
2. *Le Journal de Villefranche*, 16 novembre 1881, cité par Michelle Perrot, *Les ouvriers en grève*, France, 1871-1890, Paris, La Haye Mouton, p. 453.
3. Françoise Thébaud, *op. cit.*, p. 263.

L'usage d'envoyer les femmes *suspectes* à la *visite sanitaire* n'est, semble-t-il, pas une pratique exceptionnelle. Julie Daubié l'évoque déjà, en 1866 : « Ces erreurs cruelles se renouvellent tous les jours pour la fille du peuple, sans que son cri de protestation soit entendu. » [1]

La visite sanitaire imposée aux ouvrières grévistes de Rennes, 1903

A Rennes, en 1903, éclate une grève des brossiers (en majorité des femmes) : « Nous nous sommes lancés dans la lutte, poussés par la baisse des salaires, arrivés au dernier degré. » [2] Des bagarres éclatent entre ouvriers ; sept grévistes sont déférés au Parquet. La grève, qui dure depuis plus d'un mois, ne s'arrête pas pour autant. Une manifestation est organisée au cours de laquelle la police procède à treize arrestations d'hommes et de femmes. Après l'interpellation, les hommes sont remis en liberté, tandis que les cinq femmes sont conduites, par les agents de la police des mœurs, au dispensaire. Pour reprendre les termes du responsable de la Chambre syndicale des ouvriers brossiers, Bachelot, « l'outrage d'une visite sanitaire leur a été infligée. Rien n'a été épargné à ces malheureuses camarades par les agents qui les accompagnaient, plaisanteries grossières, paroles outrageantes, tout a été fait par ceux qui sont chargés d'appliquer la loi. » [3] La visite sanitaire, qui, selon Alain Corbin, est « le pivot du système règlementariste » et son « institution la plus vivement contestée », consiste à imposer, périodiquement, aux prostituées, un examen de leur sexe, par des médecins choisis par la Préfecture de police. Les conditions de cette visite peuvent laisser douter de son efficacité, voire de sa finalité médicale : la moyenne des patientes examinées sous le Second Empire est de 52 à l'heure, tandis qu'un certain docteur Clerc se vante de pouvoir visiter *une fille* toutes les 30 secondes [4]. Les abolitionnistes considèrent cet examen comme un véritable viol, tandis que le *spéculum* est dénommé – dans une formule très forte – par certaines prostituées : « le pénis du gouvernement » [5].

1. Julie Daubié, *La femme pauvre au XIXe siècle*, Paris, Guillaumin, 1866, p. 256.
2. *Le Nouvelliste de Bretagne*, 6 mai 1903.
3. *L'Ouest Eclair*, Une indignité, 7 mai 1903.
4. Cf. Alain Corbin, *Les filles de noce*, Paris, Misère sexuelle et prostitution au XIXe siècle, Champs Flammarion, 1982, p. 138
5. *Ibid.*, p. 134.

L'émotion est vive dans la population Rennaise. *Le Nouvelliste de Bretagne* dénonce cette « outrageante humiliation », cet « indigne procédé », et approuve la « très légitime indignation des grévistes » [1] ; *Les Nouvelles Rennaises* affirment qu'il s'agit de « la dernière insulte que l'on puisse faire à une femme, à une population » [2]. Les langues se délient ; des journalistes enquêtent. Le dernier journal cité apprend à ses lecteurs que les hommes du commissaire de police Laffite qui a donné cet ordre ont déjà frappé à coups de poing et passé à tabac les ouvrières lors d'une manifestation antérieure. Le même a préalablement convoqué, dans son cabinet – on ne sait pour quelle raison – les servantes de café, déjà confondues avec les *filles*.

L'indignation du syndicat local fait cependant long feu. Le syndicaliste Bachelot, affirmant « faire confiance aux lois », croit bon démentir dans la presse, le bruit selon lequel les ouvriers auraient eu l'intention de manifester contre la manière dont les ouvrières avaient été traitées. Son argument – sybillin – est le suivant : « On sait ce que l'on a l'intention de faire et la fin se termine quelquefois par une catastrophe. » [3] L'organe national de la CGT, *La Voix du Peuple*, qui dénonce violemment cette « infamie policière », prend alors le relais de cette bien faible réaction du syndicat local, dont l'intervention se limite au dépôt d'une plainte : « Quoi, en plein XXe siècle, dans une société qui prétend reposer sur la reconnaissance des droits de l'Homme, de semblables attentats peuvent se perpétrer, sans que, dans une clameur indignée, les misérables auteurs soient cloués au poteau d'infamie, sans que soient brûlés et jetés au vent les lois ou décrets au nom desquels de tels crimes se commettent ! » L'auteur de l'article ne se contente pas d'attaquer les pouvoirs institués : la police, le patronat, mais surtout le médecin du dispensaire qui a exprimé une indignation bien accommodante avec la besogne dont il s'est chargé ; il en appelle surtout aux ouvriers, à leur honneur bafoué :

> « Nous ne pouvons pas croire que le prolétariat organisé n'aura pas un cri de colère devant une telle injure. D'ailleurs, c'est lui qui est frappé, frappé dans ce qu'il a de plus sensible, et c'est à lui de châtier les infâmes et ceux qui les couvrent... Les femmes des travailleurs seraient plus respectées, les ouvriers eux-mêmes ne seraient plus molestés, frappés, si, quelques fois, ils faisaient sentir à la gent policière le poids d'une colère qui se manifeste autrement qu'en protestation platonique. Mais le respect de l'autorité est encore immense... » [4].

1. *Le Nouvelliste de Bretagne*, 7 mai 1903.
2. *Les Nouvelles Rennaises*, 13 mai 1903.
3. *Le Nouvelliste de Bretagne*, 9 mai 1903.
4. *La Voix du Peuple*, Charles Desplanques, Infamie policière, 17 mai 1903.

Le Préfet intervint; une enquête administrative aboutit, pour une fois, rapidement. Le 13 mai 1903, on annonce le déplacement du commissaire Laffite; mais celui-ci n'ayant pas accepté cette mesure, il obtient sa mise à la retraite [1].

Cette *visite sanitaire* imposée aux ouvrières de Rennes appelle quelques commentaires.

S'il est arrivé à la police des mœurs [2] de s'en prendre, d'embarquer et de contraindre à cette visite des femmes de la bourgeoisie, ce traitement est néanmoins quasi exclusivement réservé aux femmes du peuple.

> « Pour une bourgeoise qui de temps à autre, tombe dans leurs griffes, écrit le *Père Peinard,* combien de nos compagnes ont été leurs victimes. Il n'est pas rare, nom d'un pétard !, qu'à la sortie de l'atelier ou du magasin, une gironde gonzesse soit foutue au bloc. Comme elle est pauvre, qu'elle n'a personne qui s'interesse à elle, on la garde le plus possible ; on la fout à Saint-Lazare, on la passe à la visite. Avant de la lâcher, on lui fait la leçon. Pas de grabuge, sinon elle aura des emmerdements jusqu'à plus soif. D'abord elle sera déconsidérée, vu que les commères du quartier diront : Il n'y a pas de fumée sans feu. Le père, la mère, le mari ou un amant viennent la réclamer. On la met dehors et tout est fini. » [3]

A Rennes, la presse de gauche rappelle, à cette occasion, que lorsque les religieuses ont été expulsées, des dames de la haute société,

> « ayant des noms à particule, et dont certaines étaient les épouses de conseillers municipaux, se sont portées en masse devant ces établissements, en manifestant non moins bruyamment que les ouvriers et ouvrières. Mais, là, les mêmes agents se tenaient à une distance respectueuse ou se servaient de toutes les formules de politesse pour se frayer un passage à travers les groupes. » [4]

Relevons également les arguments évoqués par le syndicat local des brossiers, qui a saisi la presse de cette *affaire.* Celui-ci s'affirme d'autant plus choqué que ces jeunes filles « étaient honnêtes », appréciation qui, dans le contexte, signifie vierges. On comprend que le médecin chargé d'inspecter le vagin de ces – supposées – prostituées se soit ému devant ces *clientes* peu habituelles. Il semble donc que ce soit moins le traitement imposé à ces ouvrières, que le fait qu'elles soient *honnêtes* qui provoque la réaction syndicale. En effet, s'appuyant sur le jugement du médecin, ces syndicalistes annoncent publiquement, « pour mieux confondre les auteurs de l'infamie », leur

---

1. *Le Nouvelliste de Bretagne*, 13 mai 1903.
2. En ce qui concerne la police des mœurs, on pourra se référer au compte rendu de la rencontre entre Joséphine Butler et le Préfet de police Lecour, en 1874, in *Cette violence dont nous ne voulons plus*, N° 11-12, Prostitution, Mars 1991, p. 66 à 70.
3. *Le Père Peinard*, Coups de policiers, 1 mars 1890.
4. *Les Nouvelles Rennaises*, 13 mai 1903.

capacité à *prouver* leur honnêteté [1]. N'est-ce pas reconnaître qu'ils s'estiment en droit de le faire et que la *visite sanitaire* eut été légitime, dans l'hypothèse inverse ?

Ce même raisonnement, selon lequel une injustice contre les femmes est moins dénoncée en elle-même, qu'appréciée et jugée et fonction du comportement, du statut, de l'honnêteté de celle qui en est la victime, se retrouve dans un article de *L'Ouest Eclair*. Dans une enquête concernant le logement de ces femmes, le journal découvre que trois des ouvrières, accusées de *vagabondage*, peuvent justifier d'un domicile : « Ainsi s'écroule le seul prétexte que l'on pouvait évoquer contre elles, avec un semblant de raison », souligne-t-il [2]. Rappelons que ces grévistes, dont le logement dépend de leur travail, avaient dû, faute de domicile, dormir dans les corridors des maisons ; une souscription s'ouvre d'ailleurs en leur faveur, afin de leur assurer un logis.

On peut noter, enfin que, malgré les appels à la vengeance, à la solidarité ouvrière, celle-ci ne s'est pas manifestée. Néanmoins, ce que révèle la lecture de la presse régionale, c'est l'apparente évidence de la légitimité du droit des travailleuses à la grève, et donc *a fortiori*, au travail.

La grève des Postes de 1909

Lors de la grève des Postes, la police procède, le 15 mars 1909, à de nombreuses arrestations, de manière si brutale qu'une trentaine de femmes sont emmenées à l'infirmerie. Le Préfet Lépine, présent sur les lieux décide, devant les protestations, de faire retirer les policiers. Au même moment, les dames télégraphistes sont grossièrement injuriées par leur ministre de tutelle, Symian, Sous-secrétaire d'Etat aux P. T. T., également présent. Il les apostrophe en « un vocabulaire d'une goujaterie odieuse : petites grues, vieilles poupées, bourriques et propres à rien », telles furent les épithètes dont il les gratifie [3]. La note de police qui relate cet incident, fait état, en des termes plus nuancés, « d'un accueil brusque et de paroles désagréables, voire malhonnêtes » [4]. Le lendemain, « on ne cause que de cela à la Chambre. Les socialistes mettent (le ministre) plus bas que terre et les radicaux partagent leur opinion. On excuse difficilement M. Symian de s'être laissé aller à de fâcheux

---

1. *L'Ouest Eclair*, 5 mai 1903.
2. *Ibid.*, 8 mai 1903.
3. *L'Humanité*, 16 et 17 mars 1909.
4. Note en date du 15 mars 1909, Archives de police de Paris.

écarts de langage, en les traitant de putains et de saloperies ». Et la note se termine ainsi : « Cela, qui n'est pas bien grave, en fait, produit à la Chambre, adroitement exploitée par les socialistes, une impression plutôt pénible. » [1]

Là encore, une chanson populaire, sur l'air de *Vadrouille ministérielle*, brocarde le gouvernement :

> *Hardi ! Vive les postiers !*
> *... Alors, aux femm' s'en prenant*
> *Monsieur Symian*
> *Bravement*
> *Les traita dans sa furie*
> *De saloperie*
> *Les postiers, homm' de cœur*
> *Qui n'avaient pas peur*
> *Malheur !*
> *Dir'ent : Vous voulez le combat*
> *Lâch' qui cédera.*
> *Tout le monde est avec nous,*
> *Sachez le Monsieur Barthou !*
> *On insult' nos compagn'*
> *Pour commencer, dès demain*
> *Pour le servic' des trains*
> *Sachez que les ambulants*
> *S'ront tous manquants !*

L'Humanité lance une campagne contre Symian, qui ne peut plus rester « à la tête du prolétariat des Postes ». Le journal doit se contenter d'un simple démenti de sa part.

Cependant, à la fin du XIXe siècle, les ouvrières acceptent de moins en moins ces amalgames. Lors des grèves de la couture de 1918, un rapport de police croit bon de noter « les mouvements de stupeur et d'indignation » lorsqu'une patronne déclare que la reconnaissance de la journée de 8 heures donnerait (à ses ouvrières) « davantage de temps pour aller s'enfermer dans ces maisons dont les volets ne s'ouvrent jamais » [2].

---

1. Archives de police de Paris. Note en date du 16 mars 1909.
2. Archives de police de Paris, Dos. B. A. 1376.

3. Travailler « à corps perdu » : entre prostitution et salariat

Certains *métiers* féminins sont fondés sur la vente de tout ou partie du corps des femmes. Ce n'est pas leur travail que l'on rémunère, c'est le commerce de leur corps. C'est le cas des prostituées, mais aussi des nourrices ; les premières monnaient l'usage de leur sexe, les secondes, l'usage nourricier de leurs seins. Dans les deux cas, elles sont dépossédées de leur individualité, de leur identité, de leur sexualité. Leurs relations, leurs rapports avec le monde extérieur est défini par d'autres qu'elles mêmes. Comme la prostituée, durant le temps de son placement, la nourrice n'a pas le droit d'avoir sa propre famille ; « en outre, mise en condition par la nécessité de produire du lait pour pouvoir se placer à nouveau et 'faire une nouvelle nourriture', elle n'a qu'un but en rentrant au pays : se retrouver enceinte, à nouveau » [1]. Leurs corps ne leur appartiennent pas ; on les examine, on les teste, on les palpe ; leurs règles rythment leurs vies, tandis que la menace de maladies vénériennes pèse constamment sur leur santé, sur leur travail.

Il est aussi nombre de métiers où les femmes sont au service de l'entretien du corps des autres, soit de leur santé, (infirmières, aides-soignantes), soit de leurs vêtements (lavandières, lingères, couturières).

Il est enfin d'autres métiers où l'ambivalence des fonctions productives et sexuelles, sont particulièrement frappantes. Il s'agit soit de professions au sein desquelles les femmes affichent leurs corps, (chanteuses, danseuses…) mais aussi, plus largement, de professions où les femmes sont *exposées* au public (vendeuses à l'étalage, serveuses) et où toutes les analogies avec la prostitution sont possibles. Pour appréhender ces métiers féminins qui se situent aux marges de la prostitution et du salariat – ou qui, tout au moins, sont perçus comme tels –, il est difficile de distinguer dans les jugements, ce qui relève de l'anathème moral, de la contrainte économique et de la liberté des mœurs. On peut cependant noter que, contrairement aux prostituées, ces salariées, en faisant valoir une qualification, un savoir, une compétence peuvent s'appuyer sur une règle de droit. Aussi léonins que fussent leurs contrats de travail, ils leur permettent de s'autonomiser par rapport aux exigences masculines.

Quelques exemples nous permettent de situer les étapes de ce processus transformant un état en un métier. La recherche d'une profession remplace progressivement celle d'une position, d'un statut social.

---

1. *Le Mouvement Social*, Travaux de femmes dans la france du XIXème siècle, Anne Martin-Fugier, La fin des nourrices, oct-décembre 1978, p. 21.

Les danseuses

La danse restera dans l'imaginaire social comme le prototype des activités féminines où la place accordée à la mise en valeur du corps est trop centrale pour qu'il soit aisé de faire la part entre les qualités professionnelles des femmes et la reconnaissance, par les hommes, de ces mêmes qualités. L'expression *se payer une danseuse* fait partie de notre imaginaire.

Une thèse non publiée, consacrée à l'univers des danseuses de l'Opéra entre 1830 et 1850 [1] nous procure de précieux éléments nous permettant de comprendre, la progressive autonomisation de ces femmes vis-à-vis des hommes.

Au début de ce siècle, mis à part quelques ballerines internationales, presque toutes les danseuses sont issues des classes les plus démunies de la capitale : 43 % de leurs parents sont illettrés. « C'est sur une pauvre créature étiolée, à l'œil plombé de fatigue, aux tibias désséchés, aux bras maigres que repose l'espoir de la famille ; celui de sortir de la misère, d'obtenir un sort meilleur pour elle-même et pour toute sa famille. » [2]

L'Opéra est, pour la ballerine, une sorte de piédestal d'où elle s'élance pour essayer d'accéder à la classe aisée. Si certaines y parviennent, c'est d'abord dans une logique de dépendance aux hommes. La danseuse doit plaire au maître de ballet qui décide de ses pas et de son avancement. Une gravure, datée de 1832, décrit l'un d'entre eux, qui se permet, certaines *privautés* avec l'une d'entre elles, sous prétexte de « redresser (sa) taille ». Et sans doute plus encore [3]. Mais il faut « plaire aussi à l'inspecteur de la danse qui lui permet de ne pas figurer au dernier acte d'un ouvrage (elle peut rentrer moins tard chez elle), au librettiste qui lui donne un rôle dans le prochain ballet, enfin au directeur qui renouvelle son contrat » [4]. Les danseuses doivent vivre et payer en outre d'onéreuses classe de danse, si elles veulent sortir de la misère et de l'anonymat ; des *balletomanes* interviennent pour elles, tandis que des protecteurs se présentent. En 1831, Louis Véron, premier administrateur de l'Opéra, officialise la pratique consistant à autoriser les amateurs de l'Opéra à pénétrer au foyer lors des répétitions, tandis qu'un préposé est chargé de contrôler l'entrée des ayant-droits. Ces protecteurs peuvent alors prendre plus facilement

---

1. Louise Robin Challand, *Les danseuses de l'Opéra, L'envers du décor*, Thèse Paris VII, 2 Tomes, 1983. Cette thèse couvre une période antérieure à 1860. Néanmoins, compte tenu de l'interêt qu'elle représente, nous avons décidé de l'intégrer à ce travail.
2. *Ibid.*, p. 388.
3. *Ibid.*, p. 196.
4. *Ibid.*, p. 568.

contact avec les danseuses et faire leur choix, au plus près. On comprend mieux alors, selon le témoignage d'un habitué des coulisses de l'Opéra, dans un manuscrit publié au cours des années 1830 intitulé : *Les cancans de L'Opéra. Le journal d'une habilleuse de l'Opéra*, qu'il « est peu d'honorables familles sans fortune qui répugnassent à placer leurs filles à l'Opéra » [1]. Entre ces mentors et ces petits rats, les *mères* – qu'elles soient réelles ou de substitution – apparaissent comme des intermédiaires quasi obligés. Autorisées à assister aux leçons, chargées de jouer les chaperons – en réalité, souvent chargées de négocier au mieux les charmes de leurs filles – elles leur apprennent la coquetterie, l'art d'être belles et de plaire, « leur donnant des leçons d'œillades et de jeux de prunelles comme on apprend aux enfants d'ordinaire la géographie et le catéchisme » [2]. Les résultats de cette éducation sont déplorables, affirme Théophile Gautier : « la jeune ballerine est à la fois corrompue comme un vieux diplomate, naïve comme un bon sauvage ; à 12 ou 13 ans, elle en remontrerait aux plus grandes courtisanes ». Lorsque la jeune fille montre trop de froideur auprès d'un bon parti, sa mère, selon les *Mémoires d'un administrateur de l'Opéra*, la sermonne : « Sois donc un peu plus aimable, plus tendre, plus empressée ! Si ce n'est pour ton enfant, pour ta mère, que ce soit au moins pour ta voiture » rapporte le Docteur Véron [3]. Certaines n'hésitent pas à imposer à leurs filles un amant laid, âgé mais riche qui en fait « les viole avec (sa) bénédiction ; (elle) a marchandé à l'avance ce nouveau droit du seigneur ». Des fausses mères : tante, cousine, ou amie, qui peuvent tirer de substantiels profits de la situation, si elles savent efficacement placer leurs protégées, occupent un statut qui se situe entre celui de mère, d'entremetteuse, de femme de chambre et de mère-maquerelle. Théophile Gautier estime que « sous le règne de la Charte, il se vend à Paris plus de femmes qu'à Constantinople. Plus la sagesse de l'enfant est notoire, plus les enchères montent haut ». Et il poursuit ainsi : « Les vierges se divisent en deux catégories, l'une qui résiste avec esprit, l'autre qui résiste parce qu'il est convenu qu'une femme ne doit pas céder tout de suite. » [4] Il est alors peu de place pour ses *inclinations de cœur* ; sa mère doit empêcher ces *bêtises de jeunesse* qui ruineraient toute possibilité d'un établissement intéressant. « Quelle singulière destinée que celle de ces pauvres petites filles, frêles créatures offertes en sacrifice au Minotaure parisien, ce monstre bien autrement redoutable que le Minotaure antique qui dévore chaque année les vierges par centaines sans que jamais aucun Thésée

1. *Ibid.*, p. 197.
2. Théophile Gautier, *Les deux étoiles*, Bruxelles, Taride, s. d. p. 249.
3. Docteur Louis-Désiré Véron, *Mémoires d'un bourgeois de Paris*, Paris, G. de Gouet, 1832-1855, p. 272.
4. Théophile Gautier, *op. cit.*, p. 423.

ne vienne à leur secours », écrit-il encore. Plusieurs d'entre elles tentent d'échapper, par le suicide, à ces destins, présentés comme autant de chances de promotion.

Contrainte souvent de changer de nom, « sans identité propre, dépourvue d'instruction et de culture, il ne reste à la danseuse que la séduction et la ruse, seules armes dans ce métier où l'élément masculin détient le pouvoir » [1]. La position de *protégée* d'un homme riche, et si possible titré, est le moyen quasi obligé d'accéder à une reconnaissance professionnelle.

Lorsque, progressivement, les administrateurs de l'Opéra affirment leur volonté de moralisation de l'établissement, les *mères* en seront progressivement chassées, comme le seront les danseuses qui entachent la réputation de l'établissement, en affichant formellement leur statut de prostituées. Mais les frontières entre ces deux états sont bien fragiles. Deux élèves de la classe de l'Opéra, âgées de 12 et 13 ans, sans doute conseillées par un ou une adulte, louent une mansarde et adressent aux abonnés de l'Opéra la circulaire suivante : « Deux dames (sic) de bonne humeur et d'agréable figure, attachées à l'Académie Royale de danse, recoivent les messieurs qui voudront bien les visiter à tous moments du jour et de la nuit excepté aux heures de classe, des répétitions et des représentations, rue Pinon. N° 24, au 4ème, au-dessus de l'entresol ». La plus compromise, Eulalie Gaucher, disparut sur ordre de la Préfecture de police ; Anna Saulnier, grâce à sa mère et à la bonne conduite de sa sœur ainée est charitablement réintégrée après avoir été admonestée et sévèrement punie [2].

Cependant, si la danseuse doit avoir un protecteur, c'est pour exercer son art, pour faire carrière ; c'est la danse qui légitime cette protection. Au même titre que l'analogie entre le maquereau et le protecteur n'est pas de mise, celle qui pourrait naître des ressemblances entre certains salons de *maisons closes* et le *foyer,* n'est pas, non plus, possible. Certes, c'est bien là que se nouent les liaisons, mais c'est la danse qui règne en maître.

Le tableau d'Eugène Lami intitulé : *Le foyer de la danse*, daté de 1838, met en scène des hommes à l'apparente respectabilité – ils sont en frac – et des danseuses habillées. Les sexes sont mêlés, mais la distance est marquée, quasi respectueuse. Il s'agit moins d'hommes choisissant des femmes, que d'hommes et de femmes qui, mutuellement se scrutent, se cherchent, s'évitent. Aucune des danseuses ne s'offre ni ne s'affiche. Plusieurs ont des postures – exagérement ? – pudiques ; l'une esquisse un mouvement des bras, les autres, tout

---

1. Louise Robin Challan, *op. cit.*, p. 568.
2. *Ibid.*, p. 410.

au plus, semblent se laisser convoiter ou regarder. Aucune d'entre elles cependant ne regarde les hommes en face, alors que les regards des hommes se portent sur elles [1].

Un autre dessin consacré au *foyer de l'Opéra*, signé H. de Montaut (1847), nous révèle la diversité des comportements des danseuses vis-à-vis de leur art, comme vis-à-vis des hommes [2]. Une femme danse, seule, sans se soucier d'approbations masculines ; une autre fait face avec fierté à deux hommes qui attendent qu'elle pose son regard sur eux ; une troisième, surveillée par une mère, se cache la face de son éventail, tandis qu'un homme – son protecteur ? – la scrute. Une seule d'entre elle semble n'exercer son art que pour aguicher l'homme qui, tout près d'elle, n'attend que le moment de partir avec elle.

Alors que les sentiments des prostituées ne sont pas pris en compte – elles sont payées pour être à la disposition des hommes – on s'interroge sur ceux des danseuses. On rapporte que certaines souffrent de « voir ces parasites accourus là, comme à la curée d'un bien qui semble leur appartenir exclusivement » [3]. Aussi puissants que soient les hommes qui les « tutoient, leur pincent la taille et les considèrent, le lorgnon à l'œil, comme s'il se fût agi d'estimer une jument » [4], ces comportements ne sont plus nécessairement de *bon ton*. En 1854, le comte Daru, président du Jockey club, est décrit comme « un sultan dans son sérail, au milieu du foyer » [5]. C'est sur lui que porte la critique ; il est l'objet du mépris des habitués, pour qui le foyer emprunte plus au salon bourgeois où l'on discute culture, art et musique qu'au harem oriental. En outre, l'aspiration à l'embourgeoisement apparaît avec la Monarchie de Juillet : les hommes riches sont plus soucieux de leurs gains. « La mode n'est plus de se ruiner pour une danseuse. La Bourse lui a enlevé ce privilège. » [6] Ils calculent, investissent, contrôlent les sommes qu'ils donnent : « Ils ne savent rien donner sans recevoir, l'esprit de commerce domine tout : c'est à qui dépensera le moins pour les femmes d'Opéra. Ils ont la prétention de traiter une ballerine comme une grisette », s'indigne l'*habilleuse de l'Opéra* [7].

Les danseuses, elles aussi, calculent et aspirent à la sécurité : craignant d'être délaissées pour des plus jeunes, aspirant à une certaine respectabilité, elles cherchent à épouser un boutiquier ou un commis en écriture, vers la trentaine, avant qu'il ne soit trop tard. Lorsqu'on leur propose des militaires ou

---

1. Reproduit dans Louise Robin Challan, *op. cit.*, p. 425.
2. Reproduit dans Louise Robin Challan, *op. cit.*, p. 432.
3. Louise Robin Challan, *op. cit.*, p. 429.
4. Albéric Second, *Les petits mystères de l'Opéra*, Paris, G. Kugelmann, 1844.
5. Castil Blaze, *Mémorial du Grand Opéra*, p. 235.
6. Louise Robin Challan, *op. cit.*, p. 434.
7. *Les cancans de L'Opéra*, *Le Journal d'une habilleuse*. Chapitre 116.

des danseurs, elles répondent à l'*habilleuse* : « Merci, je viens d'en prendre. » [1]
Selon un auteur de l'époque, la convention de ces petits ménages qui se nouent,
c'est « beaucoup d'argent, un peu d'amour » [2]. La respectabilité, la bonne éducation devient un souci permanent à l'Opéra, tandis que le couple protecteur-
ballerine s'embourgeoise.

Celles qui se sont laissées aller à leur penchant pour le luxe et les plaisirs,
sans souci du lendemain, risquent de tomber dans la pauvreté, dans la prostitution. Seules quelques-unes perpétuent la tradition, de plus en plus my-
thique, d'hommes qui se sacrifient, se ruinent pour leur plaire, comme celle
– complémentaire – de femmes prenant leur revanche sur les hommes en dominant, pour un temps plus ou moins long, notables, banquiers, hommes politiques.

Mais l'apparition, au début du siècle, d'un syndicat des danseuses nous
révèle que, de plus en plus nombreuses, sont celles pour qui la danse n'est
pas un statut transitoire, mais leur métier, celui pour lequel elles sont prêtes
à se battre. Une grève, sans précédent dans les annales de l'Opéra, pour obtenir une augmentation substantielle des salaires, a lieu en 1912. Si Louise
Robin-Challan situe, à cette même date, la constitution du syndicat des danseurs, celle-ci apparaît avoir été décidée trois ans auparavant. Un article paru
dans l'*Humanité*, en 1909, évoque les circonstances de la naissance du *syndicat des tutus*. Ce sont deux hommes extérieurs au métier de la danse, l'un de
la Fédération générale des Spectacles, l'autre de la Fédération des Musiciens
qui sont chargés de présenter les revendications des danseuses. On y affirme
que « celles-ci sont exploitées par des agences louches et par des maîtres de
ballets injustement sévères », tandis que l'on évoque, sans trop de précisions,
« les abus dont danseurs et danseuses sont les victimes ». Mais c'est une maîtresse de ballet, qui adjure les ballerines de se syndiquer : « Seul le syndicat,
dit-elle, en employant une métaphore tirée du fond même du sujet, empê-
chera que l'on nous traite, comme on le fait depuis trop longtemps, par dessus la jambe. Et sur cette... pointe très réussie, continue le quotidien
socialiste, on désigne Madame Goschell comme présidente. » [3] On ne sait si
le *nous* évoqué, signifie qu'elle s'identifie, indépendamment de son statut hiérarchique, en tant que femme, aux danseuses ou, indépendamment de son sexe,
en tant que syndicaliste, aux exploitées.

---

1. *Ibid.*, Chapitre 61.
2. Nestor Roqueplan, *Les coulisses de l'Opéra*, Paris, Librairie Nouvelle, 1855.
3. *L'Humanité*, Le syndicat des tutus, 10 août 1909.

Les mannequins

Selon Pierre Hamp, inspecteur du travail, auteur d'une série d'ouvrages-enquêtes consacrés à *La peine des hommes*, publiés dans les années 1920 chez Gallimard, « après la mode d'entretenir les danseuses... l'éréthisme masculin s'était porté de la chorégraphie à la couture. Le riche vaniteux rechercha la femme qui présentait bien la toilette » [1]. C'est dans le milieu des jeunes ouvrières de la couture, parmi les *premières* et les *secondes* d'ateliers, que les mannequins sont d'abord choisies pour présenter les collections. « C'est à elles, par leur beauté plastique, de faire valoir les créations des couturiers. » [2] Aussi, entre les clientes, leurs maris, leurs amants ou leurs fils, les directeurs des maisons et les couturières, se nouent des échanges qui se traduisent, pour ces dernières, par de propositions alléchantes d'échapper temporairement à leur situation exclusive de salariée. Pierre Hamp évoque celles qui ont un amant fortuné et « celles qui ne font ce métier d'exhibition, que pour attirer un entreteneur ».

Comme les danseuses doivent avoir un protecteur pour payer les leçons particulières sans lesquelles elles ne peuvent obtenir le titre d'artiste, les mannequins ne peuvent, grâce à leur seul salaire, *porter la toilette* qui est exigée d'elles. Là encore, des hommes qui s'intéressent à elles pourvoient à la différence. De fait, « il est pratiquement impossible à un mannequin de ne point faire commerce de son corps » affirme le journal *l'Ouvrière* en 1923 [3]. Les plus demandées, les plus exigeantes, sans doute aussi celles qui savent ménager leurs effets et maîtriser leur carrière, peuvent cependant, quelques fois, imposer le respect... ou la distance. Dans son livre déjà évoqué, Pierre Hamp, évoquant un défilé de mode, décrit une jolie gamine de 18 ans : « gracieuse et réservée... L'enfant adulée écartait d'un geste princier les hommes trop pressés vers elle : Pas touche, disait-elle » [4].

L'attrait d'une vie facile mais moralement répréhensible offerte à ces jeunes ouvrières de la couture, est un thème courant de la presse ouvrière :

> « Au luxe qui s'étale quotidiennement sous ses yeux, la jeune ouvrière compare sa morose existence ; les maigres repas, les vêtements défraîchis et inélégants, les veilles de l'atelier surchauffé et le retour sous la pluie et sous la neige au logement triste et sale. Elle préférerait mener la vie de plaisir de celle qu'elle habille ou qu'elle chapeaute – et dont certaines furent, aussi, jadis, dans la mode ou la couture. Ce

---

1. Pierre Hamp, *La peine des hommes. Le lin*, Éd. de la N. R. F., 1924, p. 229.
2. *L'Ouvrière*, La carrière d'une midinette, 21 avril 1923.
3. *Ibid.*
4. Pierre Hamp, *op. cit.*, p. 251.

désir est réalisable. On ne peut décemment refuser l'offre, faite avec une politesse exquise, d'une soirée au cabaret chic ou au théâtre en vogue. La petite ouvrière est prise dans l'engrenage… Travailler 12 à 15 heures par jour pour mener une existence misérable semble une duperie, puisqu'il est possible de mener la haute vie, sans efforts trop pénibles. » [1]

La concurrence des bourgeois qui détournent, à leur profit, les meilleures des filles du peuple, l'aspiration des ouvriers à bénéficier, eux aussi, des *bonnes fortunes* des bourgeois est probablement l'un des enjeux majeurs, encore insuffisamment exploré, des luttes sociales.

Les vendeuses à l'étalage

Les conditions de travail de ces jeunes femmes chargées de vendre des marchandises sur le trottoir, créent une confusion des genres qu'utilisent efficacement les directeurs des magasins. Celles-ci, dont l'apparence physique est en elle même un facteur de vente, doivent rester, debout, exposées à toutes les intempéries, pendant des heures. Elle doivent en outre entendre, à longueur de journée, « les reflexions plus ou moins convenables de messieurs, qui, parce qu'elles sont femmes et jeunes, se croient tout permis » [2]. Mais ces vendeuses qui, en 1898, écrivent à Aline Vallette pour dénoncer leur situation, précisent qu'elles ne sont pas autorisées à répondre et qu'elles « doivent garder un air aimable, sans quoi elles courent le risque d'être renvoyées » [3]. Une autre vendeuse poursuit : « Croit-on nos misères moindres que celles des ouvrières d'usine et d'ateliers ? Comme on se trompe ! La fille qui fait le trottoir le soir, dans les rues de Paris a voulu ce métier. Nous qui n'avons cherché qu'un travail honorable, nous nous voyons constamment, par le stationnement exigé à la porte des magasins confondues avec ces malheureuses ? C'est à décourager les plus vaillantes, conclut-elle. » [4] André Lainé confirme cette réalité : elles ne doivent pas quitter leur sourire et n'ont pas de moyen de défense – même pas la fuite – à opposer aux propos graveleux ou aux menaces des *Don Juan* du trottoir. A Paris, l'une d'entre elles qui s'était plainte à son patron de la présence continuelle d'un individu devant son étalage, est

1. *Terre Libre*, Les midinettes, 1er au 15 octobre 1910.
2. *La Fronde*, Aline Vallette, Le travail des femmes, Dans les magasins, 6 mars 1898.
3. *Ibid.*
4. *La Fronde*. La Loi liberticide, 29 mai 1898.

renvoyée selon l'argument que « sa présence attirait devant le magasin des gens peu recommandables » [1].

C'est bien la situation qui les place en vitrine, sur le trottoir, qui crée cette ambiguïté. Ainsi, dans le roman largement autobiographique de Marguerite Audoux, l'*Atelier de Marie – Claire*, celle-ci décrit une situation identique, dans la couture.

> « Je trouvais un emploi dans une maison de stoppage. Mais, là aussi, je trouvais un grave inconvénient. Devant la boutique déjà peu éclairée, où je m'alignais avec les autres stoppeuses, des hommes de tous âges s'arrêtaient à chaque instant. Certains d'entre eux s'approchaient si près et restaient si longtemps à barrer le jour, qu'il m'arrivait de ne plus voir la trame des fils et d'embrouiller mes reprises. » [2]

Certaines maisons d'ailleurs, utilisent sciemment cette ambiguïté et, pour des buts commerciaux, tansforment les femmes en réclames vivantes : « Ici, dans une niche, elle sert d'enseigne à un restaurant ; là, sur une estrade, elle est mise en appeau pour un café chantant. » [3]

L'interdiction du stationnement à la porte des magasins et des boutiques est d'ailleurs l'un des amendements à la loi de 1892 sur la protection du travail des femmes, proposé par les féministes au Parlement [4].

Les serveuses, les chanteuses des cafés-concerts

La situation de ces femmes, mises dans une situation de dépendance aux hommes qu'elles doivent servir, mais aussi faire consommer est aussi sexuellement et professionnellement très ambivalente. Un médecin, le docteur Barthélemy, soutenu dans sa proposition par le responsable du dispensaire de salubrité publique de la Préfecture de police de Paris, dans un livre consacré à *La syphilis et la santé publique*, demande que toutes les brasseries de femmes et établissements similaires soient astreints à l'inspection sanitaire, et que « les inviteuses, serveuses, servantes soient contraintes d'être munies de certificats de santé, valables pour trois jours seulement » [5].

Si certaines chanteuses peuvent « avoir l'espoir de fuir leur condition

1. Pascal Lainé, *Les demoiselles de magasins*, Paris, A. Rousseau, 1911, p. 10.
2. Marguerite Audoux, *L'atelier de Marie-Claire*, roman, Fasquelle, 1910, p. 39.
3. *La Fronde*, Le travail des femmes, 29 mai 1898.
4. Julie Daubié, *La femme pauvre au XIXᵉ siècle*, *op. cit.*, p. 202.
5. M. Barthélemy, *Syphilis et prostitution chez les insoumises mineures*, Masson Ed., cité par O. Commenge, *op. cit.*, p. 54.

ambiguë d'artiste-prostituée, soit par l'accès à la notoriété, soit par la liberté qu'elles conservent de quitter le métier » [1], ce dernier conserve néanmoins de nombreuses analogies avec la prostitution.

Ces femmes travaillent, dans des lieux de traditionnelle socialisation masculine où les hommes viennent boire, manger, se détendre ; comme les prostituées, elles sont rémunérées en fonction de leur capacité à les faire payer. Aussi, sans adhésion ou complicité aux valeurs qui s'expriment dans ces lieux, aucun emploi n'est pensable [2]. Imaginerait-on une serveuse *bégueule ?* Nombreuses sont celles qui ne sont payées qu'au pourboire « en relation avec la grossièreté de la clientèle ». C'est à elles de « s'arranger, d'être aimables avec les clients » leur déclare le patron du restaurant Nouveau, proche de la mairie à Avignon, lorsque celles-ci se plaignent de leur salaire et des plaisanteries obscènes de certains clients [3].

Les chanteuses sont payées, le plus souvent à la quête, qu'elles doivent effectuer au terme de leur tour de chant. C'est le patron – souvent lui même propriétaire d'une maison close – qui est chargé d'en redistribuer les bénéfices. Mais ces quêtes ne sont fructueuses que « pour celles qui, passant au milieu des tables de café, laissent prendre certaines privautés et donnent ainsi un avant goût des plaisirs espérés dans l'alcôve promise » [4]. Aussi, la réserve n'est pas de mise. Le salaire « n'est pas énorme, mais le patron s'en contente, car il estime qu'il procure (à ces femmes) le moyen de se débrouiller » [5].

Les engagements, par l'intermédiaire d'agents lyriques, se font pour un mois, et sont résiliables à huitaine : si la chanteuse n'est pas du goût des habitués, celle-ci est licenciée et doit en outre rembourser les 10 % de retenue versés sur le mois entier, à son agent [6]. Ceux-ci, groupés en corporation, s'échangent la liste des *mauvaises pensionnaires*.

Le réglement intérieur des cafés-concerts est draconien ; il impose des contraintes vestimentaires sans ambiguïté : robe très courte et corsage décolleté, tandis que la chanteuse est juchée sur un tremplin « de façon à ne rien laisser ignorer de ses charmes au spectateur » [7]. Elles sont attachées à la maison,

1. Concetta Condemi, *Les cafés-concerts, Histoire d'un divertissement*, Quai Voltaire Histoire, 1992, p. 202.
2. Pour une analyse sociologique récente on pourra se référer à J. Spradley & B. Mann, *Les bars, les femmes et la culture*, P. U. F Perspectives critiques, 1979.
3. *L'Ouvrière*, Le sort misérable des travailleuses des hôtels et restaurants d'Avignon, 3 juin 1926.
4. *L'Action*, La traite des blanches, Les artistes lyriques, 28 décembre 1904.
5. *La Lanterne*, Au café-concert, La traite des blanches, 10 juillet 1902.
6. *Ibid.*, 10 juillet 1902.
7. *Ibid.*, 24 avril 1902.

doivent, comme dans les bordels, consommer leurs repas et dormir sur place. La nourriture, « d'une insuffisance calculée » oblige à prendre des suppléments, dûment tarifés ; les horaires de repas sont strictement reglementés. Aussi, lorsqu'elles ont quelques minutes de retard sur l'heure fixée, le patron fait enlever le couvert, afin de se faire payer, indépendamment de la pension courante, un repas supplémentaire. En 1902, deux d'entre elles racontent qu'un soir, après leur tour de chant, « n'étant pas assez habiles pour se faire offrir à souper par un des habitués du concert », se rendent dans une brasserie des environs. Le lendemain, le patron, furieux, leur inflige une amende de 2 frs (pour un repas de 1 Fr 25). Elles refusent et s'adressent au tribunal de commerce qui donne raison à leur patron, « tant était considérable l'influence du tenancier ». Un jugement en appel le condamne cependant [1].

Ces amendes sont, comme dans les usines et les bordels, le moyen de les maintenir dans la dépendance du patron ou de la patronne, comme dans celle des clients. Voici les causes invoquées pour quelques unes d'entre elles : *A manqué de respect au patron ; est arrivée 5 minutes en retard ; s'est couverte la poitrine pendant la quête ; a eu sur scène une tenue dégoutante* (une femme a croisé les jambes pour soustraire ses dessous aux regards d'un grossier personnage), *s'est trompée dans une chanson, a soupé dans un autre établissement, a été désagréable avec un client* (ne s'est pas assise sur ses genoux), *a été malhonnête avec un bon client pendant la quête* (un individu s'est octroyé avec une artiste des privautés scandaleuses facilitées par sa robe courte réglementaire), *s'est esquivée avant l'heure de la fermeture* (n'est pas restée pour maintenir les noctanbules dans la salle de jeu et n'a pas poussé suffisamment à la consommation) [2].

Lorsque des clients, excités par le tour de chant que l'on s'emploie à rendre suggestif, demandent des femmes, le patron peut contraindre celles-ci à *monter*, alors même qu'il leur est interdit d'introduire quiconque, même des parents, dans leur chambre. Si, contrairement aux prostituées, elles peuvent refuser, elles risquent fort d'être licenciées. C'est l'histoire que raconte, en 1902, Melle C. :

> « Hier, pendant le concert, j'attendais, causant avec un amie, mon tour de chant. Nous étions assises dans une petite pièce qui sert de loge et qui est située au-dessous de ma chambre. Quelle en fut pas ma surprise de voir monter dans ma chambre cinq ou six officiers en état d'ébriété qui venaient de traverser la salle de spectacle en demandant à haute voix : 'Y a pas de femmes ici ?' En montant l'escalier, ils disaient : 'Au salon, mesdames !.' Le patron arrive et nous dit : 'Mettez-vous en tenue,

---

1. *La Voix de Peuple*, L'exploitation des chanteuses lyriques, 17 juillet 1903.
2. *La Lanterne*, 26 avril 1902

et dépêchez-vous d'aller trouver les officiers'. Indignées, nous refusâmes. Le tenancier nous insulta de façon ignoble, il nous menaça ; rien n'y fit. Voyant notre entê-
tement, il nous résilia, mon amie et moi, sur le champ. » [1]

D'autres exemples de la valeur accordée à l'autonomie de ces femmes nous
sont données par ces deux scènes de vie du début du XXᵉ siècle.

Un tenancier a un jour l'idée de « mettre en loterie » une jeune débutante
de 17 ans ; il lui demande même, sans l'en avoir informée, de distribuer elle
même les billets. Et c'est ainsi qu'elle fut réveillée par un vieil anglais qui
avait « gagné le gros lot. Affolée…, elle se défendit, mais fut vaincue par la
force. » [2]

Dans une ville du Centre, une autre chanteuse refuse les propositions d'un
client. Celui-ci, lui ayant gardé rancune, salue chacune de ses entrées sur scène
par une bordée de projectiles : sous, citrons. La conduite de celle-ci – qui a
pris le parti pris de ne pas tenir compte de ses agressions – le rend furieux.
Il pénètre dans le foyer, l'injurie en la traitant de *salope* et de *putain* et la frappe
violemment à terre, en brisant sa canne sur son corps. Le directeur empêche
ses camarades de prévenir le sergent de ville qui est pourtant dans la salle de
spectacle. Malgré un certificat médical attestant une blessure de 12 centimètres
sur 6 de large, aucune suite n'est donnée à sa plainte, pourtant dûment envoyée au Procureur de la République [3]. A la différence des prostituées, elles
peuvent donc porter plainte. En vain cependant, car les plaintes sont généralement classées.

Une campagne de presse est lancée en 1902, par le journal *La Lanterne*,
en relation avec la constitution du syndicat des artistes du café-concert. Ce
qui est en cause, au delà de la dénonciation de leurs conditions de travail, c'est
bien la différenciation de leur métier avec l'activité prostitutionnelle.

Ce syndicat ne s'estimant pas assez puissant pour attaquer ouvertement
et d'une façon efficace *les exploiteurs de femmes*, il leur conseille en revanche de
signaler le nom des policiers qui, officiellement chargés de la surveillance de
ces lieux, « préfèrent passer le temps à boire les petits verres aux frais des patrons » [4]. D'après *La Lanterne*, 9 fois sur 10, le commissaire chargé de la surveillance des *beuglants* est en bons termes avec le patron. Certains policiers –
l'usage serait courant dans certaines localités – prennent même, à leur
demande, des mesures dites administratives et mettent tout simplement *en
carte* celles qui y travaillent [5].

1. *Ibid.*, 19 mai 1902.
2. *Ibid.*, 9 mai 1902.
3. *Ibid.*
4. *Ibid.*
5. *Ibid.*

De fait, cette capacité qu'ont les policiers d'inscrire discrétionnairement certaines femmes sur les registres de la police a comme conséquence de les enfermer dans le statut de prostituées. En effet, selon un jugement particulièrement inique de la Chambre criminelle de la Cour de Cassation de 1902, « cette inscription, sans conférer à (la femme inscrite) définitivement la qualification de prostituée, a pour effet néanmoins de créer contre elle une présomption de nature à ne pouvoir être détruite que par la preuve contraire » [1].

Pour l'Union syndicale des artistes lyriques, c'est « au nom de la lutte contre l'exploitation » que le combat doit être mené, tandis que, pour *La Lanterne*, c'est au nom de la « moralisation des mœurs » qu'elle devait l'être. Malgré ces valeurs politiques divergentes, une alliance est possible et cette campagne porte ses fruits.

Certaines municipalités prennent des arrêtés municipaux spécifiques en matière de police des cafés-concerts. Celui de Rennes interdit la présence de mineurs de 18 ans, ainsi que toute quête, loterie ou tombola. Il est interdit en outre aux directeurs de nourrir et de loger les personnes qu'ils engagent.

La CGT, pour sa part, demande officiellement, l'interdiction
— des quêtes dans les cafés concerts
— de nourrir et loger le personnel artistique ou de les faire nourrir par des tiers
— de tout contact entre artistes et consommateurs dans l'établissement, soit aux répétitions, soit aux représentations
— de retenir l'artiste après sa soirée, sous prétexte de jeux ou de soupers [2].

1. *La Gazette des Tribunaux*, 8 juin 1902.
2. *La Voix du Peuple*, 17 juillet 1903.

Chapitre 6
Le droit de cuissage dans l'entreprise.
Pouvoir patronal et solidarité ouvrière

Les patrons ou chefs d'établissements doivent en outre veiller au maintien des bonnes mœurs et à l'observation de la décence publique [1].

Que voulez-vous, je n'ai pas d'homme pour me défendre ! [2]

Le droit de cuissage dans l'entreprise s'exerce en règle générale sinon dans le silence, du moins dans l'impunité ; il est rare qu'il soit dénoncé et, dans cette hypothèse, c'est à la femme de partir. Certes, les intérêts des patrons,

---

1. Article 15 de la loi du 19 mai 1874 et Article 16 de la loi du 2 novembre 1892.
2. Citée par Marie-Hélène Zylberberg-Hocquard, *Féminisme et syndicalisme*, Paris, Anthropos, 1978, p. 29.

contremaîtres, maris ou compagnons et collègues ne sont pas identiques, ils sont cependant suffisamment convergents pour expliquer la faible solidarité dont les femmes sont l'objet. Dans les failles des contraintes cumulées, apparaissent néanmoins des tentatives de modifier ces rapports de forces. Ce qui est en cause ici, c'est de tenter de comprendre, à travers l'analyse du droit de cuissage, compris dans son sens large d'exercice de pressions et de chantages sexuels sur les femmes, cette face cachée des relations du travail dans l'entreprise.

1. L'autorité du chef d'entreprise

Que ces *entreprises de séduction* soient le fait d'employeurs, ou, le plus souvent de contremaîtres, elles sont, du fait du cumul de contraintes pesant sur les femmes, rarement contestées, lorsqu'elles ne sont pas encouragées.

L'impunité patronale

Si les employeurs sont ceux qui exercent le droit de cuissage, le risque d'une dénonciation est quasi nul. La salariée se voit proposer le choix d'accepter ou non les *conditions de travail* proposées, alors même que, de sa décision, dépend le plus souvent, sinon sa survie, du moins sa liberté, en tous cas, ses moyens de vivre. Mais, les modalités de la mise en œuvre de ce contrat – qui relèvent souvent d'une logique de l'achat de services – laissent peu de place à la négociation. La faiblesse des sommes offertes – souvent perçues, en outre, par les employeurs, comme des arrhes de l'*inconduite* escomptée, ou des gages sur services dûs – dévoilent le peu de cas que l'on fait des femmes. Julie Daubié évoque, à cet égard, le procès de Reynaud, ancien fonctionnaire public, en mars 1861, devant la Cour d'assises de l'Isère, sous la prévention d'assassinat. Celui-ci qui avait été, quelques années auparavant, chef de jury du même tribunal, est accusé « de poursuivre, sans cesse, de ses obsessions, ses servantes, ses journalières, les filles de ses fermiers ». Il se vante à l'audience d'avoir acheté autant de femmes du peuple qu'il en désirait, « en leur jetant une pièce de 5 francs pour amorce. C'est ainsi que cela se pratique » affirme-t-il cyniquement « avec conscience de son droit », commente Julie Daubié [1]. Même ceux

1. Julie Daubié, *La femme pauvre au XIXᵉ siècle*, Vol 2, p. 60.

qui sont moins assurés de la justesse de leurs exigences ne se sentent pas, pour autant, trop inquiets. « Les patrons savent bien qu'ils ne peuvent être vendus par les ouvrières », par leurs ouvrières, constate Aline Vallette, en 1898 [1]. En caricaturant sa pensée, peut on vendre quelqu'un qui vous achète ?

Comment penser que le droit légalement reconnu aux hommes dans le mariage de satisfaire leurs besoins sexuels, leur droit à une sexualité présentée comme exigeante, impulsive sinon incontrôlable, n'ait pas eu aussi sa traduction dans un environnement professionnel où, face à l'autorité patronale, il n'existe que peu de réel contre-pouvoir ? A cet égard, le critère de classe, à lui seul, n'est pas explicatif du droit de cuissage ; celui-ci ne concerne pas nécessairement les (grands) bourgeois, mais tous les (grands) bourgeois ne peuvent prétendre au rôle de modèles, en matière de respect des femmes.

On ne s'étonnera pas, dans ces conditions, que nombreux sont les employeurs qui s'estiment soustraits à toute contestation. Dans un livre sur *La prostitution clandestine à Paris*, paru en 1904, le docteur Commenge qui cite de nombreux exemples de jeunes filles *séduites* par leurs employeurs, constate que « ces chefs de maison n'ont la conscience ni de leur immoralité ni de leur responsabilité » [2]. Certaines de leurs réactions sont significatives de l'évidence de leur bon droit : « Les autres femmes ne faisaient pas autant de bruit que vous » ; « Ben quoi, il n'y a plus moyen de rigoler ! » ; « Puisqu'elle doit y passer, autant moi qu'un autre » ; tandis nombreux sont ceux qui se vantent de leurs *bonnes fortunes,* sans que l'on s'interroge sur les moyens employés pour les obtenir.

On peut ainsi évoquer ces jeunes ouvrières du Nord, à qui on laisse, en 1901, sur leurs machines, 10 sous « pour se laisser faire » [3], de cette *petite bonne* de 14 ans *engrossée* par son vieux patron qui lui donne « pour acheter ses complaisances, des sous avec lesquels elle se payait des rubans, des bonbons » [4].

Tant qu'une rumeur n'est pas effectivement prouvée – comment peut-elle l'être ? – tant que le droit de cuissage ne devient pas scandaleux c'est-à-dire publiquement objet de scandale risquant de mettre à mal la réputation de l'entreprise, ou celle de son responsable, le problème n'existe pas. Si le problème réside, moins dans la réalité de la situation, que dans son dévoilement, c'est alors celui-là qui importe.

---

1. *La Fronde*, Aline Valette, L'hygiène dans l'atelier, 20 mars 1898.
2. Docteur O. Commenge, Médecin en chef honoraire du dispensaire de salubrité de la préfecture de police, *La prostitution clandestine à Paris. Hygiène sociale*, Paris, Schleicher Frères & Cie Ed. 1904, p. 16.
3. Cité par *La Fronde*, 4 août 1901.
4. *L'Ouvrière*, La maternité illégale, 21 janvier 1926.

Il faut que l'employeur soit récidiviste, que les employées soient des ado-lescent-es (c'est le seul cas où la législation permet d'agir), que le problème ne puisse plus être étouffé, pour qu'un employeur soit inculpé. Ce qui ne si-gnifie pas : condamné. Les Parquets, qui bénéficient du pouvoir discrétion-naire de décider de la gravité d'une plainte, classent en général ces affaires, surtout si la personne incriminée est un notable local et qu'il *donne du travail* à la région.

On note quelques inculpations de responsables politiques ; en cas de risque de dévoilement d'une affaire gênante – surtout en période électorale – leur statut social, qui les a, jusque-là, protégés, se retourne contre eux. C'est ainsi, qu'en 1894, l'adjoint au maire de Fleury, près de Nevers, âgé de 58 ans, est arrêté et inculpé d'attentat à la pudeur sur des petites filles âgées de 7 à 10 ans [1]. C'est aussi le cas de Mr. Fauroux, maire de Toulon, marié et père de famille, qui, en 1890, est condamné à 5 ans de réclusion par la Cour d'assises du Var pour complicité dans un affaire d'avortement ; il est à nouveau, en 1901, arrêté, pour ce même chef d'inculpation, sur la personne d'une demoiselle R., domestique chez lui [2].

En règle générale, les patrons sont doublement protégés, par leur statut social et par leur sexe, gages postulés d'honorabilité. Ainsi, lors du procès d'une jeune *midinette*, en 1903, son avocat se voit rappeler à l'ordre par le Président : « Maître, ne prononcez pas le nom (de l'accusé), vous compromettriez un ho-norable monsieur. » [3] Dans une autre *affaire de mœurs*, où sont inculpés les *re-jetons* de la bourgeoisie amenoise, on note que les procès-verbaux sont tout simplement annulés [4]. Enfin, en 1900, lors d'une affaire portée devant le Tribunal de simple police – entre un cocher et son patron, il est vrai – *La Gazette des Tribunaux* précise qu'« une raison supérieure de paix sociale interdit de dé-voiler le nom des inculpés » [5]. Mais, toute dénonciation du droit de cuissage patronal ne touche-t-elle pas, aussi, à la *paix sociale* ?

La dénonciation des contremaîtres

Les dénonciations de contremaîtres, bien que rares, sont plus fréquentes. Plus nombreux que les patrons, en contact direct avec les ouvrières, chargés

1. *La Gazette des Tribunaux*, 5 septembre 1894.
2. *Ibid.*, 18 août 1901.
3. *Le Cri du peuple*, Amiens, 11 janvier 1903.
4. *Ibid.*, 12 février 1905.
5. *La Gazette des Tribunaux*, 21 janvier 1900.

de l'application des normes de production et du respect de la discipline, les contremaîtres, le plus souvent d'anciens ouvriers, sont promus pour leur capacité à faire travailler et à se faire obéir. Ils sont, selon Pierre Pierrard, « plus durs, moins généreux que les ouvriers » [1]. N'appartenant pas à la bourgeoisie, ils ne bénéficient pas de la même protection que leurs employeurs et restent soumis au regard de leur milieu. Issus de la classe ouvrière – dont ils connaissent les valeurs – ils doivent cependant prouver qu'ils n'en font plus partie. « Il n'y a rien de pire qu'un gueux qui s'élève » [2], constatent laconiquement les ouvrières des Tabacs et Allumettes. Dans le même sens, Aline Vallette évoque, à propos des conditions de travail des *batteuses d'or,* « ce sous-patronat qui, comme il arrive fréquemment aux sous-ordres, dépasse en exigence le modèle » [3].

Ainsi, la dénonciation, toujours très difficile, sort pourtant du domaine de l'impossible. C'est, en général, sur le mode confidentiel, que des patrons sont informés sur ce qui se passe concrètement dans les ateliers et les bureaux, ou sur tel licenciement qui paraît suspect. L'appel au patron chargé officiellement de « la surveillance des bonnes mœurs » est le premier recours pour poser le problème. Il faut toutefois que les réclamations, qui empruntent la voie hiérarchique, puissent lui parvenir. La presse peut, à cet égard, jouer un rôle de relais. Ainsi, lors de la grève des Chapelières de Saumur, en 1899, *La Fronde* évoque la responsabilité que les patrons assument « en tenant pour négligeable une raison de dignité morale » [4].

Les difficultés sont cependant réelles. Qu'une femme revendique, pour elle-même, semble relever de l'impudence et apparaît comme la manifestation d'un orgueil indû ; il lui faut en outre démontrer qu'il ne s'agit pas d'une vengeance. Enfin, il ne faut pas apparaître comme voulant se substituer – impensable exigence ! – à l'exercice de l'autorité patronale ; la moindre contestation apparaît comme une remise en cause radicale de celle-ci. A l'inverse, ce qui est affirmé, c'est que l'information est transmise pour que le pouvoir – réconcilié alors avec la justice – puisse mieux s'exercer. Ce n'est que, sur le fondement de ce principe, que quelques rares dénonciations s'affirment, avec beaucoup de précautions.

Nous connaissons fort peu les mécanismes de délation dans l'entreprise. Il semble, cependant, que la culture ouvrière, fondée sur les pratiques collectives, soit majoritairement rétive à ces dénonciations individuelles, perçues, comme des trahisons.

1. Pierre Pierrard, *La vie ouvrière à Lille sous le Second Empire*, Paris, Bloud et Gay, 1965, p. 187.
2. *L'Echo des Tabacs*, Septembre 1897.
3. *La Fronde*, Aline Vallette, Les batteuses d'or, 13 mars 1898.
4. *Ibid.*, Grève des Chapelières de Saumur, 25 octobre 1899.

Le risque de poursuites pénales est aussi réel. Même lorsqu'il s'agit d'abus flagrants, on hésite à nommer les auteurs de ces abus. Ainsi à Fougères, L'*Humanité* fait état d'une pratique quasi générale du droit de cuissage et, pourtant, l'auteur de l'article écrit : « Les noms sont sur toutes les bouches. Peu importe de les citer. » [1]

Dans l'hypothèse où le patron est informé, cela ne signifie pas pour autant qu'il tienne compte de la demande qui lui est faite. Il est en effet partagé entre deux contraintes. Garder le contremaître, conforter ainsi un pouvoir hiérarchique contesté, mais risquer alors, d'être critiqué de ce fait, ou le licencier – ou le muter – et, dès lors, reconnaître que son autorité a été mal exercée. Dans l'immense majorité des cas, c'est le principe d'autorité qui est choisi ; ce n'est pas la victime, mais bien le contremaître, pour la fonction disciplinaire qu'il joue, qui est protégé. Et ce, d'autant plus que, compte tenu de la relative banalité de ces pratiques, une seule dénonciation entendue, risque fort d'en dévoiler bien d'autres. Aussi, les employeurs *couvrent*, quasi systématiquement, au nom d'une double solidarité hiérarchique mais aussi masculine, leurs contremaîtres. Pour Jules Simon, qui reconnaît leurs abus de pouvoir, « le patron ferme les yeux pourvu qu'il ne se passe rien de compromettant à l'intérieur de l'atelier » [2]. Il semble bien ici que le mot *compromettre* doive être pris, selon le *Littré*, dans le sens de : « mêler quelqu'un (ici : le patron) de manière à l'exposer à des embarras où à des préjudices ». La dignité compromise de l'ouvrière n'apparaît pas comme prise en compte dans ce cas de figure.

Informés, les patrons refusent, alors, de recevoir les délégations ; affirment qu'ils n'ont pas le temps de s'occuper de *peccadilles*, quand ils ne se retournent pas contre celles ou ceux qui les dénoncent. C'est ce qui se passe, le plus couramment. En 1913, dans une usine du Nord, un contremaître est fortuitement surpris par des apprentis en train de violenter une fillette. Ceux-ci se mettent à crier. La réaction du patron, attiré sur les lieux par leurs invectives, ne se fait pas attendre : « Tas de cochons, si vous ne fermez pas vos gueules, je vous fous à la porte ! Ainsi, ces enfants terrorisés, n'osèrent plus un mot en voyant ce sale individu protégé par un directeur. » [3]

Dans l'hypothèse du risque d'un scandale – qui, en règle générale, ne survient que lorsque plusieurs jeunes filles, conjointement ou successivement, sont violentées – la direction doit alors imposer le silence par tous les moyens. Il faut démentir les faits, circonscrire le problème au sein de l'entreprise et

1. *L'Humanité*, Prospérité capitaliste, Misère prolétarienne, 3 janvier 1907.
2. Jules Simon, *L'Ouvrière*, 1866, Paris, Hachette, 1867, 16e édition, p. 145.
3. *Le Cri du Peuple*, 1er novembre 1913.

tenter d'étouffer l'*affaire* naissante. Pour ce faire, la technique la plus courante consiste à faire pression sur les témoins, surtout sur les *fortes-têtes,* sans trop hésiter sur les moyens employés. On achète de prétendu-es *témoins de moralité*; on leur promet le maintien de leurs *avantages*, le plus courant étant le simple maintien dans le poste. Que ces hommes et ces femmes ne puissent témoigner d'aucune information précise, ni apporter aucune preuve formelle invalidant la situation dénoncée, mais se contentent de « se porter garant de la moralité » du prévenu et de l'immoralité de la victime n'invalide pas leurs témoignages. En revanche, la parole de cette dernière n'a de valeur probante que si elle est appuyée par une multiplicité de témoignages formels, si possible masculins. Si la justice garantit certains droits de la défense, les droits de la victime apparaissent peu pris en compte.

Dans les rares entreprises plus soucieuses de la défense des droits des salariées – en général, il s'agit du secteur public – quelques femmes peuvent tenter de demander un changement d'affectation; encore faut-il, qu'elles croient à la possibilité que la parole d'une subordonnée puisse être, non seulement entendue, mais aussi crédible.

Quelques rares *histoires* arrivent cependant à la connaissance du public. Dans ce cas, l'opinion réagit violemment contre l'agresseur; victime expiatoire, il paie alors pour tous les autres, qui ont sû plus habilement se protéger. La logique du *bouc-émissaire* protège la société de tout regard lucide sur elle même. Un tisserand d'Halluin, dans le Nord, Henri M., après avoir été inculpé de violences sur des fillettes qui avaient fait contre lui des dépositions accablantes, est ainsi « hué par la foule sur le trajet de la gendarmerie à la gare qui le conduit à la prison de Lille » [1]. Dans cette hypothèse seulement, les contremaîtres sont lâchés par la direction qui tente, ainsi, avant qu'il ne soit trop tard, de dégager sa responsabilité propre. Les licencier devient alors le moyen de leur éviter d'être poursuivis et par là même, d'entacher, par un procès public toujours dommageable, la réputation de l'entreprise.

L'ébauche d'une responsabilité de l'entreprise

Quelques rares patrons cependant, pour la plupart, influencés par l'école de Leplay [2], et d'origine chrétienne, ne récusent pas l'idée de leur responsabilité.

---

1. *La Gazette des Tribunaux*, 16 septembre 1894.
2. Cf notamment F. Leplay, *L'organisation du travail selon la coutume des ateliers et la loi du décalogue*, A. Mame et fils, Tours, 1870.

C'est au nom de la protection des salarié-es dont ils s'estiment chargés, au nom de la nécessité pour les classes dirigeantes de montrer l'exemple, qu'ils estiment avoir des devoirs particuliers en la matière. La vigilance des *supérieurs* – et leur prudence bien comprise – sont la contrepartie de la place qu'ils occupent dans la société. Ainsi, en 1875, lors de la 4ᵉ Assemblée générale des Comités catholiques de France, un député, M. Aubry, auteur d'un rapport sur le travail des femmes dans les manufactures, soutient que la situation des ouvrières, qui se trouvent dans « un rapport d'engagement, de subordination, de salaire, voire de cohabitation avec les chefs d'établissement », a des conséquences sociales dont il faut tenir compte. Il regrette, en effet, que l'autorité de la famille s'arrête le plus souvent, « impuissante, sinon complaisante au seuil du maître qui commande, engage, punit ou récompense ». Ce député s'en tient cependant au constat et se refuse, après avoir évoqué « ce péril, à examiner les détails comme les cas d'espèces », laissant à d'autres le soin de dégager des perspectives d'ensemble. [1]

La réaction patronale peut aussi se traduire par une politique d'entreprise, en règle générale non écrite. Celle pratiquée, par exemple, par les Mines de Carmaux impose que la personne responsable doit s'effacer devant l'intérêt supérieur de l'entreprise. C'est alors au nom de la préservation la fonction d'autorité, qui conditionne la crédibilité de l'entreprise que ceux qui ont abusé de leurs pouvoirs doivent être sanctionnés. Selon Rolande Trempé :

> « le caractère représentatif des agents d'exécution, ainsi que la fonction d'autorité dont ils sont investis expliquent la détermination avec laquelle le Conseil de la Société veille à ce qu'aucune atteinte ne soit portée à leur prestige. Si celui-ci était amoindri, les effets en rejailliraient sur la Société dont les intérêts se trouveraient compromis, puisque toute perte d'autorité du personnel d'exécution se traduit par un recul de la discipline de travail ».

En vertu de cette position, certains responsables sont licenciés. Citons ce cadre renvoyé, en 1860, pour avoir *manqué de dignité* dans ses rapports avec les mineurs, sans que l'on sache précisément ce que ce terme recouvre. En 1902, la direction menace de licencier deux jeunes sous-ingénieurs célibataires, « s'ils ne consentent pas à mener un genre de vie conforme aux normes définies et imposées par la société ». Ils sont mis en demeure d'abandonner l'hôtel carmausien où ils logent, se mêlant ainsi à la population locale et d'habiter une villa particulière, mise à leur disposition par la Compagnie [2]. Certes, rien ne

---

1. Cité par Ernest Nusse et Jules Perrin, législation protectrice de l'enfance ouvrière, *Commentaire de la loi du 19 mai 1874 sur le travail des enfants et des filles mineures employées dans l'industrie*, Paris, Marchal, Billard et Cie, 1878, p. 14.

2. Rolande Trempé, *Les mineurs de Carmaux*, 1848-1914, Paris, Éditions Ouvrières, 1971, p. 350.

nous dit que les comportements incriminés relèvent de relations avec les femmes ouvrières ou avec les femmes d'ouvriers ; il peut aussi s'agir de relations, jugées trop familières – ou politiquement trop proches – avec des ouvriers. Mais on peut penser que certaines compagnies particulièrement soucieuses de leur prestige, n'acceptent pas, sans réagir, les comportements moralement critiquables de leurs agents d'autorité et, dès lors, leur impose la distance sociale que nécessite la hiérarchie. La confusion sexuelle ne doit pas brouiller les frontières sociales.

En tout état de cause, c'est dans le silence des bureaux des directions du personnel que les départs, les transferts des cadres, ainsi *compromis*, sont décidés ou négociés. Parfois, au nom du maintien du principe hiérarchique, ils peuvent même se voir proposer une promotion, ailleurs ; le problème est localement réglé ; l'entreprise ne se déjuge pas.

La responsabilité légale du chef d'entreprise

De fait, les employeurs sont légalement responsables du maintien des bonnes mœurs et ainsi, juges de leur propre cause. Il existe, en effet, un article 15 de la loi du 19 mai 1874, repris, tel quel, sans discussion, sous la forme d'un article 16, par la loi de novembre 1892 sur la protection du travail des femmes : « Les patrons et chefs d'établissements doivent veiller au maintien des bonnes mœurs et à l'observation de la décence publique ».

Les débats parlementaires de 1874, lors de la discussion de cet article, méritent d'être évoqués, car ils constituent la seule source d'information que nous possédons sur la responsabilité légale du chef d'entreprise, en matières de *mœurs*.

Ces débats se focalisent sur les questions suivantes :
– L'entreprise est-elle un lieu public ?

Si la réponse est positive, cela signifie que les préfets sont alors habilités à surveiller les ateliers ; l'intervention de la police devient possible. Cette interprétation est fortement récusée, notamment par le comte de Melun, selon qui, « l'entreprise, sans conteste, appartient au patron, au propriétaire. La simple apparition du commissaire, aux yeux des ouvriers, toujours méfiants, ne peut que produire le plus déplorable effet et sera déjà une mise en prévention du patron… Que deviendra le respect, l'autorité morale qui est la seule arme dont le patron puise se servir pour maintenir la discipline au milieu de tous les ouvriers ? »

– Cet article relève-t-il du simple conseil ou fonde-t-il l'infraction ?

A la question posée par le député Hève, quant à sa portée, le rapporteur répond, ainsi, à son inquiétude : « Sans aller jusqu'à la spécification d'un délit nouveau, la commission a voulu donner plus qu'un conseil. » Rassuré par cette interprétation, celui-ci retire sa demande de suppression de l'article 5.

– Cet article n'est il pas trop général et trop vague ?

La différence de traitement entre les dispositions toujours précises des lois en matière de location d'un bien, capital ou immeuble, avec celles – toujours plus floues – qui concernent la location du travail humain, est abordée par certains. A cette occasion le principe de liberté économique est affirmé avec force ; toute restriction aux lois de l'offre et de la demande est repoussée.

– Qui est concerné par cet article ?

Un député, M. Pernolet, propose que « les chefs d'établissements, patrons, contremaîtres et surveillants » soient nommément cités et qu'en outre, il soit précisé « qu'ils doivent eux-mêmes s'interdire toute atteinte aux bonnes mœurs de la population ouvrière qu'ils emploient ou surveillent. » Cet amendement qui suscite des exclamations à la Chambre est cependant mis aux voix mais il est repoussé : « Il suffit de vous en remettre les termes sous les yeux pour vous démontrer qu'il est inutile de l'adopter. C'est là une prescription qui ne saurait figurer dans une loi. L'y inscrire serait une injure à l'industrie française » déclara le deputé M. Joubert, sous les applaudissements [1].

Cet article est donc voté dans les termes sus-évoqués. Il reste général, vague, ambigu, sans portée juridique réelle. Les chefs d'entreprises obtiennent une garantie majeure : la puissance publique ne peut intervenir en matière de *mœurs* dans l'entreprise, qui est clairement définie comme un lieu non public.

La loi de 1892 élargit le champ d'application de cet article : il n'est plus limité aux ateliers, s'étend à l'industrie et s'applique à tous les patrons ou chefs d'établissements publics et privés.

Les juristes s'opposent sur l'interprétation de cette responsabilité

Eugène Tallon, ancien député, membre de la Commission supérieure du travail des enfants dans l'industrie, considère, en 1885, que c'est « au nom de

---

1. Ernest Nusse et Jules Perrin, *op. cit.* Les débats à la Chambre y sont reproduits.

la délégation qu'ils auraient reçue de l'autorité paternelle » [1], que la responsabilité du chef d'entreprise est posée en matière de *mœurs*.

La question est alors celle des limites de cette tutelle. Selon lui, cet article, qui veut assurer, « dans la mesure du possible », le respect des personnes et l'observation des règles de morale, n'a « qu'un caractère de conseil », et vise seulement « à tenir en éveil la vigilance des patrons ». La surveillance des mœurs relève « plus de (leur) conscience, que de sanctions légales et pénales » [2]. Néanmoins, ce juriste, spécialiste de droit du travail, conscient des nombreux abus de pouvoirs dans les entreprises, ne peut simplement s'en remettre « au sentiment d'honneur et à la moralité des employeurs ». Il les confirme dans un rôle de responsabilité et leur demande de « donner des instructions catégoriques aux contremaîtres ou chefs d'ateliers qui sont en contact avec les jeunes ouvriers et ouvrières pour qu'ils veillent à la décence de la tenue de ceux-ci et à la réserve de leur langage ». Première ébauche d'une théorie de la responsabilité de l'employeur, Eugène Talon estime que « la faute des patrons consisterait à tolérer ces abus (propos obscènes ou gestes équivoques), sans protestations, comme à persister à en conserver chez lui les auteurs » [3]. Certes, l'hypothèse selon laquelle le chef d'entreprise puisse être lui même coupable de telles pratiques, n'est pas évoquée, car cela reviendrait à envisager une autorité supérieure à la sienne. Mais sa responsabilité est posée en relation avec la délégation d'autorité qu'il confère à la hiérarchie qui agit en son nom.

Georges Bry, professeur à la Faculté de droit d'Aix, estime, dix ans plus tard, que cet article a moins pour finalité de défendre les bonnes mœurs, « que de prévenir toutes les atteintes portées au bon renom (des) établissements » [4].

Enfin, Georges Lagresille, avocat à la Cour d'appel, n'évoque, en 1893, que l'hypothèse d'atteintes aux bonnes mœurs du fait des ouvriers et ouvrières : « conversations obscènes, propagation de livres immoraux, inconduite ou immoralité notoire surtout dans les établissements où sont employés les ouvriers des deux sexes ». La responsabilité du chef d'entreprise consiste exclusivement à « assurer la moralité de (son) personnel ouvrier, à empêcher par une surveillance effective tout acte ou propos de nature à blesser la pudeur » [5].

Les faits démontrent l'inefficacité de cet article de loi. Pour les années 1880 et 1881, la verbalisation, par l'inspection du travail de faits délictueux, au

---

1. Eugène Tallon, *Lois de protection de l'enfance ouvrière, Manuel pratique et commentaire de la loi du 19 mai 1874 sur le travail des enfants et des filles mineurs dans l'industrie,* Paris, F. Pichon, 1885, p. 363.
2. Eugène Tallon, *La vie morale et intellectuelle des ouvriers,* Paris, Plon, 1877, p. 354.
3. Eugène Tallon, *Lois de protection de l'enfance ouvrière, op. cit.,* p. 363.
4. Georges Bry, *Cours élémentaire de législation industrielle,* Ed. Larose, 1895-1902, p. 341.
5. Georges Lagrésille, *Commentaire théorique et pratique de la loi du 2 novembre 1892 sur le travail des enfants, des filles mineures et des femmes dans les établissements industriels,* Ed. Larose, 1893, p. 117.

regard de cet article, concernent l'affichage de *gravures obscènes*, l'emploi de jeunes filles à des travaux d'une *immoralité non équivoque* et enfin de l'embauche de femmes inscrites au *bureau des mœurs* [1]. Aucun ne concerne les agressions sexuelles sur les femmes ou les jeunes filles dans l'entreprise. L'inspection du travail (qui a embauché 17 inspectrices en 1902), chargée de l'application de cette loi, a, pour le moins, des difficultés à agir : sa compétence pénale n'est pas définie et elle doit, pour verbaliser, constater l'existence d'une infraction. C'est possible pour les trois cas évoqués ci-dessus ; il n'en est pas de même en en matière de « séduction dolosive par abus d'autorité » qui se pratique rarement en public et encore moins en présence des représentants de l'inspection du travail.

Les organisations ouvrières ne se sont pas, non plus, référé à cette loi ; sans doute ne sont-elles pas dupes des limites de cette injonction. Soulignons, en outre, qu'elles ont été longtemps mal à l'aise face à l'utilisation du droit du travail.

Cependant, même si les patrons n'accordent que peu d'importance à cet article, il demeure, par sa seule existence, comme un glaive symboliquement suspendu au-dessus de leurs têtes. Tenus par la loi de faire respecter les *bonnes mœurs,* ils peuvent être considérés comme les principaux responsables des atteintes qui leur sont portées. D'autant que la classe ouvrière, tout au long du XIXe siècle, a reproché à la bourgeoisie la trahison de ses propres idéaux.

Responsabilité patronale et discours bourgeois

Faute de pouvoir reconnaître cette réalité, la bourgeoisie se contente d'évoquer abstraitement les dangers de la *promiscuité* des ateliers. Elle trouve dans les comportements ouvriers l'excuse à ses propres abus et rejette sur eux la responsabilité de la *séduction*, faisant fi des pouvoirs spécifiques des patrons : « En règle générale, le séducteur n'est pas de ces bourgeois libidineux que les socialistes aiment à charger de tous les vices… non pas que le bourgeois en soit incapable, mais c'est un fait que le plus souvent l'ouvrière tombe par l'ouvrier. Il n'est pas d'ouvrier qui n'attaque l'ouvrière, il n'en est pas qui la défende » écrit Charles Benoist, en 1895 [2]. Que cet auteur ait cru bon de rappeler les capacités sexuelles de sa classe, comme si la comparaison risquait d'être

1. Eugène Tallon, *Lois de protection de l'enfance ouvrière, op. cit.*, p. 365.
2. Charles Benoist, *Les ouvrières de l'aiguille à Paris, op. cit.*, 1895, p. 120.

en sa défaveur, doit être noté. Le Comte d'Haussonville, s'inscrit lui aussi dans cette continuité de pensée, quand il affirme : « Leur séducteur (des ouvrières) est bien moins souvent un bourgeois libidineux qu'un camarade ouvrier qui a joué vis-à-vis d'elle la comédie du sentiment. » [1] Puisque les hommes puissants ne peuvent être coupables, d'autres doivent l'être. De fait, la bourgeoisie s'inquiète moins des causes de l'*immoralisme* régnant dans l'entreprise que des conséquences de la vie en usine sur la morale des femmes, c'est-à-dire sur la stabilité de la famille ouvrière.

Si quelques-uns s'émeuvent véritablement du sort des femmes, d'autres, plus nombreux, vouent, sans trop d'inquiétude, celles-ci à un destin jugé inéluctable. Louis Reybaud explique, en 1862, ces atteintes à la moralité publique par la seule responsabilité des ouvrières : « Elles visent plus haut que leur condition… cèdent à leurs mauvais instincts et commettent ainsi des fautes irréparables. » [2] Ce discours fait des émules. Charles Benoist estime que « l'ouvrière parisienne se corrompt par l'air ambiant » [3], Louis Legrand que « l'air extérieur flétrit sa vertu » [4]. Le discours sur la légèreté, l'inconscience des jeunes femmes, prêtes à tout pour des futilités, des fanfreluches, un bijou, une robe, est largement repris par l'ensemble de la société. Il apparaît, pour une large part, comme un déni du réel qui justifie les pouvoirs masculins.

Des ébauches de solutions sont mises en œuvre qui, au nom de l'incontournable protection des femmes, renforcent, de fait, le contrôle patronal sur elles : enfermement renforcé, surveillance accrue, horaires décalés avec les hommes, ségrégation des sexes dans l'entreprise.

2. La difficile mise en œuvre d'une solidarité ouvrière masculine

Si l'on s'explique relativement aisément le silence patronal, la faible solidarité ouvrière et syndicale pose des problèmes plus complexes. Dans cette lutte inégale pour l'appropriation du corps des femmes, quelles solutions les ouvriers ont-ils à offrir ? Souvent concurrencés par leurs propres femmes, du

---

1. Comte d'Haussonville, *Salaires et misères des femmes*, op. cit., 1900, p. 15.
2. Louis Reybaud, *Rapport sur la condition morale, intellectuelle et matérielle des ouvriers vivant de l'industrie du coton*, op. cit., p. 96.
3. Charles Benoist, *Les ouvrières de l'aiguille à Paris*, Op. cit. p. 127.
4. Louis-Désiré Legrand, *Le mariage et les mœurs en France*, Paris, Hachette, p. 147.

fait des politiques de main-d'œuvre qui tendent à la diminution du coût global des salaires, ils ont bien du mal, en outre, à défendre leur propre dignité.

La défense de l'honneur familial

La classe ouvrière masculine ne dénonce que faiblement le droit de cuissage et n'est qu'exceptionnellement solidaire des femmes qui luttent contre les agressions sexuelles sur les lieux du travail et les atteintes à leur dignité. Les féministes font souvent appel, mais le plus souvent en vain, à l'honneur masculin. Quand Aline Vallette en découvre l'ampleur au pays du tulle en 1898, elle interpelle les ouvriers : « Ah ! comme nous comprendrions tous les frères, tous les maris soulevés contre l'odieux droit patronal ! » [1] Mais la formulation, au conditionnel, qu'elle utilise, semble rendre cet appel peu crédible. Marie Bonnevial, au fait de cette même réalité dans les grands magasins, aspire, elle aussi, sans trop y croire, à la mise en œuvre effective d'une solidarité des travailleurs : « Si l'on sentait derrière chacun, une armée de camarades prêts à se soutenir, combien serait amoindrie l'audace des employeurs ! » [2]

Lorsque exceptionnellement cette solidarité se manifeste pour défendre une jeune fille – pratiquement jamais une femme mariée – ce n'est pas sur le principe d'une solidarité de classe, mais sur celui d'une protection de l'enfance, d'une défense de l'honneur familial ou viril. La classe ouvrière n'a pas remis en cause l'interprétation dominante de l'époque ; il aurait fallu, pour cela, interroger la tutelle que les ouvriers exercent dans la famille, comme les pouvoirs qui leur ont été dévolus en son sein, sur leurs femmes. Or, l'indépendance des femmes n'est pas, loin de là, une priorité ni pour les syndicalistes, ni pour les socialistes. Cette possible indépendance leur fait si peur que Proudhon va même jusqu'à inclure, aux cotés du maire et du juge de paix, le chef d'atelier au sein du conseil de famille qu'il préconise d'instituer pour les femmes « dépourvues de tuteur né » [3].

Pour une partie des femmes salariées, il y a donc une transposition de la protection familiale – toute relative, d'ailleurs – au lieu de travail qui fait du père, du mari, du frère, le gardien et le garant de la *vertu* des femmes, comme de l'honneur familial menacé.

1. *La Fronde*, Aline Valette, Au pays du tulle, 17 mai 1898.
2. *Ibid.*, Marie Bonnevial, Les grands magasins, 23 janvier 1898.
3. Proudhon, *La pornocratie ou les femmes dans les temps modernes*, Paris, A. Lacroix, 1875, p. 159.

A Troyes, dans la Bonneterie, en 1893, un contremaître tente de violer une petite fille de 13 ans, après l'avoir baillonnée. Celle-ci raconte «les horreurs dont elle a été victime» à son père. Ce dernier, selon *Le Père Peinard*, «se fout dans une colère bleue, va trouver le patron et fait un tel foin que le contremaître est flanqué à la porte». Lorsqu'il apprend que le père de sa dernière victime est au courant, il se voit *cuit*, rentre chez lui et se suicide. Le médecin de famille baptise généreusement sa mort : congestion cérébrale [1].

Au Creusot, en 1899, c'est un frère qui défend sa sœur, «poursuivie par les assiduités d'un contremaître et à moitié (sic) violentée par celui-ci». Une scène a lieu entre les deux hommes, l'incident s'ébruite et raison est donnée au frère. Le fait qu'il soit présenté comme « l'un des meilleurs ouvriers de l'usine» a sans doute joué en sa faveur [2].

Des bagarres, des «cassages de gueules», opposent maris, compagnons et contremaîtres et transforment ces violences exercées par des hommes sur des femmes, en «affaires d'hommes». Tant que le mari joue le rôle de victime silencieuse, il est en général considéré comme responsable de n'avoir pas su garder pour lui-seul sa femme ; lorsqu'il veut venger son honneur viril bafoué, le jugement se retourne en sa faveur. La justice, en général, se fait alors compréhensive et clémente.

Ainsi, en 1900, un marchand de vin, le *sieur* Camus accepte d'embaucher, à la demande de son garçon livreur, sa jeune épouse. Dès le premier jour, Camus l'envoie à la cave, la rejoint et «se précipitant sur elle à l'improviste, l'embrasse, tout en la serrant de très près». Elle parvient à se dégager, s'enfuit chez elle et raconte la scène à son mari, qui en «conçoit une vive irritation». Celui-ci va immédiatement adresser de violents reproches au marchand, qui nie et accuse la jeune femme d'être «une menteuse et une malheureuse». Le marchand s'avance vers elle, paraissant la menacer : à ce moment, le mari tire et tue l'employeur. Il est acquitté [3].

Dans de rares cas, c'est toute la famille, appelée à la rescousse, qui règle ses comptes. En mai 1895, un porion – nom donné aux contremaîtres des mines – nommé Cormois, qui passe dans le pays de Charleroi «pour être bien traité par le beau sexe», se rend à un rendez-vous, devant la maison d'une ouvrière, nommée Vincki, récemment mariée. On sait que son mari, par crainte des *entreprises* de Cormois, ne veut plus qu'elle travaille à la fosse. L'histoire ne nous dit pas si celle-ci a accepté librement ce rendez-vous, ou si elle a tendu,

1. *Le Père Peinard*, Contre-coup violeur, 25 juin 1893.
2. *La Fronde*, Les femmes au Creusot, 4 octobre 1899.
3. *La Gazette des Tribunaux*, 28 juillet 1900.

en accord avec sa famille, un guet-apens à son présumé séducteur. Quoi qu'il
en soit, à l'heure dite, surgissent le mari, la sœur de l'ouvrière et son beau-
frère qui se précipitent sur Cormois, le font entrer de force dans la maison et
le ligotent sur une chaise. Il est soumis « au supplice de la flagellation », malgré ses demandes de grâce et ses prières et ne peut sortir, qu'après avoir signé
un billet à ordre de 100 francs. Commentaire de l'intéressé qui porte plainte
au tribunal correctionnel pour extorsion de signature : « J'aurais signé un billet
de 1 000 francs, tant j'étais rompu de coups ». Les trois responsables de l'agres-
sion sont condamnés : le mari à 1 mois de prison, le beau frère à 15 jours et
la sœur à 26 francs d'amende. On ne sait si l'épouse est l'instigatrice, la complice de cette vengeance où si, sa liaison ayant été découverte, elle a été contrainte
à participer à la vengeance ; mais elle est acquittée, « bien que cause de tout
le mal », d'après le commentaire de *La Gazette des Tribunaux* [1].

Les femmes, en général, craignent ces violences supplémentaires qui ne
résolvent rien. Si ces bagarres peuvent procurer aux femmes des satisfactions
symboliques – c'est pour elles que l'on se bat – elles y perdent toujours leur
emploi. Il est rare, qu'après l'incident, la femme, toujours plus ou moins considérée comme responsable, n'en prenne pas, à son tour, *pour son grade*.

Cependant, la défense des femmes par leur maris s'exerce plus souvent sur
le mode de la menace que de sa mise en œuvre effective.

A la Manufacture des Tabacs du Havre, en 1895, un surveillant menace
une ouvrière « de lui flanquer un coup de poing sur la tête ». Le mari qui travaille aussi à la Manufacture, en ayant été informé, réagit : « Eh bien ! le jour
où il le fera, il me trouvera. » [2] Si rien ne permet de penser qu'il n'aurait pas,
dans cette hypothèse, défendu sa femme, on peut constater que la seule menace du surveillant n'a pas été jugée suffisamment grave pour susciter son intervention. Quant au directeur des Nouvelles Galeries de Marseille, il se voit,
en 1925, fermement invité par des *inconnus* à cesser ses pratiques abusives,
dans une lettre missive qui lui rappelle que « ses ouvrières ne sont pas seules
au monde. Beaucoup sont mariées, d'autres ont des frères et des fiancés » [3].
On ne sait si le conseil fût entendu.

Cet appel à une solidarité masculine familiale, transposé dans le monde
du travail, pose bien sûr problème. La grève des femmes du Métropolitain, en 1901, provoque, à cet égard, une certaine gêne, chez les féministes
notamment. En effet, si les grévistes demandent l'égalité de gain entre

1. *Ibid.*, 12 mai 1895.
2. *L'Echo des Tabacs*, Mai 1898.
3. *L'Ouvrière*, La misère en robe de soie, 4 juin 1925.

employé-es ainsi qu'une durée moins longue de la journée de travail afin de *veiller à leur ménage,* elles revendiquent, en outre, que leurs maris « continuent à contrôler près du guichet de leurs femmes, et non point sur le quai », comme l'exige la Compagnie. Elles font valoir, à l'appui de cette revendication, que « le public est grossier, que certains voyageurs, non seulement leur parlent fort mal, les traitent de bourriques, que certains leur donnent de mauvaises pièces ou partent après avoir jeté sur leur guichet une somme insuffisante. Dans ce cas, le mari est là, disent-elles, force le voyageur à compléter le prix de son billet ou à reprendre sa mauvaise monnaie. » Cet argument ne convainc pas Marie-Louise Néron, qui, faisant part de cette grève dans *La Fronde,* prétend

> « ne pas bien voir pourquoi les buralistes tiennent autant à avoir près d'elles leurs époux. Elle affirme alors, quelles donnent ainsi une piètre idée de leurs capacités et fournissent des arguments trop faciles aux antiféministes. Puisque les femmes veulent occuper les mêmes postes que les hommes, il faut bien qu'elles s'habituent à se faire respecter elles-mêmes. » [1]

Les femmes « seules »

Dans la mesure où c'est à une solidarité de type familial qu'il est fait le plus souvent appel, les violences dont sont victimes les femmes du peuple s'exercent juqu'aux limites d'une telle protection. Pour les autres, les *femmes sans homme,* le champ est plus libre. Le statut de *femme seule* est encore difficilement accepté par les hommes, pour qui, souvent, « une femme séparée leur appartient de droit. Résiste-t-elle ? Ils l'en punissent en épiant sa conduite, en calomniant jusqu'à son passé. Car, aux yeux du monde, une femme séparée ne repousse un hommage que parce qu'elle en accueille un autre. Cède-t-elle, au contraire ? Honte et mépris pour elle. » [2]

Cependant, dans la mesure où même les plus farouches opposants au travail des femmes, reconnaissent à ces femmes le droit à l'emploi, celles-ci peuvent bénéficier de la solidarité ouvrière, justement de ce fait. Dans ce cas de figure, l'égalité dérange peu et est plus aisée à reconnaître ; en outre, la logique de la protection que l'on accorde aux victimes ou aux faibles peut se perpétuer. On peut lire dans *L'Humanité* en 1913 le jugement suivant à propos

---

1. *La Fronde,* Les femmes du métropolitain, 5 février 1901.
2. Ernest Legouvé, *Histoire morale des femmes,* Paris, G. Sandré, 1897, p. 234.

des sucrières en grève : « Ces femmes sont d'autant plus dignes de la solidarité que, pour la plupart, elles n'ont ni mari, ni parents pour les soutenir, cependant que beaucoup d'entre elles sont chargées de famille. » [1]

En revanche, si la *femme seule* est suspectée de vouloir conquérir son indépendance par son travail, elle ne peut, aussi aisément, se prévaloir de la protection masculine. Elle risque même d'avoir à payer, par un accroissement d'humiliations, la crainte que cette autonomie des femmes inspire aux hommes.

> « Tenez, fait dire Léon Frapié au docteur Cabans, secrètement amoureux de *l'Institutrice de province,* la voilà, la fameuse émancipation des femmes, telle que nous sommes disposés à l'admettre. Enfin, la femme ne nous agace plus, ne nous embête plus avec sa prétendue faiblesse : plus de courtoisie embarrassante ; supprimé ce spécial respect humain qui, dans bien des cas, empêchait de frapper une femme ; supprimée même, la vulgaire pitié. Et voilà bien le sentiment obscur de la foule envers des créatures qui veulent s'affranchir de leur ancien esclavage, s'évader de la commune bassesse : Attends un peu, femme émancipée, femme qui marche, seule, à la conquête de pain… femme égale de l'homme. On va t'en foutre de l'égalité ! Attends un peu, on va te traiter en égale… pour les coups à recevoir. » [2]

Cependant, à travailler comme les hommes, ces femmes qui n'ont d'autre alternative que de se suffire à elles-mêmes, affirment progressivement, dans la réalité, leur droit au travail : « Puisque, de plus en plus, elle se voit forcée de compter sur elle-même, que peut-elle faire, sinon travailler, malgré tous les obstacles, les préjugés, les railleries, la concurrence » constate, dès 1905, Daniel Lesueur [3]. Elles peuvent alors se faire plus aisément accepter et se prévaloir d'une reconnaissance professionnelle et personnelle, qu'elles l'ont conquise. La liberté s'affirme d'abord par la mise en œuvre effective de l'autonomie personnelle.

Les raisons du silence ouvrier

Si tous les hommes ne souhaitent pas défendre cette conception de l'honneur, si tous n'y parviennent pas, si nombre de femmes échappent, en outre, à leur surveillance plus ou moins vigilante, il n'en reste pas moins qu'il s'agit

1. *L'Humanité*, Lebaudy, 15 mai 1913.
2. Léon Frapié, *L'Institutrice de province*, Paris, E. Fasquelle, 1897, p. 51-52.
3. Daniel Lesueur, *L'évolution féminine. Ses résultats économiques*, Paris, A. Lemerre Ed. 1905, p. 9.

d'un problème considéré comme personnel, auquel une solution individuelle doit être trouvée. C'est là où le bât blesse. Car, pour intervenir en faveur d'une femme humiliée, agressée, violentée, abusée par un autre homme, ou simplement fournir un témoignage de solidarité, les hommes ne doivent-ils pas être, dans leur vie personnelle, relativement exempts de toute critique dans leurs propres relations aux femmes. Dans l'hypothèse inverse, certain-es, mal intentionné-es, ne manqueraient sûrement pas de se prévaloir de leur comportement privé, pour invalider leur prise de position publique. Or, nous savons que les *mauvais traitements* sont, au XIXe siècle, le motif avancé par 80 % des femmes demandant la séparation de corps [1]. Mépris des femmes, coups, contraintes et violences sexuelles sont trop profondément ancrés dans les habitudes masculines pour que les hommes ne se soient, au mépris d'une solidarité de classe, entre eux, protégés par d'efficaces « complicités gaillardes » [2]. « Respecter les femmes, peu (d'hommes) savent ce que c'est. On se permet tout avec elle ; où bien, si on la plaint, c'est que l'on a bon cœur », affirme Simone Bodève, auteure d'un livre sur *Les femmes qui travaillent.* Plus encore, certains d'entre eux s'arrogent, au travail, des droits sur les femmes qu'ils n'oseraient pas mettre en œuvre chez eux [3].

Là, réside sans doute la raison principale qui explique cette faible solidarité masculine envers les femmes sur les lieux du travail ; la majorité des travailleurs ne voient souvent même pas l'injustice infligée à leurs camarades, voire à leurs épouses. La formule employée par Léon Richer selon laquelle « l'habitude du despotisme chez soi finit par rendre acceptable le despotisme au-dessus de soi », explique largement ce silence masculin [4].

Transposé dans un milieu aristocratique, Maupassant, dans son roman, *Une vie*, nous permet de mieux comprendre ces réactions. Il met en scène le curé d'Yport qui tente de calmer le baron qui veut tuer de sa canne son « misérable gendre » qui-a-fait-un-enfant-à-la-bonne.

> « Cherchant à accomplir son œuvre d'apaisement, il lui tint le discours suivant : Voyons, Monsieur le baron, entre nous, il a fait comme tout le monde. En connaissez-vous beaucoup des maris qui soient fidèles ? Et il ajouta avec une bonhommie malicieuse : Tenez, je parie que vous-même, vous avez fait vos farces… Qui sait si vous n'avez jamais tâté d'une petite bobonne comme celle-là ? Je vous le dis : Tout

---

1. Michelle Perrot, Drames et conflits familiaux, in *Histoire de la vie privée*, sous la direction de Philippe Ariès et Georges Duby, Le Seuil, Tome IV, p. 277.
2. Michelle Perrot, Figures et rôles, in *Histoire de la vie privée*, Tome IV, *op. cit.*, p. 122.
3. Simone Bodève, Celles qui travaillent, cité dans *Anthologie du travail*, J. Caillat & Lelivre, Paris 1928, p. 287.
4. Léon Richer, *La femme libre*, Paris, E, Dentu, 1877, p. 143.

le monde en fait autant. Votre femme n'en a pas été moins heureuse, ni moins aimée, n'est-ce pas ? Le Baron ne remuait plus, bouleversé. C'était vrai, parbleu, qu'il en avait fait autant, et souvent encore, toutes les fois qu'il avait pu ; et il n'avait pas respecté le toit conjugal ; et quand elles étaient jolies, il n'avait jamais hésité devant les servantes de sa femme ! Etait-il, pour cela, un misérable ? Pourquoi jugeait-il si sévèrement la conduite de Julien alors qu'il n'avait jamais songé que la sienne fût coupable ? » [1]

Par ailleurs, le droit qui est conféré, par la loi, au père, puis au mari, d'autoriser ou non les femmes à travailler permet de régler aisément toute contestation éventuelle. Il suffit alors – comme la loi et la culture le permet – d'obliger leur femme à quitter un lieu jugé immoral ou dangereux. Pourquoi prendre le risque d'être l'objet de plaisanteries attentatoires à leur virilité, voire du mépris ou des plaisanteries dévolus aux hommes considérés comme incapables d'imposer leur autorité dans leur couple, alors qu'il est si facile de quitter sans bruit le terrain inégal du combat ? D'autant que l'on peut chercher à attaquer personnellement le mari pour mieux faire pression sur sa femme ou se venger de ses refus.

Dans l'immense majorité des cas, c'est dans l'intimité de l'espace familial que ces conflits entre ouvriers, ouvrières, contremaîtres et patrons se transposent ; c'est là que les décisions sont prises. C'est aussi l'une des raisons qui explique pourquoi ces problèmes, si importants dans la vie quotidienne de tant d'hommes et de femmes, ont laissé, malgré tout, si peu de traces.

Les angoisses masculines

Quant à ceux qui ne peuvent se passer des revenus financiers procurés par le travail de leur femme, de leur fille, ou qui ne peuvent s'opposer à leur volonté de travailler hors du foyer, ils n'ont pas à s'en glorifier. L'affirmation de Proudhon : « A femme émancipée, mari benêt » est largement partagée dans les milieux ouvriers [2]. Beaucoup sentent, à cette occasion, leur autorité bafouée. Pourquoi auraient-ils défendu l'honneur de leurs femmes, puisque la vraie indignité est de ne pouvoir les *entretenir* au foyer ?

1. Guy de Maupassant, *Une vie*, Le Livre de poche, p. 146.
2. Proudhon, *La pornocratie ou les femmes dans les temps modernes*, *op. cit.*, p. 86.

Aussi, la classe ouvrière masculine qui ne peut épargner aux femmes cette double exploitation est, à la fois, humiliée et impuissante. Le silence qui couvre ces pratiques empêche le ridicule qui eut été malvenu. Les angoisses masculines, aussi cachées soient-elles, ne sont donc pas à sous-estimer ; nombreux sont les hommes qui souffrent des exigences contradictoires de l'exercice des pouvoirs masculins.

Non seulement ce pouvoir est menacé par le travail salarié des femmes – qui inverse douloureusement les rôles et les fonctions liés aux sexes – mais en outre les chefs de famille ne peuvent même pas protéger leurs femmes des agressions sexuelles d'autres hommes. Elles sont hors de leurs regards, de leur portée, de leurs pouvoirs. Le farouche soutien ouvrier de l'interdiction du travail de nuit des femmes est profondément lié à cette crainte de la concurrence sexuelle.

Le fait de bénéficier *en seconde main*, peut-on dire, de leurs femmes, a dû rendre, plus d'un homme, fou de rage impuissante. Que la concurrence puisse venir des patrons, la rendait déloyale et doublement insupportable. Car, c'est aux hommes du peuple de *récupérer* celles dont les bourgeois ne veulent plus ou celles qu'ils ont abandonnées... les restes du festin, en quelque sorte. Ces femmes, jetées à la rue, sur le trottoir, dès qu'elles deviennent gênantes, « à moins qu'elles n'aient été pourvues de quelques pièces de cent sous, si le patron est philanthrope... se marient alors avec une bonne tête de prolétaire qui endosse alors les résultats de l'expansion patronale » [1], dénonce *Le Cri du Peuple* en 1903.

Volés de leur *bien* par plus puissants qu'eux, les ouvriers ne peuvent échapper aux suspicions, à la commisération, que par une solution tragique. Faute de pouvoir cacher sa mauvaise fortune – qui se targuerait d'être *cocu* ? – il faut venger son honneur dans le sang. Procès infamants, perdus d'avance – les bourgeois ont le bras long – misère pour la famille et la prison, n'est-ce pas bien cher payé ?

Les « maris-proxénètes »

La nécessité de l'appoint financier – de plus en plus essentiel – procuré par le travail des femmes, jointe à la capacité légale donnée au mari de disposer du salaire de sa femme, peut aussi expliquer que certains d'entre eux ont

---

1. *Le Cri du Peuple*, 20 décembre 1903.

pu, par intérêt, préférer être aveugles sur les conditions exigées en matière de travail féminin. Certains même, à l'instar des maquereaux, mettent leurs femmes, non pas sur le trottoir, mais *au turbin*, sans trop vouloir se soucier du prix qu'elles ont à payer. Il en est qui les poussent lucidement à aller *vendre leurs charmes*. C'est, en 1914, une pratique dans le spectacle, dénoncée par un artiste syndiqué, selon lequel, « pour obtenir un rôle ou un engagement, il vaut mieux envoyer sa femme auprès de l'administateur délégué » [1]. C'est aussi la situation, en 1926, à la chocolaterie Meunier, où des « ouvriers, peu conscients, encouragent leurs femmes ou leurs filles à accorder leurs faveurs aux reponsables de l'usine pour bénéficier des maigres avantages que procurent la chocolaterie ». Et le journal communiste qui évoque ces pratiques se demande « à quel degré de misère il faut en être réduit pour arriver à n'avoir même plus le respect de sa compagne ou de son enfant » [2].

On peut s'interroger sur cette analyse. Si la morale et la misère ne font pas bon ménage, l'explication unique par la pauvreté (ou le capitalisme) n'est pas suffisante ; la valeur accordée à la dignité d'une femme, indépendamment de ses rapports aux hommes, en est probablement une explication plus fondamentale. Mais il est plus aisé de mettre sur le compte des nécessités de la vie, de l'immoralité bourgeoise, (pour certains, de l'inconscience ouvrière) cette douloureuse extrémité à laquelle la classe ouvrière est acculée ; on tente alors de fermer pudiquement les yeux sur ce que l'on ne peut empêcher.

Certains, plus intéressés, plus lucides, moins délicats ou sourcilleux, savent alors négocier le prix de leur silence. Ils discutent alors le *dédommagement* qu'ils estiment nécessaire pour assumer la paternité d'un autre [3]. Dans le roman de Maupassant, déjà cité, on assiste à la négociation financière, menée par Désiré Lecocq sur son éventuel mariage avec Rosalie, *enceinte des oeuvres* du maître, pour qu'il accepte la paternité de l'enfant qui n'est pas le sien. Un doute persiste sur le prix : « Si c'est c'que dit, Monsieur le curé, j'la prends ; mais si c'est c'que dit monsieur Julien, j'la prends point, déclare le virtuel époux. » [4] Dans le même sens, Balzac cite « ceux qui n'évoquent la morale que si le séducteur est riche et craintif » [5].

Le discours dominant fut, là encore, de rendre les femmes responsable : « C'est à l'atelier, que la femme, si elle est faible et d'instincts frivoles, lorsqu'elle est privée du nécessaire ou excitée par les convoitises est sujette à succomber

1. *La Bataille Syndicaliste*, 7 avril 1914.
2. *L'Ouvrière*, A la chocolaterie Meunier à Noisel, 20 mai 1926.
3. On pourra se référer à *Marthe*, Le Seuil, 1983.
4. Guy de Maupassant, *Une vie, op. cit.*, p. 161.
5. Balzac, *Les paysans*, Coll. Folio, p. 68.

et à accorder des privautés à un patron généreux pour ses plaisirs », déclare l'organe de la CGT en 1901 [1]. Les hommes durent apprendre à partager ; il fallut aussi apprendre que les femmes peuvent s'appartenir.

Droit de cuissage, idéologie ouvrière et double morale

Les franges les plus démunies de la classe ouvrière, faute d'alternative, doivent se résoudre à cette dépossession relative de leurs femmes, tandis que les secteurs les plus qualifiés, les mieux payés, les mieux organisés, les plus syndicalisés s'attachent à défendre la thèse du maintien de la femme au foyer. En démontrant qu'avec un seul salaire, ils sont en mesure d'entretenir leur famille, ils affichent leur volonté comme leur capacité à maintenir les femmes hors des agressions et des grossièretés du monde du travail. Proudhon, théoricien de l'antiféminisme et « maître à penser et interprète des ouvriers de métier » [2] représente l'archétype de ce courant de pensée, dont la puissante Fédération du Livre est l'expression syndicale institutionnalisée. Ce n'est qu'en juillet 1910, par 74 voix contre 63 et 22 abstentions, que le principe de l'admission des femmes au travail est accepté.

Mais ce que le mari refuse pour sa femme, ne l'engage pas nécessairement en tant qu'homme, soucieux, – comme tout homme qui se respecte –, de profiter de *bonnes occasions*. Comme le souligne Madeleine Pelletier, « le mariage qui met la femme en tutelle enchaîne l'homme, dans une certaine mesure du moins ; aussi entend-il pouvoir satisfaire largement ses sens hors de lui… La loi de l'homme, les hommes mettent tout en œuvre pour amener les femmes à la transgresser ; à cet égard, comme à maints d'autres, l'intérêt particulier se trouve être en contradiction avec l'intérêt général. » [3] Le mari et le travailleur, en une même personne, ont donc souvent des intérêts, des discours et des pratiques divergents. C'est ainsi que tant d'hommes ont pu si fréquemment *tromper* (dans le sens d'induire en erreur) leurs femmes et leur mentir, sans souvent bien comprendre les accusations dont ils peuvent être eux-mêmes l'objet. Car la morale conventionnelle – qui est censée blâmer l'homme marié qui *trompe* sa femme –, pèse de peu de poids par rapport à la morale réelle, marquée par la défense des intérêts singuliers masculins, qui l'excuse et le plus

1. *La Voix du Peuple*, La femme dans les syndicats, 15 décembre 1901.
2. *Romantisme*. Michelle Perrot, L'éloge de la ménagère, No 13-14, 1976.
3. Madeleine Pelletier, *L'émancipation sexuelle de la femme*, M. Giard & E. Brière, 1911, p. 3.

souvent le glorifie. Dans tous les milieux sociaux, rien ne pose un homme comme d'être un homme-à-femmes.

Les femmes, elles-mêmes, séduites par ces hommes le plus souvent attirées par cette gloire masculine qui rejaillit sur elles, pensent que si tant de femmes s'y sont laissées prendre, c'est qu'il y a sans doute de bonnes raisons pour cela. Le mépris des femmes qui fonde souvent le comportement des séducteurs provoque ainsi, souvent, les conditions de leur succès auprès d'elles. Les femmes sont ainsi souvent les meilleurs agents de la reproduction des mécanismes qui les aliènent.

Cette idéologie syndicale de type familialiste et moraliste aboutit à des pratiques de type schizophrénique. La double morale, l'une valable pour les hommes, l'autre pour les femmes – fortement dénoncée par les féministes – est renforcée par une seconde, l'une valable pour les membres féminins de la famille, l'autre, pour les femmes qui n'en font pas partie : « Tel frère qui entrerait en fureur s'il savait que sa sœur à été caressée par l'un de ses camarades trouve tout naturel de s'offrir la sœur d'un jeune ouvrier », affirme Louise Bodin [1]. Cette morale à double face voit ses effets aggravés par les logiques de classe. Dans la bourgeoisie, sans trop d'états d'âme, tel père peut violer son ouvrière ou la *petite bonne*, tout en enfermant sa propre fille, du même âge, pour la conserver vierge au mariage. Les bourgeoises n'échappent pas à ces contradictions ; certaines féministes s'étonnent de « ce préjugé immoral qui fait que les mères laissent leurs fils se livrer à des écarts de conduite qu'elles condamnent chez les jeunes gens qui se permettent de s'adresser à leurs filles » [2].

C'est ainsi toute la société qui se trouve prise dans ces dilemmes, dont la clarification supposerait que soient posés les réels rapports de pouvoirs entre les sexes. On comprend aisément les difficultés de l'entreprise : « Quand on parle d'affranchir les jeunes filles, on a pour alliés tous les pères, quand on parle d'améliorer le sort des femmes, on a pour adversaires tous les maris » [3], affirme le moraliste Ernest Legouvé à la fin du siècle.

C'est dans ce contexte, qu'émerge une doctrine syndicale fondée sur le machisme et le culte de la virilité, sur l'idéalisation rétrograde de la femme au foyer et le mépris de la femme travailleuse. Le syndicalisme ne peut prendre en charge la gestion de ces logiques éclatées et contraditoires, bien opposées à celles de la solidarité et de l'union qui ont contribué à sa légitimité. C'est alors dans la conscience de chacun que les conflits doivent se résoudre. Enfermés dans

---

1. *L'Ouvrière*, Louise Bodin, Prostitution et prostituées, 15 avril 1922.
2. *La Fronde*, 7 octobre 1901.
3. Ernest Legouvé, *Histoire morale des femmes, op. cit.*, p. 141.

la sphère domestique, présentés comme des *problèmes de femmes*, que l'on se dé-
considèrerait à évoquer, ceux-ci sont ainsi dévalorisées. La vulgarité et la bas-
sesse du sentiment le plus souvent mise en œuvre sont aussi l'expression d'une
gêne profonde. Le rire outré, maladroit, est alors le recours le plus aisé pour
éviter les débats ; d'autant qu'il est difficile pour les femmes de contrecarrer
l'humour, surtout si celui-ci s'exerce à leur encontre et sur un plan sexuel.

Analyser, prendre en charge, contester ces abus de pouvoirs sexuels, c'est,
qu'on le veuille ou non, traiter de l'égalité entre les sexes ; c'est aussi risquer
de faire voler en éclat une unité ouvrière constituée sur d'autres fondements.
Aussi, fut-il plus ou moins socialement admis que : ce qui est valable pour le
garçon ne l'est pas pour la fille ; ce que l'on condamne chez les autres, on peut
le pratiquer soi-même ; ce qui est vrai pour sa femme ne l'est pas pour sa compagne de travail ; que l'honnêteté a, en fonction du sexe auquel cette valeur
s'applique, une signification différente.

Chacun peut ainsi décider, selon ses valeurs propres, des critères qu'il
entend mettre en œuvre ; les femmes doivent, sans les connaître souvent, s'y
adapter. Le féminisme, souvent bien réformiste, est surtout subversif dans la
mesure où il dévoile ces doubles discours, ces doubles morales ainsi que les
ambiguïtés et les contradictions dont elles sont porteuses. Nous sommes, sans
doute, ici, au cœur de l'une des sources de l'*antiféminisme de gauche.*

Le bouleversement des rôles sexués

De fait, à quelques exceptions près, même les hommes les plus imbus
du sentiment de la justice, utilisent, lorsqu'il s'agit des femmes victimes d'agissements masculins, des arguments qui sembleraient scandaleux et intolérables,
en tout autre domaine. On peut sans doute ainsi expliquer, qu'enfermés dans
de telles contradictions, c'est sans doute parmi les forces de progrès, censées
incarner l'avant-garde, que la mauvaise foi est la plus répandue en la matière. Faute de pouvoir reconnaître que la-question-des-femmes est en réalité la question du maintien des privilèges masculins ; que la perpétuation
des droits des hommes sur les femmes relativise, pour le moins, l'universa-
lité de principe républicain d'égalité comme du principe socialiste de justice sociale, le syndicalisme, la gauche et les forces sociales de progrès trans-
fèrent, eux aussi, aux femmes la responsabilité de ce qu'elles subissent, du
fait des hommes.

A de rares exceptions près, les débats sur le travail salarié des femmes mêlent tout : la dégradation morale des femmes, la désagrégation de la famille

ouvrière, la perte du statut social et sexuel des hommes liant virilité et culture ouvrière, la mise en concurrence patronale des hommes et des femmes, l'égalité entre hommes et femmes dans le travail et l'indépendance de ces dernières. En arrière-fond, ce qui est en cause, c'est non seulement la crainte de la perte de pouvoir des hommes (sans doute au premier titre, de leur pouvoir sexuel, car il incarne tous les autres) mais aussi de l'inversion des rôles sexuels.

Engels évoque, dans *La situation des classes laborieuses en Angleterre*, « la légitime révolte de ces hommes (contre qui ?) contraints, du fait du chômage, de rester à la maison, de coudre et de faire la cuisine, en attendant le retour de leurs femmes ». Il utilise l'expression peu ambiguë de « véritable castration » [1].

Un texte de 1899, d'un syndicaliste français, nommé Schneider nous rappelle à quel point le salariat féminin bouleversa profondément tout l'ordonnancement sexuel et social. Celui-ci oppose, pour mieux freiner le mouvement, dans une fausse symétrie dont il voit toute la fragilité : le dedans et le dehors, le travail et la famille, la nature et le social, la force et la faiblesse, l'autorité des hommes et l'obéissance des femmes :

> « Toutes les lois qui commandent au monde physique sont atteintes, comme celles qui se rapportent à la morale sont violées ; notre état moral et social ayant subi des transformations contraires à ces lois, sans lesquelles le monde ne peut qu'aller de travers, ont produit ce triste état de chose... La femme n'est pas faite pour la fabrique. La femme, être faible, impressionnable, sans défense morale, subit plutôt l'influence du sort et prit les goûts de l'homme. A son contact, elle prostitua son sexe et devint un être mixte tenant de la femme et de l'homme, adoptant les habitudes, les manières, le langage de celui-ci. Elle perdit, dans ces bagnes de la production, son côté féminin que la nature lui avait octroyé. La douceur, la pudeur sont disparues. Elle devient un type intermédiaire qui n'est pas l'homme mais qui n'est plus la femme.
> C'est cette femme qui, sortie de son rôle social, va faire la concurrence à l'homme sur le marché du travail, transformant tout, jusqu'au salaire. Ce qui fait que, dans la vie, elle n'a plus ni aspiration, ni rêve. Mariée, elle oublie les devoirs de l'épouse ; mère, elle ignore ceux de la maternité, elle est prise toute par la fabrique où elle y empoisonne son cœur, tue son corps. Mais qu'importe, elle gagne sa vie. » [2]

---

1. Engels, *La situation des classes laborieuses en Angleterre*, Tome II, Ed Costes, p. 22.
2. *L'Echo des Tabacs*, Schneider, Syndicat des employés du département de la Seine, La femme, in mars 1899.

Espoir réactionnaire et contraintes du réel

Le retour des femmes à la maison, dans ces difficiles contradictions, résout idéalement le problème. Trente ans plus tard, en 1927, au congrès de l'Union des Syndicats de la région parisienne, la représentante communiste ne peut que constater que « beaucoup de camarades espèrent le retour de la femme au foyer » [1]. Nombre de femmes partagent cet espoir. Et le relatif consensus patronal et syndical autour de la notion de salaire d'appoint peut être interprété comme une forme de reconnaissance du pouvoir des ouvriers sur leurs femmes.

Mais cette construction idéale ne résiste pas longtemps à la logique de l'intérêt. Devant les nécessités matérielles, il est peu de principes qui restent inchangés. Madeleine Pelletier nous fournit, là encore, de pertinentes analyses : « Le père et le mari le plus attaché aux anciennes conceptions n'hésitent pas à envoyer au travail sa femme ou sa fille, crût-il, en ce faisant, contribuer à la dislocation future de la société toute entière. » [2] La double morale agit alors : « Ce que l'homme refuse comme travailleur, il le permet comme mari, comme père d'une jeune fille. Vingt francs par jour sont bons à prendre ; avec cela, on bouche bien des trous. » [3]

L'émergence d'une solidarité masculine

Dans certains cas, cependant, des ouvriers peuvent être ponctuellement solidaires des femmes, voire impulser des luttes ; c'est le sentiment de l'injustice qui prévaut alors. La rareté de ces prises de positions, révélatrices de l'émergence d'une solidarité de classe, par delà les oppositions de sexe, ne leur confère que plus de valeur.

C'est le cas, dans une usine de Louviers, en 1924, de *cannibales* qui, informés du licenciement d'une jeune mère célibataire, parce qu'elle a refusé de coucher avec son patron, lui ont « crié leur mépris à la face, devant cette vengeance de lâche ». La jeune ouvrière se serait trouvée sans argent et sans travail, si ceux-ci ne l'avaient, en outre, soutenue [4]. C'est cependant la mère impuissante qu'ils soutiennent, et non la travailleuse.

1. *L'Ouvrière*, 10 février 1927.
2. Madeleine Pelletier, *La femme en lutte pour ses droits*, V. Giard et Brière, 1908, p. 26.
3. Madeleine Pelletier, Le droit au travail pour la femme, in *L'éducation féministe des petites filles*, Ed. Syros, 1978, p. 164.
4. *Le Libertaire*, Le droit du patron, 22 mars 1924.

En 1926, c'est un ouvrier, qui, après 14 ans de travail à l'usine, est licencié pour s'être opposé aux pratiques d'un contremaître, qui « réservait le mauvais travail aux ouvrières qui ne pouvaient supporter ses hideux caprices » [1]. Et, en 1930, chez Flaive à Saint-Etienne, c'est « un groupe d'ouvriers écœurés », qui exigent la réintégration d'une jeune fille licenciée pour avoir dénoncé son contremaître [2].

Cette ébauche de solidarité s'accompagne de dénonciations de quelques journaux ouvriers et de quelques individualités, principalement au sein des courants anarcho-syndicalistes, libertaires, mais aussi communistes. Certains évoquent, spécifiquement, les abus patronaux et le droit de cuissage ; d'autres, plus largement, le problème des comportements ouvriers et syndicaux vis-à-vis des femmes. Emile Pouget et son *Père Peinard* est le plus vivant symbole de cette avant-garde. Car, s'il fut si acharné à défendre la dignité des femmes, ce n'est ni pour la défense de leur *vertu*, ni par paternalisme ou moralisme, mais bien pour elles-mêmes, parce qu'elles sont, tout simplement, des êtres humains. Aussi les aiment-il, « battantes, ses bonnes bougresses », et particulièrement lorsqu'elles peuvent jouer un tour et ridiculiser les contremaîtres qu'il hait tant. Lorsqu'il rêve de « riches corrections, de mémorables tatouilles, de bonnes fessées, à pleins battoirs, à défaut de paquets d'orties » [3], c'est bien aux femmes — et à elles seules — qu'est dévolu ce rôle justicier et vengeur et non à leurs pseudo-protecteurs. Sa philosophie est fondée sur le principe selon lequel « nul n'ait la puissance, en vertu de son pognon et de son autorité, de disposer du pauvre monde » [4]. Que peut-on ajouter de plus ?

Toujours au sein du courant libertaire, on peut citer Sébastien Faure, mais aussi, moins connu, le Père Barbassou qui s'insurge contre « les privilèges de masculinité » et dénonce les hommes qui acceptent que les femmes soient des « sous-esclaves » [5]. De même, Georges Yvetot estime que les militants, qui « obéissent à d'absurdes préjugés, sont aussi égoïstes, mais plus hypocrites que les autres ». Il vilipende « leur orgueil imbécile » car, « nous ne faisons rien, rien, rien qui concorde réellement avec nos théories sur l'égalité des sexes » [6].

En 1913, la position de Louis Couriau, le mari d'Emma, mérite d'être à nouveau évoqué : en 1913, en alliance avec la Fédération féministe du Sud-Ouest,

1. *L'Ouvrière*, Toujours l'usine de pétrole d'Avignon, 26 août 1926.
2. *Ibid.*, Saint-Etienne, Chez Flaive, Un scandale, 1er mai 1930.
3. *Le Père Peinard*, Vacheries patronales, 26 décembre 1897.
4. *Ibid.*, Drames d'usine, 22 août 1897.
5. *Le Libertaire*, Le Père Barbassou, Ménagères ou courtisanes, 1er juin 1912.
6. *Ibid.*, Georges Yvetot, Que les femmes soient avec nous, 20 avril 1912.

il refuse la décision de la section lyonnaise de la Fédération du Livre de l'avoir exclu pour avoir laissé sa femme travailler : « Je répondis que ce n'était pas moi qui obligeais ma femme à travailler. Je ne me crois pas ce droit. D'ailleurs, même en admettant que je veuille faire acte d'autorité dans mon ménage, ma compagne se refuserait obstinément à m'obéir. Elle prétend qu'on ne peut pas lui dénier le droit de travailler de son métier, que c'est une condition de vie et d'indépendance pour elle. Que puis-je, alors ? Quel moyen employer pour l'obliger à ne rien faire ? Je l'ai demandé au comité. On n'a pas su me répondre. Alors ? » [1] Louis Couriau réfute ainsi tous les arguments de type moral contre le travail des femmes, qui n'ont plus cours dès lors qu'il estime que sa femme est seule maîtresse de ses choix et de son destin. En tant que syndicaliste, il demande en revanche, logiquement, au responsable syndical, « d'enseigner d'abord (la morale) aux camarades syndiqués qui travaillent avec les femmes » [2]. Le journal *Le Libertaire* qui, tardivement, prend position sur *l'affaire Couriau*, traite, sans ambages, ces syndicalistes de *Tartuffe* et met à nu le discours syndical sur la défense de la vertu des femmes :

> « Les typos Lyonnais parlent d'immoralité, de promiscuité dangereuse des hommes et des femmes ! Dangereuse pour qui ? Leur vertu est elle donc si fragile qu'elle ne peut supporter la présence d'un jupon, sans faiblir ? Et les brocheuses, leurs voisines d'atelier cessent-elles d'être des femmes en devenant brocheuses ? Pourquoi discuter, pourquoi ergoter ? Ce qu'ils veulent, c'est l'élimination des concurrents, pas autre chose. Les femmes ont le droit de travailler, partout où elles peuvent exercer leurs facultés et lorsque les typos obtiennent que les typotes soient chassées des ateliers, ce n'est pas le bon droit qui triomphe, c'est le biceps. » [3]

Moins connu encore que les précédents, Prosper Gayvallet, originaire du Mans, rédacteur, en 1911, d'une brochure intitulée : *Les revendications du sexe féminin* [4], mérite, lui aussi, de ne pas tomber dans l'oubli. Rédacteur d'une déclaration des droits des femmes, il est très critique vis-à-vis des représentants du sexe masculin qui, étant « les plus forts, se sont arrogés tous les droits, entre autres, celui de satisfaire leurs instincts sexuels, selon leur bon plaisir, sans tenir compte de la volonté des femmes ». Il considère qu'il y « eut jadis une sorte d'entente tacite entre les hommes de toutes les classes sociales : les maîtres, les puissants ont agi en bon prince en accordant aux derniers de leurs

1. *La Bataille Syndicaliste*, Louis Couriau, 14 septembre 1913.
2. *Ibid.*, Louis Couriau, 21 août 1913.
3. *Le Libertaire*, 6 septembre 1913.
4. Prosper Gayvallet, *Les revendications du sexe féminin*, Association ouvrière de l'imprimerie Drouin, Le Mans, 1911.

esclaves le droit de posséder, pour lui exclusivement, une esclave femme qui est devenue ainsi une sous-esclave. »

Aussi, les articles 1, 2, 3, 4 et 7 de sa déclaration affirment-ils :

– Les femmes naissent et restent libres.

– Elles ne sont pas des objets de propriété comme des animaux domestiques.

– Elles ont le droit à la dignité humaine comme les hommes.

– Elles ont le droit de résister à l'oppression et à la contrainte brutale.

– L'émancipation des femmes sera l'œuvre des femmes elles mêmes, par le syndicalisme féminin.

Parmi les journaux ouvriers, certains sont plus particulièrement sensibles à ces dénonciations. Citons *Le Cri du Peuple*, *Le Cri du Forçat*, 1902 et *Le Forçat* [1].

C'est incontestablement, le syndicalisme d'action directe qui est le plus actif en la matière ; il trouve, dans cette réalité, ample matière à dénoncer, mais aussi à agir. Les courants socialistes et communistes ne relaient quant à eux la dénonciation du droit de cuissage, que dans la mesure où son exercice ne remet pas en cause la subordination égale de tous et toutes au capital, qu'il ne soulève pas le problème des comportements ouvriers, ou oblige à débattre concrètement de l'égalité des sexes au travail. En dehors de cette logique binaire, les demandes des femmes sont abandonnées, ridiculisées, ou détournées de leur sens vers des demandes « plus sérieuses ».

3. Les difficultés d'une solidarité féminine

La question de savoir si les idées reçues affirmant que les femmes ne sont pas solidaires entre elles, sont fondées, est complexe ; les réseaux de sociabilité féminine au travail sont peu connus. Le constat semble cependant, en l'état actuel de nos connaissances, exact. Il faut cependant aborder deux réalités qui le nuancent : les ateliers de femmes apparaissent comme la meilleure protection contre les agressions masculines ; la dévalorisation sociale de la solidarité entre femmes est une réalité qui explique partiellement la difficulté de cette mise en œuvre.

1. *Cf. Bibliographie.*

La protection des ateliers féminins

Madeleine Reberioux note que « dans l'imaginaire féminin, le petit atelier de couture a du bon : les femmes y sont entre elles et n'y subissent pas les agressions sexuelles dont elles voient les risques à l'usine, dans les ateliers mixtes ou les grands magasins. Un travail régulier, la disparition de la grossièreté masculine et des comportements hiérarchiques, est-ce à cela que se limite l'espérance des femmes ouvrières ? » [1] Il est incontestable que l'une des raisons de l'attirance exercée par les métiers féminins réside dans le fait que les risques de pressions sexuelles y sont moindres. L'historien Alain Cottereau souligne l'importance – en matière d'aspirations des jeunes filles à l'emploi – de situations qui permettent le mieux de résister à l'emprise sexuelle des hommes, bourgeois, contremaîtres et ouvriers [2]. Sa démonstration se fonde sur un document, auquel nous nous sommes référés [3].

Lors du certificat d'études de l'année 1877, 1949 jeunes parisiennes de l'enseignement libre et public, ayant entre 12 et 14 ans, ont à répondre à la question suivante : « Quel métier souhaitez vous pratiquer à la sortie de l'école ? » Le souci d'un travail *honorable*, dans une *maison bien tenue*, l'ambition de gagner honnêtement sa vie (« Pour moi, tous les métiers sont bons du moment qu'ils sont honnêtes » écrit une jeune fille de 13 ans), la crainte des métiers qui ne sont *pas assez sérieux*, où l'on est trop *exposée* et qui ont *mauvaise réputation*, le refus des ateliers qui comportent des personnes *peu convenables*, où l'on a des *ennuis* sont parmi les réponses les plus fréquentes. Si l'on souhaite s'embaucher quelque part c'est parce que les parents connaissent quelqu'un, chargé de surveiller : une tante, une maîtresse, une cousine, une *dame*...

Les femmes apparaissent donc comme la meilleure des protections contre les agressions masculines, danger dont ces jeunes filles semblent conscientes. Qu'elles appartiennent à la classe ouvrière qualifiée ou à la petite bourgeoisie (artisanat, commerce, employés) et que, dans la majorité de ces familles les deux parents travaillent, n'est pas un hasard : c'est dans ces milieux que le souci de promotion sociale, pour les filles, par le travail, est le plus présent. Même s'il faut prendre en compte le poids du conformisme

---

1. *La Revue du nord*, Madeleine Reberioux, Les ouvrières au tournant du siècle, 1981, p. 672.
2. *Le Mouvement social*, Alain Cottereau, Destins masculins et destins féminins dans les cultures ouvrières en France au XIXème siècle, Juillet-septembre 1983, p. 101.
3. O. Girard, *L'enseignement primaire en France et dans le département de la Seine de 1867 à 1878*, Paris, Imprimerie Chaix, 1878, Tome II, Annexes.

social, inhérent à la logique même de l'examen, on ne peut qu'être frappé par cette revendication d'honnêteté, d'honorabilité chez ces jeunes filles. L'une d'elle – elle a 14 ans – justifie ainsi le choix de la couture (c'est le cas de 51 % d'entre-elles) : « Quel bonheur, quand j'aurai gagné mon premier argent, de le mettre dans les mains de ma mère en lui disant : 'Tiens, maman, c'est bien peu, mais cela t'aidera et puis cet argent est bien gagné' ». La couture est, pour elle, en effet, l'état « le plus tranquille », celui qui permet de « rester une jeune fille travailleuse et honorée ». Cette aspiration protectionniste dans l'emploi ne peut être simplement analysée comme le signe d'une conception frileuse, voire rétrograde de l'existence. Tant que ces menaces existent et que les femmes n'en sont pas protégées, au nom de quel projet syndical, politique ou féministe pourrait-on leur reprocher de vouloir y échapper ? En outre, cette demande de protection n'est pas contradictoire avec le souci d'indépendance économique. L'une d'elles écrit, significativement : « L'aiguille, c'est le chassepot d'une fille, c'est son arme ». Nombreuses sont, d'ailleurs, celles qui expriment la satisfaction de ne dépendre, du fait de leur travail, de personne…

Dans la réalité, cependant, les jeunes filles ne sont pas, dans ces ateliers, aussi protégées qu'elles veulent bien le croire. Tout d'abord, parce que nombre d'entre eux sont dirigés par des hommes, ensuite parce que ces lieux, connus comme étant fréquentés par des femmes, attirent une clientèle masculine qui se soucie peu des aspirations de ces jeunes filles à l'honnêteté. Certes, les moralistes du XIXe siècle ont considérablement exagéré le danger des courses données aux *petits trottins*, devant livrer, y compris tard le soir, les vêtements commandés ; celui, représenté par les hommes qui les attendent à la sortie, ou par les clientes, chargées de recruter, pour d'autres, des jeunes filles peu farouches. Néanmoins, ces risques, inhérents à toute logique de sortie individuelle des cadres familiaux, existent. Et les jeunes filles des ateliers féminins y sont soumises, comme les autres, dès lors qu'elles échappent aux structures familiales.

Lorsque la patronne est une femme, il ne semble pas que son comportement soit fort différent de celui d'un homme. On attend cependant plus d'elle, comme si son sexe devait transcender sa soumission à l'ordre partriarcal. Et si elle ne se montre pas compréhensive face aux revendications de dignité des femmes, cela lui est plus fortement reproché. Ainsi, lors de la grève des sucrières Lebaudy en 1913, une campagne de presse attaque Madame Lebaudy, veuve riche et chrétienne, qui se soucie de ses bonnes œuvres, mais bien peu des conditions de travail – fort peu morales – imposées aux ouvrières.

Certaines féministes dénoncent aussi, au tournant du siècle, la manière dont les filles du peuple – les bonnes-à-tout-faire essentiellement – sont traitées par les bourgeoises, avec la vigilance quasi obsessionelle dont elles accablent leurs propres filles jusqu'au mariage [1].

Les difficultés de la solidarité féminine ; les avancées

En tout état de cause, ce furent les femmes – quel que soit leur statut matrimonial – qui payèrent le plus cher le prix de ces conditions de travail ; entre les exigences économiques et sexuelles des patrons et des maris et la nécessité de travailler, nombre d'entre elles vécurent ces situations dans la souffrance, le déchirement, le drame, la culpabilité. Mais ce furent elles aussi, qu'elles l'ait souhaité ou non, qui furent les avant-gardes d'une réelle progression des droits des femmes. Et au delà, d'une avancée des droits de la personne.

En effet, l'accès au salariat leur permit de construire leur destin, qui, de strictement familial s'élargit au social, puis au politique. Les discussions entre elles, aussi furtives et pauvres qu'elles aient souvent été, permettent de comparer des vies respectives, partager des expériences, découvrir une communauté de condition, transmettre une histoire sans laquelle il n'y a pas de progrès, briser le monopole de la parole masculine et démystifier ainsi le pouvoir des hommes.

Empêcher cette socialisation, dévaloriser les amitiés féminines, caricaturer les raisons de la solidarité, sont des leitmotivs au XIXe siècle. La société des femmes est présentée comme fondée sur la coquetterie, la vanité, « les futiles bavardages, les féminines médisances » [2]. Les conversations entre femmes ne sont pas considérées comme porteuses de progrès, mais comme dangereuses pour la morale ; c'est une manière de les déconsidérer et retarder, ainsi, leur affranchissement.

Mais ce n'est pas impunément que les moralistes se sont tant soucié des relations entre femmes, notamment entre les plus jeunes et les plus âgées ou les plus averties. Ne peut-on pas, grâce à elles, faire la connaissance de messieurs riches et élégants, trouver des *occasions* de sortir, de s'amuser, de *joindre les deux bouts*, ou de *faire passer une grossesse* ? La constitution d'une

---

1. *La Fronde*, La question de 6ème, 21 juin 1898.
2. Louis Bonnevay, *Les ouvrières lyonnaises travaillant à domicile. Misères et Remèdes*, Paris, Guillemin, 1896, p. 3.

socialisation féminine est un préalable à toute solidarité de type féministe. À l'inverse, le sens commun conforte et justifie les différences sociales dèjà existantes, entre les *femmes honnêtes* et les autres. Si, entre hommes, la lutte sociale est analysée par la place respective de chacun entre le capital et le travail, entre femmes, c'est sur des fondements d'abord moraux qu'elles sont censées s'opposer entre elles.

Ce clivage entre femmes n'est pas que construit. Empêcher que celles qui *triment* ne se vengent contre cet ordre qui confère aux femmes pauvres-mais-vertueuses, toutes les difficultés, tandis que toute l'apparence de la facilité est accordée aux femmes faciles-et-riches ou riches-parce-que-faciles, est l'une des questions insuffisamment analysées du XIXe siècle : « Quand les filles d'atelier voient ces triomphes du vice, est-il possible que leur âme reste pure et qu'elles ne fassent pas dans le secret de leur cœur ces mêmes comparaisons qui poussent les hommes à la haine et à la révolte et qui les précipitent, elles, dans la débauche ? » [1] Dans le même sens, Charles Benoist, qui dédie son livre, consacré aux *Ouvrières de l'aiguille à Paris*, à « celles qui font travailler, pour qu'elles prennent en pitié celles qui travaillent », peut écrire : « Dans l'essayage d'une jupe, s'aigrit et s'exaspère la question sociale. La grande dame aura dédaigné l'ouvrière, mais l'ouvrière aura toisé et méprisera la grande madame. Mangeuse de pain gagné dit la femme qui se sent une bête de somme à celle qui lui apparaît comme une bête de luxe. » [2]

Ces contradictions entre hommes, entre hommes et femmes, entre femmes, sont aussi le substrat des luttes sociales, quasi exclusivement focalisées, par le socialisme, sur les rapports antagoniques entre classe ouvrière et patronat. L'intégration dans l'analyse des rapports entre les sexes complexifie considérablement ce postulat.

---

1. Jules Simon, *L'Ouvrière, op. cit.*, p. 297-298.
2. Charles Benoist, *Les ouvrières de l'aiguille à Paris, op. cit.*, p. 130.

Chapitre 7
La séduction dolosive
par abus d'autorité :
Les débats juridiques

*En règle générale, toute fille
qui cède est irrecevable à se faire
un titre de son déshonneur* [1].

*Soyons plus justes envers les femmes
et ne nous prévalons pas toujours
contre elles de la crainte de vices
dont la première cause ne peut
si souvent être imputée qu'à nous* [2].

La « séduction dolosive par abus d'autorité » est le terme juridique qui recouvre la réalité sociale du droit de cuissage. Les juristes s'accordent à reconnaître la banalité de ces abus, aggravés par les progrès de l'industrialisation, mais ni le *code civil*, ni le *code pénal* n'ont prévu de possibilités de recours pour les femmes séduites.

1. *La Revue des Deux Mondes*, Ferdinand Brunetière, la recherche de paternité, 15 septembre 1883. p. 356.
2. Perreau, Discours du Tribunal, cité par F. Civeyrel, *De la séduction*, Thèse, Montpellier, 1933, p. 116.

Progressivement, devant l'impunité masculine et ses conséquences sociales, les juristes repensent la doctrine, tandis que la jurisprudence évolue vers une plus large prise en compte de ces abus sexuels. Le Parlement refuse pourtant de voter la proposition de loi, à ce sujet, déposée en novembre 1902.

1. La doctrine, la loi ; l'interdiction de recherche de paternité et l'impunité masculine en matière de séduction

La Révolution a supprimé des codes les peines qui frappent la séduction. En 1781, Fournel, avocat au Parlement, dans un ouvrage de référence, intitulé : *De la séduction considérée dans l'ordre judiciaire*, la définit comme « le triomphe remporté sur la sagesse d'une femme par des manœuvres criminelles et des moyens odieux. »[1].

Plus d'un siècle après la Révolution et la publication du code Napoléon, un juriste, dans une thèse soutenue en 1908 sur *la responsabilité civile du séducteur,* nous donne une idée éclairante de l'évolution du droit et des mentalités: « Le code a entendu rompre avec les traditions et a établi une large tolérance (de ces faits), laissant à la morale le soin de les apprécier, selon les règles de la conscience humaine. »[2]

L'interdiction de recherche de paternité

Napoléon a, contre l'avis de Cambacérès, formellement interdit la recherche de paternité au nom de l'argument selon lequel : « la société n'a pas intérêt à ce que les bâtards soient reconnus ». Aucun homme ne risque de se voir attribuer un enfant dont il peut ne pas se croire le père ; chacun peut refuser d'assumer une paternité hors mariage. Les hommes sont ainsi civilement et pénalement déresponsabilisés des conséquences de leurs relations sexuelles avec les femmes, y compris eu égard aux enfants qui peuvent en naître.

Toute dérogation à l'article 340 du *code civil* (« La recherche de paternité est interdite »)est repoussée, même en cas de promesse de mariage, même en

---

1. Jean-François Fournel, Avocat au parlement, *Traité de la séduction considérée dans l'ordre judiciaire*, Paris, Demonville, 1781.
2. Jean Dabert, *De la responsabilité civile du séducteur*, Thèse, Faculté de Droit, Paris, Imp. de H. Jouve, 1908, p. 56.

cas de contrainte exercée par un homme sur une femme [1]. C'est sur le principe de cette interdiction que la législation concernant la séduction, plus tard qualifiée de dolosive, est supprimée. Accorder des dommages-interêts à la fille séduite, serait, en effet, selon les rédacteurs du code, admettre une recherche de paternité déguisée. C'est ainsi que l'on peut comprendre le jugement de Julie Daubié : « Ils prétendent que le droit français ne doit relever que du caprice individuel. » [2] « On a ainsi rendu les lois obéissantes aux passions, au lieu de rendre les passions obéissantes aux lois », poursuit-elle [3].

En assurant l'impunité masculine, la loi, de fait, légitime et donc facilite les situations d'abus de pouvoirs sexuels. On interdit alors à tous les enfants, nés hors mariage, le droit de rechercher leur père ; aucun enfant naturel ne peut se prévaloir ainsi de l'héritage d'une famille légitime, et on fait porter aux seules femmes la responsabilité d'avoir été séduites. « On a craint d'être injuste envers les hommes, on n'a pas craint d'être barbare jusqu'à la démence envers les femmes ; par peur de compromettre à tort un seul homme, on a libéralement, généreusement, bravement sacrifié toutes les femmes. En mettant les hommes à l'abri de toute recherche, le code l'incite, le provoque à séduire » écrit Léon Richer, en 1883, dans sa remarquable étude critique féministe du droit français, *Le code des femmes*, publié en 1883 [4].

Deux arguments fondent la position des rédacteurs du *code civil* pour justifier leur position.

– Le risque d'une déclaration mensongère féminine : « Le législateur ne devait pas souffrir qu'une mère éhontée pût faire tomber à son gré une odieuse paternité sur la tête la plus innocente. Il fallait mettre l'homme honnête et d'une conduite pure à l'abri des attaques d'une femme impudente et d'enfants qui lui sont étrangers. Il fallait tarir la source d'actions scandaleuses, et dont le résultat est toujours arbitraire. » [5]

– La difficulté de la preuve : « La loi n'a pas les moyens de vérifier ces faits et en essayant des preuves, elle produirait plus de mal par le scandale de ses poursuites que la menace de la peine ne produirait d'avantages. » [6]

1. Sur les débats entre Bonaparte et Cambacérès, cf. Emile Accolas, *Les enfants naturels*, Librairie de la Bibliothèque nationale, 1871, p. 173-174.
2. Julie Daubié, *La femme pauvre au XIXᵉ siècle*, Paris, Guillemin, 1866, p. 15.
3. *Ibid.*, p. 186.
4. Léon Richer, *Le code des femmes*, Paris, E. Dentu, 1883, p. 221.
5. Commentaire de l'article 340, Code civil.
6. M. Rossi, *Traité de droit pénal*, cité par Louis-Désiré Legrand, *Le mariage et les mœurs en France*, Hachette, 1879, p. 340-341.

De fait, ce qui est en cause c'est le risque de troubler l'ordre masculin, l'ordre des familles, l'ordre des successions : alors, hors du mariage, « la paternité est couverte d'un voile impénétrable » [1].

La séduction

L'acte sexuel masculin est encore largement reconnu, selon les termes mêmes d'un membre du Corps législatif, en 1863, comme « trop près de la nature pour l'incriminer et le punir » [2]. Dès lors, faute de responsabilisation des hommes, les femmes sont considérées par les juristes et les magistrats, comme nécessairement responsables, qu'elles soient coupables, complices ou consentantes. La maxime : *volenti non fit injuria* (celui qui donne son consentement n'éprouve pas de dommages) fonde le droit. Les femmes séduites, partiellement protégées par le droit féodal, sont exclues de la législation française post-révolutionnaire.

En reprenant les termes emphatiques des rédacteurs du *code civil*, ceux-ci

> « Ont pensé qu'après seize ans, la séduction que la nature n'avait pas mise au rang des crimes, ne pouvait y être placée dans la société. Il est si difficile à cette époque de la vie, vu la précocité du sexe et son excessive sensibilité, de démêler l'effet de la séduction de l'abandon volontaire ! Quand les atteintes portées au cœur peuvent être réciproques, comment distinguer le trait qui l'a blessé ? Et comment reconnaître l'agresseur dans un combat où le vainqueur et le vaincu sont moins ennemis que complices ? » [3]

La complicité féminine évoquée par ce texte exclut l'hypothèse d'une contrainte qui, seule, aurait justifié le délit ou le crime de séduction ; il eut fallu alors considérer que *vainqueur* et *vaincu* ne sont pas également libres, puisque la séduction consiste à « triompher d'une résistance », en employant des moyens fondés sur la contrainte.

En 1856, Zachariae, opposant farouche à la recherche de paternité hors mariage, théorise, dans un cours sur le *code civil* français la doctrine dont s'est nourrie la jurisprudence en la matière :

> « On peut comparer toute personne nubile et non mariée à une forteresse. Celui qui fournit le dessein de la séduire et d'une manière générale, tous les célibataires

---

1. Commentaire de l'article 340 *du Code civil*.
2. Cité par Julie Daubié, *op. cit.*, p. 102.
3. Marcadé, Rapport au Conseil d'Etat, 17 février 1810, in Louis Legrand, *op. cit.*, p. 345-346, cité aussi dans Jean Amblard, *De la séduction*, Université de Paris, Faculté de droit, Paris, A. Rousseau, 1908, p. 50.

valides, peuvent être considérés comme formant l'armée du siège, à laquelle il arrive aussi que les hommes mariés fournissent leur contingent. Les femmes succom-
bent, comme les forteresses, quand l'attaque est bien menée ou quand elles sont mal
défendues. Il s'agit de savoir si elles se rendent le plus souvent par suite de la vigueur de l'attaque ou de la faiblesse de la défense. On a toute raison de croire que
les citadelles féminines capitulent généralement faute de résistance assez énergique
et prolongée. »

La conclusion que ce juriste tire de cette métaphore guerrière qui légitime ainsi les formes d'exercice du pouvoir sexuel masculin, et responsabilise les femmes d'y avoir succombé, est la suivante : « le moyen le plus propre
à encourager (les femmes) à la résistance, c'est de leur rendre aussi redoutable
que pesantes les conséquences de la capitulation. » [1]

L'avocat général Servan a, lui aussi, fondé une doctrine de la culpabilité
ontologique des femmes – dont on retrouve, tout au long du XIXe siècle, dans
les plaidoieries – tout ou partie des éléments.

Les femmes sont coupables à plus d'un titre. D'abord d'oser « demander
réparation d'un délit si secret par sa nature » ; elles font alors preuve d'impudence, car elles « osent envisager des dédommagements pour une perte qui
n'est bien sentie pour autant qu'on la croit inestimable » et de cupidité : « leur
sensibilité à l'intérêt » est de fait suspecte. Elles sont coupables, en outre, en
dénonçant les hommes, de « trahir les devoirs, liés à la réserve que leur sexe
leur assigne : 'Je m'en défie, non parce qu'elle a commis une faute, mais parce
qu'elle a commis le dessein de la publier ; dès ce moment, je vois dans son caractère une audace qui la bannit de son sexe ; elle n'est plus femme'... Alors,
on doit se dire, voilà une fille qui a franchi toutes les barrières de son sexe,
rien ne peut plus l'arrêter. » Même l'amour ne les excuse pas, car « si elles appartiennent à un amant, peuvent-elles être à la vérité ? » Ce qui est craint, en
réalité, c'est le pouvoir que les victimes ont de faire connaître les *turpitudes*
des hommes et de déstabiliser les rapports entre hommes et femmes, risque
d'autant plus grave qu'ils sont d'origine sociale différente. En effet, toujours
selon l'avocat général Servan, la menace du dévoilement des abus qui émane
de « filles d'un état obscur, convaincues de faiblesse et pour le moins soupçonnées de licence, pèse sur des hommes qui ont un rang, un nom, des ri-
chesses, du pouvoir ». Le risque est réel ; il doit être évité, il le fût : « Il est
aussi doux pour un citoyen, qu'honorable pour les lois de se dire à soi-même :
'dans tout le cours de ma vie, je suis tranquille, parce que je ne serai jamais

---

1. Cité notamment dans Abel Pouzol, *La recherche de paternité, Etude critique de sociologie et de législation comparée*, Bibliothèque de sociologie internationale, Paris, V. Giard et Brière, 1902, p. 231.

condamné sans des preuves convaincantes : je sais que ma fortune, ni ma personne ne seront point livrées à la fragilité d'un témoignage'. » Faute de quoi, conclut-il, le risque existe que « quelques assiduités, quelques familiarités innocentes servent de prétexte à l'accusation... Si nous voulons d'irréprochables témoins, ne les cherchons pas parmi les filles que la licence assiège de toutes parts. » [1]

Le juriste Abel Pouzol, dans un livre consacré, en 1902, à *la recherche de paternité*, juge sévèrement cette approche qu'il estime « plutôt emprunté au code de la galanterie qu'au *code pénal* » [2].

La législation concernant la séduction ; la jurisprudence

Le principe est donc posé que : « le corrupteur direct des filles mineures n'est pas répréhensible » [3]. Les rédacteurs du code ont affirmé « pouvoir croire abandonner les jeunes personnes à la vigilance de leurs parents, à la garde de la religion, aux principes de l'honneur, à la censure de l'opinion » [4].

Les attentats à la pudeur

Le lien entre la liberté ainsi conférée aux hommes et les conséquences sur leurs rapports avec les femmes et les enfants n'est pas contestable. Pour reprendre un jugement de Frédéric Le Play : « lorsque le code du 25 septembre 1791 eut, pour la première fois chez un peuple civilisé, établi en principe que la séduction n'est ni un délit, ni la violation d'un contrat, les mœurs reçurent aussitôt une facheuse atteinte. » [5]

Les conséquences de cette décision de ne pas incriminer les attentats à la pudeur, dans le code pénal, sont particulièrement graves. Citons un exemple particulièrement significatif : de 1810 à 1833, le nombre d'enfants abandonnés progresse de 55 800 à 130 945 [6].

1. Discours de l'avocat général Servan, cité dans Emile Accolas, *op. cit.*, p. 147 à 156.
2. Abel Pouzol. *op. cit.*, p. 315.
3. Julie Daubié. *op. cit.*, p. 82.
4. Cité par Albert Gigot, Ancien Prefet de police, La séduction et la recherche de paternité, in *La Réforme Sociale*, 1er février 1902, p. 5.
5. *Essai sur la condition de la femme en Europe et en Amérique*, Paris, Auguste Ghio, 1882, p. 404.
6. Frédéric Le Play, *L'organisation du travail selon la coutume des ateliers et la loi du décalogue*, E. Mame et fils, Tours, Paris, E. Dentu, p. 196.

Cette décision si lourde de conséquences n'est pas fortuite ; bien au-delà du XIXe siècle, le législateur s'oppose avec constance à toute remise en cause réelle du pouvoir sexuel masculin. Certes, une loi du 28 avril 1832, devenue l'article 331 du code pénal, reconnaît l'attentat à la pudeur. Mais aucune définition n'en est donnée, même si la jurisprudence considère, dans une acception très large, qu'il s'agit d'un « acte contraire aux mœurs, exercé intentionnellement et directement sur un individu » [1]. L'application de cette loi ne vaut que pour les enfants de moins de 11 ans, tandis que toutes les propositions d'élever cette protection de loi aux enfants jusqu'à 15 ans est repoussée.

Cependant, « en présence de la progression effrayante des attentats de cette nature » [2], une loi du 13 mai 1863 élève de 11 à 13 ans son application, si l'attentat à la pudeur est dépourvue de violence, de 11 à 15 ans si elle est accompagnée de violence. Selon les termes du rapporteur de la loi, « la multiplication de ces attentats prouve que la dépravation des mœurs l'emporte sur la réserve que l'enfant doit inspirer » et qu'il est donc nécessaire de « protéger les familles contre le désordre moral » [3]. Après 13 ou 15 ans, selon les deux cas sus-évoqués, les adolescentes sont considérées comme consentantes, ou sont censées avoir séduit les hommes. A ces deux exceptions près, le séducteur reste civilement irresponsable. Il faudra attendre l'année 1945 pour que les adolescent-es de moins de 15 ans puissent être concernées par cet article de loi.

C'est ainsi que le code français qui considère les femmes comme mineures pour l'administration de leurs biens, les traitent comme des majeures sur le plan sexuel, à l'âge de la puberté, huit ans avant leur majorité civile. « La séduction même d'une fille mineure n'est pas un délit… Celle qui n'appelle à son aide ni la violence ni le rapt… Mais à 15 ans et un jour, elle devient une bonne prise. » [4] On a pu définir l'âge de 13 ans pour les jeunes filles comme la *petite majorité de la prostitution*. « Ainsi, que l'homme qui la déshonore soit vieux et elle jeune ; qu'il soit riche et elle pauvre, elle a 15 ans, son rôle d'Eve a commencé », constate et s'indigne Ernest Legouvé, dans son *Histoire morale des femmes* [5]. Même Brunetière, qui est opposé à la recherche de paternité, reconnaît qu'entre l'âge de 15 et 21 ans, « c'est l'âge que l'on a choisi pour livrer (la jeune fille) sans défense à elle-même et au séducteur. Ce sont cinq années pendant lesquelles on la provoque en quelque sorte. » [6]

1. Garçon, *Code pénal annnoté*, p. 849, cité dans Louis Poughon, *De la séduction envisagée au double point de vue civil et pénal*, G. Gres et Cie, Paris, 1911, p. 40.
2. Cité dans Louis Poughon, *op. cit.*, p. 39.
3. *Ibid.*
4. Cité dans Louis Legrand, *op. cit.*, p. 345.
5. Ernest Legouvé, *Histoire morale des femmes*, Paris, G. Sandré, 1897, p. 65.
6. *La Revue des Deux mondes*, Ferdinand Brunetière, art. cit., p. 377.

Les exemples abondent. Citons l'un d'entre eux qui dévoile, en outre, comment la justice considère que l'offre de mariage par l'agresseur est considérée comme effaçant la violence exercée. En 1905, Pierre Courand, âgé de 23 ans, garçon de ferme à Ancenis, commet un attentat à la pudeur – il s'agit en réalité d'un viol déqualifié – sur la personne d'Augustine V., âgée de 12 ans et demi, employée chez le même patron que lui. Cet acte est si *poussé* que la jeune fille accouche une semaine avant le procès. L'inculpé, interrogé en cour d'assises, exprime son désir de réparer la faute en épousant la victime ; il est aussitôt mis en liberté provisoire, tandis que le ministère public abandonne l'accusation. Le Président du tribunal l'exhorte cependant à se présenter à la mairie d'Ancenis pour y reconnaître la paternité de l'enfant et demander les dispenses d'âge nécessaires au mariage [1].

Les attentats aux mœurs

Il existe certes un article concernant l'attentat aux mœurs qui peut apparaître plus contraignant. L'article 334 du *code pénal* punit d'un emprisonnement de 6 mois à 1 an de prison et d'une amende de 50 à 250 francs, « quiconque aura attenté aux mœurs, en excitant ou facilitant habituellement la débauche ou la corruption de la jeunesse de l'un ou l'autre sexe au-dessous de l'âge de 21 ans. » Certains magistrats ont cru pouvoir utiliser cette disposition en matière de séduction. Mais, depuis 1840, la jurisprudence a consacré une interprétation rigoureuse : l'article 334 n'est pas applicable à la séduction personnelle et directe ; elle n'atteint que le proxénétisme qui fait de « l'habitude » un métier. Un jugement du Tribunal de Niort en date du 7 décembre 1861 est sans ambiguïté, à cet égard : « Il est de principe et de jurisprudence que l'individu qui a excité à la débauche pour satisfaire ses passions propres n'est point regardé comme coupable par notre législation. » [2]

En outre, les conditions mises par les tribunaux en matière d'habitude sont définies de manière limitative :

– Les actes délictueux ne sont retenus que s'ils sont répétitifs. Un jugement, en appel, en date du 1er juillet 1904, relaxe un peintre accusé de délit d'excitation de mineurs à la débauche, dans son atelier de Montparnasse : « Considérant que, bien que les actes de débauche relevés contre X ont bien

1. *La Gazette des Tribunaux*, 13 et 14 mars 1905.
2. Cité dans Léon Richer, *Le code des femmes, op. cit.*, p. 133.

eu lieu avec le concours successifs de différentes personnes, et qu'ils aient été répétés dans la soirée du... on ne saurait trouver dans ces faits, si dégradants et si dépravés qu'ils soient, l'habitude; qu'en effet, ils ont été accomplis de 9 heures à minuit et n'ont fait l'objet que d'une seule et même séance. » [1] Ainsi, la plainte conjointe de plusieurs victimes n'est pas considérée comme recevable.

– Ces actes requièrent d'autres témoins que la seule victime : « Les actes de lubricité commis sur les mineurs alors que le prévenu ne s'est livré à ces coupables pratiques que lorsqu'il était seul avec l'un d'entre eux et qu'ainsi les actes honteux par lesquels il a satisfait ses instincts dépravés n'ont eu d'autre témoin que celui de ces mineurs qui en était la victime. Il s'en suit que la ré-itération de tels actes ainsi acccomplis ne saurait constituer l'habitude exi-gée par l'article 334 », affirme la Cour de Cassation, un an plus tard [2].

L'enlèvement de mineure

Par ailleurs, l'enlèvement d'une fille mineure – au terme de l'alinéa 2 de l'article 340 du *code pénal* qui pose la responsabilité du séducteur – n'est pas reconnu sans preuve de séquestration. C'est ce qu'a jugé la Cour de Bordeaux le 3 juin 1885 dans le cas d'une enfant de 15 ans qui travaillait comme ou-vrière et qu'un homme riche avait emmené clandestinement dans son châ-teau où il l'avait rendue mère [3].

L'outrage public à la pudeur

Enfin, l'entreprise n'étant pas considérée comme un lieu public, les ou-trages publics à la pudeur, prévus par l'article 333 de *code pénal* ne peuvent y être dénoncés. L'arrêt de la Cour de Cassation, en date du 16 juin 1906, pose clairement la doctrine :

> « A la différence de l'accusation d'attentat à la pudeur, la prévention d'outrage public à la pudeur n'a pas élémentairement pour objet la répression des actes im-pudiques en tant que commis à l'égard d'une personne déterminée. Elle a pour but,

---

1. *La Gazette des Tribunaux*, 1er juillet 1904.
2. *Ibid.*, Cour de Cassation, Chambre criminelle, 19 mars 1905.
3. Albert Gigot, *op. cit.*, p. 9.

d'une manière spéciale, la réparation du scandale causé par de tels actes et la protection due aux tiers qui peuvent être témoins. C'est ce scandale même qui fait la criminalité de l'acte et non pas essentiellement l'atteinte individuelle portée à la pudeur de la personne qui en a été l'objet. » [1]

Là où il n'y a ni publicité, ni témoin, il n'y a pas de délit.

L'entreprise hors la loi

Les nombreux observateurs – qui, à la fin du XIXe siècle, se sont penchés sur ce problème de la séduction – ont posé le lien entre l'état de cette législation et le contexte dans lequel s'opère la salarisation grandissante des femmes, dans l'industrie notamment. Le juriste Jean Amblard, considère même, en 1908, qu'il « n'est point de question plus actuelle et plus angoissante » [2], tandis que Julie Daubié, une fois encore précurseuse, a établi, dès 1866, le lien, « dans la législation moderne », entre « la déchéance de l'ouvrière et les primes d'encouragement données à de riches séducteurs… Par une inconséquence et une aberration inexplicables, c'est le jour où la femme franchit le seuil de la fabrique que la loi française brise tout lien moral. » [3] Pour cette raison, elle affirme vouloir inscrire sur la porte des manufactures, «ces mots sinistres, amnistie de toutes les turpitudes: les enfants naturels sont à la charge des mères. » [4]

C'est en effet, sans conteste, les abus d'autorité des patrons et des contremaîtres qui, sous couvert de séduction, représentent les pratiques d'abus sexuels les plus fréquentes, sans doute aussi les plus scandaleuses. Pourtant, aucun des nombreux ouvrages consacrés à la séduction, parus entre 1880 et 1920, ne mentionne de décision de jurisprudence relative à l'entreprise.

L'impunité sexuelle masculine

Non seulement les pouvoirs sexuels des hommes sont protégés par l'interdiction de recherche de paternité, par l'autorisation d'avoir une maîtresse hors du foyer conjugal, par la législation en matière de prostitution qui confère

1. *La Gazette des Tribunaux*, 24 juin 1906.
2. Jean Amblard, *op. cit.*, p. 3.
3. Julie Daubié, *op. cit.*, p. 182.
4. *Ibid.*, p. 59.

aux prostituées l'entière responsabilité de leur conduite, mais en outre, c'est en toute justice que les hommes sont garantis dans leur droit à la possession sexuelle des jeunes filles, indépendamment de toute appréciation sur les moyens employés, ou sur les rapports de force en présence.

Cette quasi-impunité sexuelle masculine, suggère à Julie Daubié des réflexions pertinentes en matière de pénalisation du viol. En effet,

> « dès lors que nos tribunaux déclarent solennellement que toute corruption directe des filles mineures mêmes est un droit civil, nous sommes illogiques en recherchant le viol commis presque tous les jours par des individus qui ont momentanément manqué de l'occasion, de l'argent ou de l'autorité nécessaire à la satisfaction régulière de leurs passions. » [1]

Un poème, écrit, en 1912, par le doyen du Barreau de Paris nous interroge, sans doute mieux que de longs discours, sur la perception par la justice de la notion de contrainte sexuelle, et donc sur la conception même des violences sexuelles. La situation évoquée est qualifiée de *charmante idylle* et présentée comme *la troublante rencontre du poète avec une jeune paysanne* par *la Gazette des Tribunaux*, principale revue juridique française, où ce poème est publié. Le voici [2].

Voici le bois où sont les muguets blancs
Que je cueillis un matin avec Jeanne
Un peu défaite et les cheveux aux vents,
Elle a perdu son bouquet et... son âne.
Heureux Vingt ans !

Bonjour, Jeannette, où vas-tu par les champs ?
Ah ! quel accent avait ma voix émue.
Car je l'aimais et c'était le printemps...
Ne rougis pas, enfant, tu fus vaincue.
Par nos vingt ans !

1. *Ibid.*, p. 63.
2. *La Gazette des Tribunaux*, 18 et 19 novembre 1912.

2. L'ordre juridique et social menacé

La légitimation par le droit des atteintes aux droits de la personne humaine – ici, en l'occurrence, ceux des femmes et des enfants, – provoquent une évolution de l'opinion. C'est au nom d'une certaine conception de l'ordre social, de la justice, de l'institution familiale et de la protection des femmes, que des juristes s'attachent à réfuter les fondements de cet ordre juridique inique et s'engagent dans un combat pour sa révision. L'irresponsabilité masculine en effet provoque de telles injustices que c'est l'équilibre social lui-même qui est remis en cause.

Abel Pouzol, auteur d'un ouvrage sur *la recherche de paternité*, affirme, en 1902, que « depuis une cinquantaine d'années, la magistrature (est) effrayée par la multiplicité et la gravité de certains faits » [1].

Le nombre d'enfants privés d'état civil, la mortalité infantile, les infanticides, les avortements, la prostitution, la violence – notamment sexuelle – croissent. Les statistiques citées par Julie Daubié montrent que le nombre d'attentats à la pudeur sur les enfants double de 1825 à 1836, et triple de 1836 à 1850. Depuis cette date, la progression a été si ascendante, que ces délits, qui, de 1825 à 1836, ne formaient pas le cinquième des accusations contre les personnes, en représentent plus de la moitié en 1869 [2]. Malgré les restrictions posées par la loi, la proportion des *délits contre les mœurs*, est, sept fois plus forte, de 1876 à 1880, que de 1826 à 1830 [3]. A la session de la Cour d'assises de Paris, fin novembre 1882, l'institution judiciaire est obligée d'avoir deux sections pour y juger des attentats à la pudeur ou viols, 4 jours sur 11 et 5 jours sur 12 [4].

La justice est en outre accusée de partialité : « le nombre d'acquittements pour viols et autres attentats à la pudeur, même s'il s'agit d'enfants au dessous de 15 ans, est scandaleux » dénonce, pour sa part, M. Charles Dupin, au Sénat, le 25 juin 1867.

Pour Julie Daubié, c'est parce que « la loi commet tous les jours des forfaitures contre l'ordre naturel » [5], qu'elle ne plus s'appliquer. En matière d'infanticide, par exemple, alors que certains jurés des Cours d'assises appliquent aux femmes la loi dans toute sa rigueur, d'autres tentent d'en compenser la profonde injustice par l'indulgence. De fait, nombreux sont les acquittements en faveur des femmes, le plus souvent seules inculpées. « Les jurés ne

---

1. Abel Pouzol, *op. cit.*, p. 313.
2. Julie Daubié, *op. cit.*, p. 181.
3. *Ibid.*
4. Cité dans *Essai sur la condition des femmes en Europe et en Amérique, op. cit.*, p. 410.
5. Julie Daubié, *op. cit.*, p. 24.

pouvant frapper les deux coupables, absolvent le seul que la loi leur livre » affirme, en 1883, un avocat, ancien substitut [1]. Dès lors, ni la sévérité des tribunaux, ni leur mansuétude n'apparaît comme juste ; faute de trouver une justification dans le principe d'égalité devant la loi, les décisions de justice apparaissent rarement fondées. Les réactions souvent violentes du public en Cour d'assises s'expliquent notamment par la disproportion d'appréciation pour un même crime, mais aussi par l'équivalence des peines pour des crimes de nature fort différentes. « Le glaive de la loi a cessé de fonctionner contre les coupables parce qu'il faudrait frapper trop de monde et aussi parce qu'on ne peut atteindre des deux coupables que celui qui l'est le moins... La justice est déconcertée et donne le spectacle de la protection sociale qui s'évanouit et du retour à des procédés de barbarie qu'on légitime. » [2]

La loi provoque donc des effets que l'on qualifierait de *pervers* si on ne les savait inscrits au cœur même de la logique sociale. Les citoyens se font eux-mêmes justice ; les hommes parce que la loi le leur permet, les femmes par impossibilité de s'en prévaloir. Dans une thèse de droit, consacrée à *La séduction* soutenue à Paris en 1908, on peut lire ce jugement sans concession :

> « Notre loi est injuste et mal faite. La justice amène sur le banc d'infamie celle qui a eu tous les ennuis, qui a couru tous les dangers et laisse libre celui qui a eu tous les plaisirs et ne veut point en assumer la responsabilité. Le vrai coupable, c'est le séducteur ; il est la cause déterminante, quand il n'est pas le complice, et malgré cela, il peut aller la tête haute, comme conquérant, fier de victoires à la Pyrrhus qu'il a remportées sur un ennemi incapable de se défendre, sur une victime que sa misère et sa détresse morale mettaient à sa discrétion. » [3]

Dès lors, certains juristes, exceptionnellement au nom de la défense des droits des femmes (l'exemple le plus remarquable est Léon Richer), plus fréquemment, au nom de la défense de la famille, mettent à nu les bases d'un ordre inégal de plus en plus inacceptable et contesté. La comparaison entre les différentes formes de délits et de crimes fait apparaître clairement que les violences contre les femmes, les jeunes filles et les enfants peuvent être beaucoup moins sévèrement punies que les plus légères atteintes à la propriété. Le pouvoir accordé aux hommes est ainsi devenu, dans ses excès, porteur d'une remise en cause même de l'institution dont ils devaient être les garants. Portalis n'a-t-il pas affirmé que l'obéissance de la femme est un hommage rendu au pouvoir qui la protège ? C'est alors la famille même – base fondamentale de

1. *Réforme sociale*, F. Butel, Avocat, Ancien substitut, La répression de la séduction, 15 mai 1883, p. 502.
2. *Essai sur la condition des femmes en Europe et en Amérique*, *op. cit.*, p. 408.
3. Jacques Amblard, *De la séduction*, Thèse, Faculté de Droit, Paris 1908, p. 177.

l'édifice social – qui est remise en cause. En effet, la séduction, qui est la cause première des unions libres, a pour conséquence – en reprenant la formule de Julie Daubié – la croissance du nombre des « femmes perdues et des enfants trouvés ». La législation doit donc évoluer : « Les séducteurs ne sauront plus longtemps faire carrière. Il y va de l'interêt général, de l'avenir même de la famille. » [1] Et, au-delà, de l'équilibre social.

Car ce rapport inégal entre hommes et femmes contraint à poser le problème de la séduction, non seulement sous l'angle moral, mais aussi en termes d'inégalité sociale et sexuelle, donc en termes politiques. « L'homme est parfois le plus riche, toujours le plus fort ; est-ce pour cela que la loi vient à son secours ? Est-il équitable, est-il égalitaire que certaines classes servent aux plaisirs de certaines autres ? », s'interroge, en 1879, Louis Legrand dans un livre consacré au mariage et aux mœurs en France. Il poursuit : « C'est parmi les pauvres que la séduction moissonne ses victimes et la vertu devient ainsi l'apanage de l'aisance. Quelle paix sociale est possible dans de pareilles conditions et comment un siècle de démocratie ne se révolte-t-il pas contre ce côté aristocratique de la débauche ? » [2]

Un avocat, ancien substitut, exprime, en 1883, la même indignation :

> Non seulement, « c'est la fille pauvre qui souffre du régime qui en fait une proie offerte au libertinage des classes aisées, mais, en outre, la loi, en assurant l'impunité au séducteur, se fait la complice de l'homme riche et permet la spéculation sur la misère... Qui ne sent combien cela est odieux et comment ne pas surprendre, dans le sentiment de cette inégalité, le secret de ces haines, de ces révoltes qui attisent la guerre des classes inférieures contre les riches et dont il n'est pas un magistrat, pas un avocat qui n'ait eu la douloureuse confidence. » [3]

L'enjeu politique du problème de la séduction n'est pas moins que celui d'une aggravation des conflits sociaux entre les riches et les pauvres. Julie Daubié évoque, pour sa part, l'« irritation (des ouvriers) lorsqu'ils n'ont pu prémunir leurs femmes et leurs filles contre un déshonneur, pain quotidien du chômage. Alors leur visage est morne, leur œil vindicatif ; ils courbent la tête mais ils nourrissent, dans leur cœur, contre l'ordre social une haine profonde et des projets de vengeance qui ne sont que trop incurables. » [4] Pour enfin évoquer – pour mieux la conjurer ? – « la logique impitoyable qui parle de sacrifier à ses convoitises autant de femmes de la bourgeoisie que la bourgoisie a sacrifié de filles du peuple. » [5] La menace est brandie...

---

1. Abel Pouzol, *op. cit.*, p. 316.
2. Louis Legrand, *op. cit.*, p. 84-85.
3. F. Butel, *op. cit.*, p. 501.
4. Julie Daubié, *op. cit.*, p. 4.
5. Julie Daubié, *op. cit.*, p. 200.

3. Les intérêts dévoilés ; les arguments détournés

Un certain nombre de juristes s'attachent donc à récuser les fondements de cet ordre – qu'il faut bien appeler patriarcal – où la protection des biens prévaut, en outre sans conteste, sur celle des femmes et des enfants. Alexandre Dumas, dans sa préface à *La dame aux camélias*, se fait l'écho de cette réalité : « Le jour, écrit-il, où la société déclarera que l'honneur d'une femme et la vie d'un enfant sont des valeurs comme une douzaine de couverts ou un rouleau d'or, les hommes regarderont à travers les vitres sans oser les prendre et l'idée leur viendra de les acquérir et non de les voler. »

Ni le vol, l'escroquerie et l'abus de confiance ne s'appliquent à la protection de l'individu-e, même mineur-e :

> « On condamne celui qui extorque une signature et l'on ne pourrait condamner ces fripons qui s'adressent à des mineurs pour leur extorquer un consentement. On condamne l'individu qui voulant se faire remettre de l'argent fait usage d'une fausse qualité, emploie des manœuvres frauduleuses et l'on ne pourrait condamner ces escrocs de l'hyménée qui séduisent leurs fiancées et les abandonnent. On condamne, pour abus de confiance, l'homme qui abuse d'un blanc-seing et l'on ne pourrait condamner les misérables qui abusent de leur situation, de leur autorité, de leur influence, de leur fortune et de la confiance qu'ils inspirent pour détourner une jeune fille et la flétrir à jamais. » [1]

L'injustice ne s'arrête pas là. S'ajoute à l'opprobre sociale qui pèse sur la jeune fille séduite, les risques d'enfantement non désiré qui décide de toute une vie. Quant au séducteur, non seulement sa réputation n'est pas entachée, mais, selon Léon Richer, qui récuse cette double morale, « elle s'accroît en raison directe du nombre de ses bonnes fortunes, c'est-à-dire de ses trahisons. Trahir une pauvre fille, est-ce que cela compte ? Il faut bien que jeunesse s'amuse. La femme est un gibier d'amour : tant pis pour celle qui se laisse prendre ! » Et il poursuit, avec bon sens ou feinte naïveté : « Je n'ai jamais pu comprendre comment une action qui a besoin du concours de deux personnes est flétrissante pour l'une des deux seulement et, chose bizarre, pour celle à qui revient, dans l'affaire, la moindre part de responsabilité. » [2]

Cette législation est d'autant plus inique que la présomption qui fait de la femme un être traité, pour tous les actes de sa vie, en mineure ou en incapable, mise sous tutelle, est, sur le plan sexuel, renversée : supposées majeures

---

1. Abel Pouzol, *op. cit.*, p. 318.
2. Léon Richer, *La femme libre*, *op. cit.*, p. 118 et 120.

et donc responsables, à l'âge où elle sont sexuellement disponibles aux hommes, les jeunes filles, pourtant civilement mineures, peuvent être enfermées dans des maisons de prostitution ou embarquées par la police des mœurs, sur simple suspicion d'avoir provoqué du regard les passants.

Les mêmes auteurs qui critiquent l'interdiction de recherche de paternité récusent, en des termes très proches, les arguments justifiant les droits masculins acquis, en matière de séduction, qualifiée dorénavant de dolosive. Ceux-ci s'attaquent aux arguments couramment évoqués, à savoir : la possibilité de l'abus et de scandales ainsi que la difficulté de la preuve. Pour ces auteurs, Emile Accolas, Amédée de la Joncquières, Léon Richier, Abel Pouzol, l'abus ne réside pas dans la possibilité reconnue aux femmes du droit de se prévaloir des manœuvres de séduction pour demander réparation des dommages qu'elles auraient subis, mais dans l'absence de défense de leurs droits propres. C'est l'impunité du délit qui fait le scandale, et non l'usage abusif de la loi. Déjà, à la fin du XVIIIe siècle, Emile Accolas avait dénoncé cet argument – si souvent évoqué pour refuser toute avancée des droits des femmes : « l'argument se fait vieux qui consiste à retourner contre la règle le péril possible de l'abus » [1].

L'argument selon lequel les hommes seraient à la merci de femmes est aussi récusé, par le rappel de la loi sur la diffamation, qui protège, ici comme ailleurs, les personnnes s'estimant injustement accusés. Cette loi, en effet, en cette matière comme en d'autres, « assure la sanction du droit de chacun d'être respecté dans son honneur et sa considération » [2]. En tout état de cause, comme le rappelle Léon Richer : « Y aurait-il des abus à redouter, ce ne pourrait être une raison pour paralyser l'exercice d'un droit primordial » [3] et, comme l'affirme positivement Butel, « rien n'empêche de subordonner l'exercice de l'action à toutes les garanties propres à en prévenir les abus » [4].

Quant à l'argument de la difficulté de la preuve, présenté comme rédhibitoire par ceux qui défendent le *statu quo*, sa portée est fortement relativisée.

Tout d'abord, ces juristes rappellent que cette exigeance n'est pas spécifique au délit de séduction. Avec bon sens, Léon Richer constate que l'« on retrouve bien les voleurs et les assassins que l'on n'a pas vu commettre leur crime et que les juges d'instruction ne renoncent pas pour autant à poursuivre

1. Emile Accolas, *op. cit.*, p. 81.
2. Abel Pouzol, *op. cit.*, p. 221.
3. Leon Richer, *Le code des femmes*, *op. cit.*, p. 267.
4. F. Butel, *op. cit.*, p. 503.

les affaires qui leur sont confiées, sous prétexte qu'ils n'ont pas la certitude d'aboutir » [1].

D'un point de vue plus strictement juridique, Emile Accolas rappelle enfin les fondements constitutifs de notre système judiciaire : « La preuve par le juge n'est jamais qu'une probabilité plus ou moins probante ; il y a toujours place pour l'erreur dans son jugement car la preuve n'est jamais adéquate aux faits à prouver. Les législations positives dominées par la nature des choses reconnaissent deux espèces de probabilités ; les unes, dans lesquelles le fait à prouver est susceptible d'être constaté par un aveu, un témoignage écrit ou oral ; les autres où l'ensemble des circonstances guide seul l'intervention du juge. » [2] Il existe donc deux sortes de preuves, en matière de séduction dolosive, comme en d'autres : la constatation d'un fait qui donne la certitude absolue et celle fondée sur la présomption, sur une série de raisonnements, de déductions, dont le magistrat apprécie la valeur, en son intime conviction.

Il reste alors, pour les défenseurs du *statu quo,* comme ultime argument, la crainte du scandale qui est, selon Emile Accolas, « l'arme de toutes les lâchetées, le masque de toutes les hypocrisies » [3].

Dans le même sens, Abel Pouzol, estime que :

> « la seule et vraie raison difficilement avouable à la tribune, par laquelle on vient nous objecter éternellement le scandale quand nous demandons de modifier l'état de chose actuel, c'est la divulgation de faits et de gestes peu flatteurs et peu honorables généralement pour l'homme défendeur à des procès de ce genre. C'est la mise à jour de pas mal de lâchetés humaines et de reculades de conscience. » [4]

Julie Daubié enfin défend pour sa part une thèse radicale, selon laquelle : « tout ce qui est susceptible de preuve appartient à la publicité et tout ce qui appartient à la justice doit être réprimée » et iconoclaste lorsqu'elle affirme vouloir, au nom des droits imprescriptibles de la justice, que l'on cesse « de tracer, en fait de mœurs, des distinctions si insensées entre la vie privée et la vie publique » [5].

---

1. Léon Richer, *Le code des femmes*, p. 248.
2. Emile Accolas, *op. cit.*, p. 93-94.
3. *Ibid.*, p. 117.
4. Abel Pouzol, *op. cit.*, p. 227.
5. Julie Daubié, *op. cit.*, p. 98.

4. L'évolution du concept de séduction ; la séduction dolosive

Les controverses sur la reconnaissance de la séduction et la contestation d'une législation inadéquate et injuste ouvrent la voie aux débats sur la séduction dolosive, par abus d'autorité.

L'évolution de la notion de responsabilité

Les débats se focalisent autour du problème de la responsabilité respective des hommes et des femmes.

L'homme déresponsabilisé ; la femme coupable

Une première thèse, en accord avec l'esprit du code, soutient l'entière, voire même de la plus grande responsabilité de la femme en matière de séduction. Un arrêt de la cour de Bastia, en date du 28 août 1854, pose la doctrine :

> « Attendu que les relations intimes qui ont existé entre les deux parties ont été le résultat d'un entraînement réciproque et d'une volonté libre et réfléchie ; que l'on ne saurait sérieusement soutenir, dans de telles circonstances, qu'une femme peut être admise à réclamer par la voie judiciaire le prix de sa faiblesse, de son déshonneur ou de son libertinage... » [1]

Le fondement de cette analyse se présente comme justifié, pour l'homme, par la biologie et pour la femme, par la morale. La liberté sexuelle, définie comme un instinct ou un besoin, est entendue comme un droit masculin ; elle fait loi. Soixante ans plus tard, dans une thèse soutenue en 1908, sur *La responsabilité civile du séducteur*, Jean Dabert défend cette même analyse, au nom de l'argument selon lequel : « la société ne saurait ressembler à un vaste couvent où la chasteté serait obligatoire en dehors du mariage » [2]. Là encore l'excès, la possibilité de l'abus invalide le principe progressiste. Ce juriste considère, en tout état de cause, que « d'une façon générale, l'individu ne commet

---

1. Jean Dabert, *op. cit.*, p. 32.
2. *Ibid.*, p. 139-140.

aucune faute morale lorsqu'il accomplit un acte conforme à sa nature et à sa destinée ». Quant à la femme, « en s'abandonnant à l'homme, elle a prévu et bravé les rigueurs de l'opinion qui la poussaient à rester vertueuse. Elle est donc moralement plus coupable que l'homme qui n'a eu qu'à donner libre cours à ses instincts. Ainsi puisque sa faute morale est de beaucoup supérieure à celle de l'homme, il est bon de lui laisser l'entière responsabilité du préjudice qui en découle directement. » [1]

Lorsque la jurisprudence évolue, que la séduction est reconnue comme dolosive et que le principe des dommages-interêts est acquis (ce qui n'est pas synonyme d'accordés), ceux-ci doivent rester « minimes », affirme cependant, en 1873, un jugement du tribunal d'Aix: « Il serait très dangereux pour la morale, que les jeunes filles dont le premier devoir est de défendre leur honneur et de le mettre à l'abri de toute atteinte, pussent espérer trouver une source de bénéfice dans une faute qu'elles doivent éviter à tout prix. » [2]

De telles appréciations, qui marquent encore fortement les attendus judiciaires en matière de séduction, évoluent, au début du XXe siècle ; les filles séduites font naître des sentiments plus favorables, tandis que la conduite sexuelle des hommes devient progressivement l'objet des interrogations des magistrats.

L'inversion des responsabilités

D'autres juristes, plus nombreux, récusent cette thèse et estiment que « si la femme séduite ne peut jamais se dire innocente », la responsabilité de l'homme doit être posée. C'est la position défendue par Amédée de la Joncquières, en 1878, qui considère que « si la faute est commune, la responsabilité y est cependant fort inégalement partagée » [3].

Mais c'est le juge Magnaud, dans un jugement célèbre, en date du 23 novembre 1898, qui, le premier, inverse l'analyse en matière de responsabilité. Pour contourner les oppositions de la loi en matière d'interdiction de recherche de paternité, il utilise l'article 1382 du *code civil*: « Tout fait quelconque de l'homme qui cause à autrui un dommage oblige celui par la faute duquel il

1. *Ibid.*, p. 24.
2. Tribunal d'Aix, 11 août 1873, cité dans J. Amblard, *op. cit.*, p. 114.
3. Amédée de la Joncquières, *De la preuve de la filiation en droit romain et de la recherche de paternité en droit français*, Thèse, Faculté de droit de Paris, Imp. Goupy et Jordan, 1878, p. 78.

est arrivé à la réparer. » Il s'agit d'une jeune ouvrière de Château-Thierry, Eulalie Michaud, qui, séduite par un *fils de famille*, se retrouve, seule, sans moyen, à élever son enfant :

> « Attendu que c'est par le fait de S... à ne pas exécuter sa promesse de mariage, qu'Eulalie M. et son enfant se trouve dans le plus complet dénuement et que le défendeur est tenu de réparer la faute résultant de son grave délit ; attendu au surplus, que l'homme qui noue des relations intimes suivies avec une femme est en faute, aussi bien et même plus que celle-ci, en raison de son ascendant moral de n'avoir pas prévu les conséquences possibles ; que lorsqu'un enfant naît de ces relations et que l'homme s'est, comme dans le cas d'espèce, reconnu le père, il serait souverainement injuste de laisser la charge entière à la femme seule qui a déjà eu toutes les douleurs et les risques de la maternité... que la faute de l'homme est au moins égale à celle de la femme dans celle de l'entretien de leurs relations ; que la naissance de l'enfant est tout autant le fait de l'un que de l'autre ; qu'en faisant concevoir cet enfant à cette femme, il lui a créé une charge, c'est-à-dire un préjudice ; que ce préjudice est d'autant plus grave pour la femme qu'elle se trouve dans une situation particulièrement difficile pour s'établir ensuite par le mariage ; que l'homme qui cause à autrui un préjudice en doit la réparation dans la proportion de la part pour laquelle il y a contribué, et ce en vertu de l'article 1382 du code civil ; que déjà ce principe est consacré par la jurisprudence lorsqu'il y a eu de la part de l'homme des promesses faites ou contrainte morale exercée de façon à obtenir de la femme un abandon complet... ».
> Condamne S. à servir à la demanderesse... [1]

Ce jugement fort critiqué, est qualifié de *subversif*, de *bizarre* et son auteur, d'être un mauvais juriste. Les considérations qu'il emploie – qui dévoile les limites d'une science juridique, comme la relativité de ses fondements – sont appréciés par ses détracteurs comme fondés « plutôt sur des considérations humanitaires que sur une science juridique à toute épreuve » [2]. Il est de fait profondément novateur : le juge Magnaud considère qu'il y a un coupable et une victime et non pas deux coupables, et, sans abandonner la notion de faute commune, fait référence à celle, plus moderne, de responsabilité, considérée dans le cas d'espèce, comme inégalement partagée.

D'autres vont encore plus loin en déresponsabilisant totalement la jeune fille séduite, au nom d'une innocence présumée ; seul celui qui s'est servi de son pouvoir pour la pervertir, est responsable. En 1885, un avocat à la Cour d'appel de Lyon, dans une thèse de droit, défend l'idée selon laquelle si des patrons, des chefs d'ateliers, des maîtres, « sont trop sévèrement punis pour

---

1. Cité par Jean Ambland, *De la séduction*, Thèse de droit, Université de Paris, A Rousseau, 1908, p. 118 à 121.
2. *Ibid.*, Sur le juge Magnaud, cf. André Rossel, *Le bon juge*, A l'enseigne de l'arbre verdoyant Editeur, 1983, p. 29.

quelques galanteries, où serait le mal ? Cela les obligerait à être plus respectueux, plus dignes... Ils n'avaient qu'à ne pas se permettre ces familiarités là. Et il se pose la question de savoir si celles-ci sont toujours aussi anodines que cela. » [1] Ce postulat de la nécessaire responsabilité des hommes porte en elle-même, de manière tout aussi inacceptable, celle de l'irresponsabilité des femmes, laquelle ouvre la voie à la logique de la victimisation des femmes. Reconnaître que les femmes sont les victimes d'un ordre masculin n'est pas synonyme de leur enfermement dans un statut de victimes auquel elles ne peuvent échapper.

La séduction dolosive

Sous la pression des faits, en l'absence de tout texte positif, la jurisprudence introduit le concept de *séduction dolosive*. Lorsqu'à l'appui de plainte, la jeune fille fait état contre son séducteur de manœuvres dolosives pour la séduire, la surprendre ou vaincre sa résistance, ou lorsqu'elle établit que ce dernier à eu recours à une fallacieuse promesse de mariage, ou qu'il a abusé de la supériorité due à son âge, de sa position sociale, de son influence, les tribunaux estiment qu'il y a là un délit dont la victime a le droit de demander réparation. Mais ce délit ne peut être reconnu que si elle est à même de prouver conjointement la contrainte et sa résistance à cette contrainte.

Par *manœuvres dolosives*, les juristes entendent : « toute espèce d'artifice qui a pour but de tromper la fille séduite et de la faire consentir à des relations intimes qu'elle refuse de nouer » [2], ou : « tous artifices ou manœuvres employées pour surprendre son consentement ou vaincre sa résistance » [3]. Quant à l'abus d'autorité, il existe « toutes les fois qu'un individu, quel qu'il soit, pour obtenir des complaisances de sa victime, se sera servi de l'ascendant que sa situation peut lui donner sur elle » [4].

Les tribunaux ont la charge de déterminer manœuvres et abus de pouvoirs et d'en dresser la liste. Le premier délit reconnu est la promesse de mariage, « employée comme moyen de séduction », de mauvaise foi, avec

1. Léon Durand, Avocat à la cour d'appel de Lyon, *De la famille hors la loi*, Thèse Droit, Faculté de droit de Lyon, 1885, p. 13-14.
2. Jean Amblard, *op. cit.*, p. 121.
3. Jean Dabert, *op. cit.*, p. 44.
4. Louis Poughon, *De la séduction envisagée au double point de vue civil et pénal*, G. Grès et Cie, Paris, 1911, p. 96.

l'intention de ne pas la tenir, et uniquement comme ultime moyen pour arriver à ses fins » [1]. C'est le plus couramment évoqué. Mais cette reconnaissance ouvre la voie à la prise en compte d'autres moyens de pressions. Aussi, la jurisprudence ne s'arrête pas en chemin et progressivement élargit cette interprétation, autour de la notion de contrainte. Sont alors inclus de fait « toutes les situations où les relations illicites sont la conséquence d'artifices et de manœuvres employés par l'homme, le consentement de la femme a été surpris. C'est alors admettre que qu'il y a lieu dans ce cas à réparation du préjudice subi. » [2]

L'évolution de la jurisprudence. L'abus de situation sociale et d'autorité

En 1861, pour la première fois, la Cour de Dijon donne l'interprétation la plus large de la notion d'abus de situation sociale et d'autorité :

« L'inégalité d'âge, d'intelligence, de position sociale et même de forces physiques ne permet pas de douter qu'il n'y ait eu à l'égard de la jeune B. une contrainte morale exclusive d'un consentement intelligent et d'un entraînement volontaire. Dans ces conditions, la réparation toute entière appartient au séducteur. » [3]

Le cas évoqué est celui d'une enfant de 13 ans et demi qui vient de faire sa première communion, placée comme domestique et séduite par le frère de sa patronne, âgé de 24 ans. Cette interprétation novatrice intègre, dans sa généralité théorique, des faits tels que l'abus de l'ascendant résultant de la qualité de patron, du contremaître, du maître, que des jugements ultérieurs ont mis en relief.

Mais l'arrêt qui eut le plus de retentissement est rendu par la Cour de Caen, le 10 juin 1862, en faveur d'une jeune fille séduite à l'âge de 16 ans, par M. L. âgé de 51 ans, marié et père de famille, avec lequel elle a eu six enfants. Il est condamné à lui payer 4 000 francs, plus une rente viagère de 500 francs, ainsi qu'une somme de 5 000 francs annuels pour chacun des enfants jusqu'à leur 18 ème année, accompagnée d'une rente viagère de 250 francs. Voici les attendus du jugement :

1. Jean Amblard, *op. cit.*, p. 122.
2. Jean Dabert, *op. cit.*, p. 66.
3. Dijon, 16 avril 1861, D. 61. 5. 423.

« …Considérant que la faute dont la fille G. se prétend la victime, ressort non seulement des lettres de L. mais des autres faits constants au procès ; que l'intimée avait à peine 18 ans… ; que L. avait le double de son âge, qu'il était dans une position élevée tant par sa fortune que par ses relations ; que, pour vaincre une résistance qu'il avait d'abord éprouvée, puisqu'il traite de sacrifice la chute de la fille G., il a dû employer des manœuvres dolosives auxquelles une jeune fille innocente et pure ne pouvait résister ; que cette séduction qui ne peut être comparée aux séductions ordinaires dans lesquelles on ne saurait trouver un coupable et une victime, constitue donc, de la part de L. une véritable faute dont il doit la réparation, puisqu'il y a eu préjudice souffert. Or, considérant que la fille G. par suite de ses relations coupables avec lui, a vu son avenir brisé (L. le dit dans ses lettres) ; que, sans la séduction dont elle a été la victime, elle aurait pu vivre honnêtement et devenir une mère de famille honorable ; que c'est par le fait de L., qu'une pareille existence lui est refusée ; qu'elle n'a pas appris un métier qui eut pu lui permettre de subvenir à ses besoins, et que c'est encore par la faute de l'appelant qu'elle a été privée de cette ressource, qu'il lui a donc causé un préjudice grave, dont aux termes de l'article 1382, il est responsable. » [1]

Cet arrêt définit la séduction par l'existence de *manœuvres dolosives*, précise les circonstances aggravantes de l'abus de situation, d'expérience, enfin d'inégalité d'âge. Mais, dans tous les cas, la preuve doit être nettement établie de la relation de cause à effet entre ces manœuvres, qui doivent être antérieures aux relations sexuelles et la séduction. La jurisprudence élargit ensuite cette interprétation à la contrainte morale, définie comme : « l'état de fait qui place la fille vis-à-vis de son séducteur dans une situation d'infériorité, telle que le don d'elle-même n'a pas été entièrement libre et a été déterminé par des considérations indépendantes de sa volonté. » [2] Cette *contrainte morale* peut résulter de la supériorité d'âge, de la situation sociale et de l'abus d'autorité.

Un jugement est rendu, en 1879, en faveur d'une jeune fille de 16 ans séduite par un parent de 45 ans dont elle est la domestique. Celui-ci est intéressant dans la mesure où il reconnaît dans la situation même de subordination, une faute, indépendamment de la violence exercée :

« Considérant, sans qu'il y ait lieu à aucune recherche, qu'il est suffisamment démontré par les faits qui précèdent, que B. a entretenu avec Eugénie G.,

---

1. Caen, 10 juin 1862, D. 62. 2. 129, cité dans Jean Amblard, op. cit., p. 123 à 125.
2. Jean Amblard, *op. cit.*, p. 129.

pendant qu'elle était chez lui des relations intimes ; que le seul fait de ces relations, dans les conditions où elles se sont établies, indépendamment de toute
violence physique exercée sur la jeune fille, constitue à la charge de B., homme
de 45 ans, une faute grave qui a causé à la fille G. un préjudice et qu'il est
tenu de le réparer ; qu'en effet l'âge de la jeune fille comparée au sien, sa qualité de parent, sa qualité de maître, la délégation d'autorité qu'il avait reçue
de la famille d'Eugénie G., lui faisait un devoir de conscience de la surveiller
et de la diriger, à plus forte raison de la respecter ; qu'en admettant qu'elle
n'ait pas opposé toute la résistance dont elle était capable, son consentement
ne peut être considéré comme spontané ; que son isolement, la disposition des
lieux, son état de dépendance, sa situation d'orpheline, les démarches faites
par B. pour la retenir lui permettaient difficilement de se soustraire à l'ascendant moral de son maître et de s'opposer à l'accomplissement de ses désirs. Condamne B. à 10 000 francs de dommages et intérêts. » [1]

Citons enfin ce jugement rendu, dans le même sens, en 1888, à l'encontre
d'Isidore X., en faveur de Maria Z., laquelle « prétend que, voulant résister
à son séducteur, elle n'a cédé qu'à une sorte de violence, tout à fait malgré
elle, à la suite de manœuvres dolosives » :

« Attendu que l'on ne saurait méconnaître que, pour l'accomplissement
de ses désirs, Isidore X. a usé à la fois de la familiarité résultant des relations
de famille et de l'habitation commune, de la supériorité que lui donnait sa
force, son expérience, son âge, sa fortune, sa position de fils du maître vis-à-
vis d'une employée ; qu'en admettant que Maria Z. n'ait pas opposé toute la
résistance dont elle était capable, son consentement ne peut être considéré
comme ayant été spontané et libre, qu'elle n'a cédé tout au moins qu'à une
contrainte morale. » [2]

La jurisprudence est cependant fluctuante, car en plus du rapport d'autorité, entrent en ligne de compte dans l'appréciation des tribunaux, l'âge res-
pectif des protagonistes, leur condition sociale, la durée des relations.

Une telle évolution suscite critiques et résistances : si, pour certains juristes,
ces situations sont certes « dignes de pitié », ils estiment que la jurisprudence
fait cependant « fausse route », car, en ouvrant la voie à de telles excuses, les
tribunaux créent « involontairement une véritable présomption de manœuvres
dolosives, tirées de certaines qualités spéciales, celle de maître ou de patron.

---

1. Bourges, 28 mai 1879, D. 80. 2. 111, cité dans Amblard, *op. cit.*, p. 132. Dans le même sens, on peut aussi
citer l'arrêt de la Cour de Paris en date du 16 mars 1892 (Dalloz, 93. 2. 541) et l'arrêt de la Cour de Dijon du 1er
décembre 1868 (Dalloz, 68. 2. 248) cité in A. Gigot, *op. cit.*, p. 10.
2. Avallon, 18 janvier 1888, D. 92. 2. 309, cité dans Amblard, *op. cit.*, p. 131.

Cette présomption risque fort d'avoir pour conséquence de faire payer au maître le plaisir du marmiton ou du palefrenier... » [1] Plusieurs jugements refusent toute évolution et s'en tiennent au cadre juridique posé par les rédacteurs du code.

5. Une proposition législative de pénalisation de la séduction dolosive

Au cours des vingt dernières années du XIXe siècle, plusieurs auteurs demandent l'intervention du législateur en vue d'une pénalisation de la séduction dolosive. Dès 1876, une proposition de réforme législative est faite par un avocat, Albert Millet, auteur d'un livre intitulé : *De la séduction*. De son côté, Ernest Legouvé, dans son *Histoire morale des femmes*, publiée en 1890, affirme que cette loi doit exister, car « il est impossible qu'une société vive avec un tel cancer au cœur » [2]. En 1894, dans une thèse consacrée à l'avortement, M. Montier considère cette législation, déjà appliquée dans plusieurs pays étrangers, comme étant « de bonne justice » [3]. En 1902, enfin, dans son livre sur *La recherche de paternité*, Abel Pouzol affirme qu'il faut « avoir le courage d'envisager cette nécessité d'une sanction pénale de la séduction dolosive » [4].

Cette même année, le député Maurice Collin dépose, le 14 novembre 1902, sur les bureaux de la Chambre une proposition de loi reprenant les propres termes du projet Millet, rédigé 25 ans auparavant. Ce projet a pour but de modifier les articles 331 et 335 du *code pénal* relatifs à l'attentat à la pudeur et à l'excitation de mineurs à la débauche et de créer un nouveau délit, celui de séduction frauduleuse. Limité aux femmes mineures, il est novateur en ce sens qu'il nomme et incrimine la séduction frauduleuse, l'abus de pouvoir étant alors une circonstance aggravante du délit. Le projet croit bon de rappeler que toute imputation calomnieuse est passible de peine.

Maurice Collin invoque des arguments pertinents pour appuyer sa démarche :

« Il est une séduction qu'il faudrait frapper plus sévèrement, car elle apparaît plus particulièrement odieuse : c'est la séduction qui emprunte, tout au partie de sa puissance, à l'autorité de droit ou de fait dont le séducteur est investi sur sa victime. On ne peut par exemple ignorer le cynisme avec lequel certains employeurs abusent des femmes placées sous leurs ordres. Sans doute, ils ne font point appel à

---

1. Jean Dabert, *op. cit.*, p. 88.
2. Ernest Legouvé, *op. cit.*, p. 73.
3. Cité par Louis Poughon, *op. cit.*, p. 65
4. Abel Pouzol, *op. cit.*, p. 313.

la violence, mais quand une pauvre fille se sait menacée de perdre son gagne pain, si elle n'accepte pas les caresses du misérable qui la paie, il y a là une sorte de viol moral, non moins odieux que le viol physique. Contre un pareil abus, la loi doit protéger toutes les femmes. Quand il s'agit de mineures, il est inadmissible qu'elle reste muette et, si elle frappe la séduction frauduleuse des mineures, il est indispensable qu'elle se montre ici particulièrement sévère. Certes, il y a aurait toujours des filles séduites et abandonnées. Mais tout au moins, pour agir sans risque, les séducteurs devraient s'attaquer aux femmes que le législateur peut légitimement présumer capables de se protéger elles-mêmes. »

C'est dans cet esprit que sera rédigée une proposition d'un article 335 du *code pénal,* ancêtre de la loi sur le harcèlement sexuel, votée le 2 décembre 1991 :

« Quiconque aura séduit une jeune fille mineure, âgée de plus de 15 ans, soit en employant des manœuvres frauduleuses ou des promesses mensongères, soit en abusant de la confiance, des faiblesses ou des passions de cette mineure pour extorquer son consentement, sera puni d'un emprisonnement de 6 mois au moins et de 2 ans au plus et d'une amende de 100 à 2 000 francs. Si le séducteur d'une fille mineure, âgée de plus de 15 ans, est de la classe des personnes qui ont autorité sur elle, s'il est son tuteur, son professeur, son patron ou son maître, s'il est serviteur à gages de la fille séduite ou des personnes qui ont autorité sur elle, s'il est fonctionnaire ou ministre des cultes, la peine sera de 2 ans à 5 ans de prison et l'amende de 500 à 5 000 francs. Le délit de séduction frauduleuse ne pourra être poursuivi que sur la plainte de la fille séduite, ou de ses père, mère ou tuteur. Toute personne convaincue d'avoir, dans une plainte de ce genre, porté une imputation calomnieuse, sera punie d'un emprisonnement de 6 mois à 2 ans et d'une amende de 100 à 2 000 francs. » [1]

Ce projet soutenu par les féministes [2] ne fut ni voté, ni même discuté.

Dix ans après ce projet avorté, la loi du 16 novembre 1912 concernant la recherche de paternité prévoit parmi les conditions permissives de cette recherche, les cas de séduction accomplie à l'aide de manœuvres dolosives, abus d'autorité ou de promesses de mariage ou de fiançailles.

---

1. *Journal officiel,* Documents Parlementaires, Annexe No 446, Séance du 14 novembre 1902, p. 280 à 282.
2. *La Fronde,* Renée Rambaud, La prostitution des mineures, 17 décembre 1902.

Chapitre 8
Le silence des femmes

Une honnête femme sait toujours
se faire respecter [1].

La femme, dès son plus jeune âge, reçoit
une éducation qui fausse ses attitudes...
On ne l'empêche pas seulement de penser
ce qu'elle dit; on lui défend de dire
ce qu'elle pense [2].

Le silence des femmes confrontées aux agressions ou aux chantages sexuels ne peut être isolé de celui, plus global, auquel elles sont contraintes, au XIXᵉ siècle, dans leurs foyers, comme au travail. A l'aube du XXᵉ siècle, la situation se renverse; c'est leur silence qui devient obsédant, qui est critiqué par les forces de progrès. De fait, leur parole se libère progressivement; leur accès au travail salarié, la plus grande facilité du divorce due à la loi de 1884, les progrès, bien lents encore, de la contraception contribuent à désserrer les

1. Hectot Malot, *Séduction*, Paris, E. Dentu, 1881, p. 209.
2. Eugénie Niboyet, *Le vrai livre des femmes*, Paris, E. Dentu, 1863, p. 160.

contraintes sociales et sexuelles qui pèsent sur elles. Après la Première Guerre mondiale, la découverte du freudisme, l'émergence d'un droit au plaisir comme au bonheur pour les femmes, leur permettent d'être plus autonomes.

1. La contrainte au silence ; réalités et jugements

Les femmes au travail, doublement controlées par l'autorité patronale et maritale, moins exercées que les hommes à l'action collective, sont encore, à quelques exceptions près, au XIXe siècle, les *muettes du sérail*.

Le pouvoir du chef de famille ; l'enfermement familial

Dans leur grande majorité, les femmes du peuple ne connaissent que la résignation qu'on leur a imposée au foyer où l'homme, le père, le mari les mettent souvent devant la nécessité de se plier à leur volonté.

> « Sont-ils si nombreux, demande Marie Guillot, féministe et socialiste, les maris qui traitent leur femme en égale, prenant son avis, discutant ses raisons et déterminant la conduite des affaires communes par une entente commune ? » [1]

La réponse ne semble, pour elle, pas faire de doute.

L'isolement et l'enfermement auxquels les femmes sont contraintes dans leur foyer ne les prédisposent ni à la solidarité, ni à l'ouverture au monde extérieur :

> « La femme travaille seule. Et chaque fois, c'est la même besogne qu'il faut recommencer, elle est connue et familière, elle est toujours la même. Par sa sphère d'activité, elle est accoutumée à penser en fonction de ce qu'elle a directement sous les yeux ; toute sa vie est enfermée dans d'étroites frontières. Son ménage est, pour elle, la mesure de toute chose. De ce qui se passe en dehors de la maison, elle sait peu de choses, elle ne s'y interesse guère. Si elle lit, ce ne sont que des contes ou des faits divers ; toujours des choses petites, particulières, personnelles. . Et le sentiment maternel la maintient encore davantage à l'écart de la société. »

Ce constat n'émane pas d'un misogyne, mais d'une femme dans un congrès international de femmes en 1923 [2]. Madeleine Pelletier va même jusqu'à

---

1. *La Bataille Syndicaliste*, Marie Guillot, Notre féminisme, 28 Juillet 1913.
2. *L'Ouvrière*, Henriette Host, Discours prononcé pendant la semaine internationale des femmes : L'homme et la femme dans la classe ouvrière, 7 avril 1923.

écrire : « bornées au cercle étroit de la famille, (les femmes) ne comprennent rien à tout ce qui le dépasse. Seul l'intérêt immédiat, son intérêt à elle et celui de son foyer la guident. Elle s'insurge d'instinct contre tout ce qui peut le menacer. » [1] Toujours selon elle, « même si les jeunes filles, de la bourgeoisie surtout, se marient pour être libres, lorsque les femmes s'affranchissent de la tutelle familiale, c'est pour tomber sous le joug d'un homme. Même la célibataire, qui vit seule dans la chasteté, qui n'a pas de mari ou d'amant jaloux à craindre, ne se comporte pas autrement que la femme mariée. Son existence méthodique et vide est comme un culte rendu au sexe masculin dont l'autorité pèse néanmoins sur elle. S'affranchirait-elle de la concierge, de ses voisins, que la société lui rappelle à chaque instant qu'elle appartient au peuple esclave. Jeune et jolie, elle est en butte aux grossieretés masculines ; disgraciée par la nature, elle essuie les quolibets ; vieille, on injurie son âge. Des règlements de police protègent les hommes contre les assiduités des racrocheuses, mais la femme, sans doute parce qu'elle est plus faible, est laissée à la merci des racrocheurs. Dans les rues, pour l'entretien desquelles on ne manque pas cependant de lui demander sa contribution, elle est comme en pays ennemi ; aussi, elle se hâte. A la campagne, c'est pire qu'à la ville. » [2]

La soumission maritale ; les limites de l'indépendance des femmes

En 1922, une communiste, la *camarade* Badet, évoquant, dans *l'Ouvrière*, la situation dans les Basses-Pyrénées, se demande « comment les femmes qui n'appellent jamais autrement leur mari que *lou meste* (le maître) peuvent avoir conscience de leur situation d'exploitées, elles qui ne se rebellent pas contre l'autorité maritale [3] ». Le pouvoir conféré au mari d'autoriser sa femme à travailler, les pressions sociales exercées par le milieu environnant, le voisinage et les belles familles limitent considérablement leur liberté ; les femmes vivent et travaillent sous tutelle, sous réserve, sous contrôle, sous menace et sans pouvoir se prévaloir, en cas de contraintes ou de violences, de la protection de la justice. Un procès au tribunal correctionnel d'Orléans, en 1884, est, en ce sens révélateur. La plaignante est enfermée tous les soirs par son mari, lequel est semble-t-il, par ailleurs, l'amant de sa mère. Depuis trois années, outre

---

1. *Ibid.*, Madeleine Pelletier, La femme au pouvoir, 9 février 1924.
2. Madeleine Pelletier, *L'émancipation sexuelle de la femme*, Paris, V. Giard & Brière, 1911, p. 7, 8, 9.
3. *L'Ouvrière*, Rapport du secrétariat féminin du parti communiste, 23 septembre 1922.

les menaces de mort, il exerce régulièrement des sévices physiques sur elle (on évoque notamment des coups de poings sur le visage). Le Président du tribunal « fait observer à la plaignante qu'en admettant que les accusations soient vraies, (sic) elle aurait mieux fait de garder le silence, car elle a causé, par cette affaire, un scandale qu'il eût mieux valu épargner à sa famille. » [1] Cette caricature de procès n'est pas exceptionnelle. Tout, y compris la justice, contribue à leur imposer le silence.

Les cas extrêmes d'assassinats de femmes au travail par des maris, inquiets ou jaloux de la *concurrence masculine* des collègues ou des supérieurs hiérarchiques ne sont pas exceptionnels ; ils nous dévoilent les limites du droit au travail des femmes.

Voici quelques exemples, parmi d'autres.

En 1900, une dénommée Arsénie travaillant à la fabrique Lebaudy est, sur suspicion de son compagnon, nommé Courcherie, sauvagement assassinée. Celui-ci apprend par un camarade qu'« elle accueillerait favorablement les avances » que lui fait un ouvrier de la raffinerie. Sans autre élément de preuve et sans autre forme de procès, il lui taillade la gorge et lui brise le crâne avec un marteau, « poussé par une irrésistible jalousie ». Bien qu'il ait fait des aveux complets et qu'il ait informé préalablement de son intention plusieurs personnes : « Je lui ouvrirai le sein et je ne la lâcherai pas jusqu'à ce que je verrai son cœur battre » avait-t-il proclamé, il fut acquitté par la Cour d'Assises de la Seine [2].

En 1901, un mari tire trois balles, dont deux dans la tête, sur sa femme. Il déclare avoir agi sous l'empire de la jalousie et explique que sa femme, dans le débit de boisson où elle sert, a « des allures extrêmement libres avec tous les clients et ne veut tenir aucun compte de ses observations ». Ayant vu un client l'embrasser, pourtant en sa présence, il exige qu'elle quitte son emploi. Devant son refus, il tire sur elle. Les témoins donnent de bons renseignements sur l'épouse assassinée ; leurs dépositions vont à l'encontre des soupçons du mari. Il est néanmoins acquitté [3].

En 1912, le maître d'hôtel du Pavillon d'Ermenonville tire, sans la tuer, cinq balles à bout portant, sur sa femme de 22 ans, caissière dans un autre restaurant parisien. Il l'accuse de le tromper avec le chasseur. Elle affirme au procès qu'elle a toujours eu une *conduite régulière*. Le Procureur de la République

1. *La Gazette des Tribunaux*, Tribunal correctionnel d'Orléans, 8 janvier 1894.
2. *Ibid.*, 29/30 janvier 1900.
3. *Ibid.*, 21 novembre 1901.

dans son réquisitoire a reproché au mari d'avoir « laissé sa femme exposée aux entraînements d'un établissement à la mode ». Il est, lui aussi, acquitté [1].

L'imposition du silence au travail

Comme les hommes, les femmes sont aussi confrontées à la contrainte brutale et quotidienne du travail, à la subordination humiliante, aux ordres des chefs, obsédées par le rendement et la cadence. Plus les conditions de travail sont pénibles, répétitives, dépourvues d'initiatives, plus cette soumission se traduit dans les consciences, se lit sur les corps. Décrivant la situation des domestiques au XIXe siècle, Guy Thuillier et Pierre Guiral écrivent :

> « Croyant toute résistance impossible, ne se doutant même pas qu'elle est possible, elles se reconnaissent inférieures, incapables de toute initiative. Elles se règlent entièrement sur la conduite de ceux qui les emploient. Le peu de sens critique qu'elles pouvaient posséder disparaît. Le travail machinal et ininterrompu auquel elles sont astreintes, les sèches paroles qu'on leur adresse les poussent dans un état de quasi hébétude. Elles deviennent routinières. Le moindre changement dans les habitudes les affole. Elles acceptent impassiblement tous les traitements sans en comprendre toujours la gravité. » [2]

Et, citant une thèse de Maurice Cusenier, de 1912, les auteurs concluent :

> « Elles deviennent indifférentes et offrent à toutes les vicissitudes qui viennent secouer leur âme un sérénité d'âme qui serait admirable si elles y parvenaient par un effort philosophique plutôt que par une regression de l'esprit. » [3]

Asservies, elles ont le comportement inhérent à leur position. Sans reprendre l'atavisme de ce jugement, les nombreuses enquêtes sociales nous laissent penser, sans trop de risque d'erreurs, que cette appréciation est valable pour nombre d'ouvrières et d'employées. L'oppression engendre souvent moins la révolte qu'elle ne provoque une tendance souvent irréversible à la soumision.

Les enquêtes ouvrières montrent que les conditions de travail des femmes, fortement marquées par le maintien de rapports du subordination, sont plus

---

1. *Ibid.*, 6 septembre 1912.
2. Guy Thuillier et Pierre Guiral *La vie quotidienne des domestiques en France au XIXe siècle*, Paris, Hachette, 1978, p. 120.
3. Maurice Cusenier, *Les domestiques en France*, Thèse en droit, Paris, A. Rousseau, 1912.

sévères, exigeantes, tâtillonnes, arbitraires, culpabilisatrices que celles imposées aux hommes. « L'usine est le lieu de l'obéissance, de la hiérarchie, du mépris. Les femmes doivent obéir sans regimber et sont perpétuellement soupçonnées, fautives. » [1]

Si cette imposition du silence n'est pas l'apanage du seul travail féminin, il en est incontestablement l'une de ses caractéristiques.

Le silence est formellement imposé dans nombre de réglements intérieurs d'usines employant majoritairement des femmes. Dans les Manufactures de Tabacs, vers 1870, les ouvrières n'ont le droit ni de parler, ni de sourire [2]. Il en va de même aux Galeries Lafayette, en 1914, où l'on ajoute à ces interdits, celle de se tutoyer. A la Perlerie de Perrigeux, en 1925, il est absolument défendu de parler, mais aussi de chanter; « c'est dans un silence absolu, troublé seulement par le bruit des objets indispensables à l'accomplissement de leur tâche que les ouvrières doivent travailler toute la journée » [3]. Cette répression de la parole est imposée par le système des amendes pour bavardage: 5 à 10 sous pour une parole dans les filatures de coton du Nord, en 1914 [4].

En 1926, à la société la perle Cléo à Plessis Robinson, il est interdit de parler « pour la bonne marche de l'entreprise et dans l'interêt du personnel »; les infractions au réglement sont punies d'une amende de 0. 50 Fr, versées à la caisse du personnel [5]. Des mises à pied sont prévues: 1 à 5 jours à la Compagnie Industrielle des Pétroles Bassens près de Bordeaux, en 1925, « pour les femmes qui se sont rendues coupables de bavardage » [6]. Cette contrainte, que renforce « l'interdiction de manquer de respect au personnel dirigeant » [7] – formellement inscrite dans le réglement de l'usine des lampes Osram en 1913 – apparaît comme le moyen efficace d'empêcher tout lien entre femmes, indispensable à toute action de contestation, tout en maintenant les rapports de subordination. Marie-Hélène Zylberberg-Hocquard affirme avec raison: « la permission de parler a developpé la solidarité » [8].

Ces exigences sont moins contraignantes dans certains ateliers féminins, la couture notamment. Les relations paternalistes entre employeurs et employées se greffent sur des relations de type familial, prolongeant ainsi les

---

1. *La Revue du Nord*, Marie-Helène Zylberberg-Hocquard, L'Ouvrière dans les romans populaires du XIXe siècle, 1981, p. 629.
2. *Le Mouvement social*, Marie-Hélène Zylberberg-Hocquard, Les ouvrières d'Etat, oct-décembre 1978, p. 101.
3. *L'Ouvrière*, A la perlerie de Perrigueux, 16 avril 1925.
4. *La Bataille Syndicaliste*, Marcelle Capy, Filature de coton, 9 avril 1914.
5. *L'Ouvrière*, A la société La perle Cléo, 21 janvier 1926.
6. *Ibid.*, L'exploitation des ouvrières dans la région bordelaise, 3 septembre 1925.
7. *La Bataille* Syndicaliste, Marcelle Capy, A l'usine de la lampe Osram, 29 septembre 1913.
8. Marie-Hélène Zylberberg-Hocquard, *Les ouvrières d'Etat, art. cit.* p. 101.

traditions d'échanges entre femmes. Marguerite Audoux nous en a laissé une
description dans *L'Atelier de Marie-Claire* : le bavardage y est la règle, seul l'accroissement du travail et la fatigue qui s'en suit en rompt le cours [1].

Cette prescription du silence se perpétue dans les bureaux comme dans
les magasins. Une vendeuse se fait l'écho de ses camarades qui affirment « ne
pouvoir agir par elles mêmes » ; celle-ci prie en 1898, Marguerite Durand,
directrice du journal *La Fronde,* de se faire leur porte-parole auprès de leur
employeur :

> « Notre lot, le voici : nous devons accepter des salaires qui ne suffisent pas à
> nous faire vivre et nous taire ; nous devons supporter la station debout, intolérable
> au bout de quelques heures et nous taire ; nous devons, l'été, subir l'excès du chaud,
> l'hiver, l'excès du froid et nous taire ; nous devons, après une journée excédante, veiller
> quand et comment le veulent nos maîtres et nous taire ; nous devons supporter les
> propos malséants des passants, les propositions brutales de nos patrons et nous taire ;
> nous devons, malades, nous composer un visage aimable et nous taire. Nous taire,
> toujours nous taire, si nous ne voulons pas le renvoi. » [2]

Ce silence s'explique alors moins par la timidité naturelle de leur sexe ou
par la bonne éducation qui vilipende les *répondeuses* ; il relève de l'ordre de la
contrainte. Il est cependant dorénavant contesté.

Les jugements

C'est dans ce contexte, que syndicalistes, libertaires, communistes, féministes déplorent la passivité des femmes salariées : « Nul est leur rôle social,
autant que passif leur rôle de travailleuse », constate Aline Valette [3]. « On aurait cousu le bec aux pauvres bougresses qu'elles ne seraient pas davantage
muettes » s'indigne le *Père Peinard* à l'occasion du *fait divers* suivant. Un grand
couturier de l'Opéra, sous prétexte de rechercher l'auteur du vol de sa bague,
impose à ses mannequins de se *foutre à poil*. A cette occasion, *Le Père Peinard*,
pourtant favorable aux opprimé-es, déplore

> « la nigauderie des victimes qui acceptèrent d'être soumises à la visite.
> Journellement, elles sont le témoin de vacheries que commettent sans vergogne leurs
> crapuleux exploiteurs et elles ne pipent mot ! Elles subissent tout, assistent à tout

1. Marguerite Audoux, *L'Atelier de Marie-Claire*, roman, Paris, Fasquelle, 1920, p. 90 et suivantes.
2. *La Fronde*, Aline Vallette, La loi liberticide, 29 mai 1898.
3. *La Fronde*, Aline Vallette, L'Ouvrière de Michelet, 17 juillet 1898.

sans protester. Pauvres chiffes vivantes, elles n'ont pas conscience de leur personnalité ; engrenées toutes petiotes dans les rouages de l'exploitation, elles trouvent naturelles, les pires horreurs. Et c'est justement parce que ces petiotes sont farcies d'esprit
de soumission que les patrons se permettent toutes les ignominies. » [1]

Les deux grandes enquêtrices féministes du monde ouvrier du XIXe siècle,
Marcelle Capy et Aline Valette, confirment ce jugement. Aline Valette déplore qu'« exploitées comme femme autant que comme producteur, il faut,
pour qu'elles ouvrent les yeux que le mal atteigne à son paroxysme » [2].
Marcelle Capy constate, douloureusement, que les ouvrières des filatures
du Nord, « résignées, trop résignées, domptées, s'inclinent. Elles ne peuvent comprendre qu'une créature humaine s'intéresse à leur sort. Elles rient
de qui les observe. Rires de perdues qui se savent irrémédiablement perdues, elles et leurs nichées de mioches. Rires d'esclaves qui croient que
tout est fini et ne soupçonnent pas le plus faible espoir... Ces rires me font
mal », écrit-elle. Elle termine son article par ce terrible jugement : « Elles
sont nées pour être des naufragées. Leurs bouches ont des grimaces de
moyées. » [3] La première qualité des femmes est « leur résignation forcée
aux besognes de rebut, aux salaires de famine » s'attriste la féministe Daniel
Lesueur [4]. Madeleine Pelletier évoque, elle aussi, « la grande force d'iner-
tie que représente, dans sa masse, la femme prolétaire, esclave de par sa
classe et de par son sexe... Il n'y a pas à se le dissimuler, la femme, dans
sa majorité est en arrière de l'homme, elle forme la couche sociale la plus
enténébrée. » [5]

Ces constats émanant de féministes ne sont remis en cause par personne.
On les retrouve, mais d'une autre nature, chez les socialistes et les communistes ; mais ils sont moins compréhensifs, plus culpabilisants, le plus souvent, accusateurs. Certes, l'on reconnaît que les femmes sont exploitées, mais
ce qui domine, c'est l'idée qu'elles sont coupables de leur destin. Certains n'hésitent pas à considérer qu'elles sont en outre aussi coupables de contribuer à
la perpétuation du système capitaliste. Fernand et Maurice Pelloutier estiment, en 1900, que

---

1. *Le Père Peinard*, Vacheries patronales, 26 décembre 1897.
2. *La Fronde*, Aline Valette, Le travail des femmes, 12 septembre 1898.
3. *La Bataille Syndicaliste*, Marcelle Capy, A travers les barreaux, 30 mars 1914 : Les treize articles issus de
l'enquête menée par Marcelle Capy dans les filatures du Nord, accompagnés de dessins de Raleter et publiés dans
la *Bataille Syndicaliste* en Mars et avril 1914 sont un document remarquable des conditions de travail des femmes
à la veille de la guerre.
4. Daniel Lesueur, *L'évolution féminine. Ses résultats économiques*, A. Lemerre Ed., 1905, p. 16.
5. *L'Ouvrière*, Madeleine Pelletier, La femme au pouvoir, 9 fevrier 1924.

« l'ouvrier a le devoir de dire à sa compagne que sa condition est en quelque sorte son œuvre. Qu'elle n'a, jusqu'à ce jour, rien tenté pour s'affranchir et qu'elle semble même accepter son sort matériel avec autant de passivité et de résignation qu'elle subit son infériorité civile. En acceptant le prix dérisoire que le capital voulait bien lui offrir elle coopère brutalement à l'œuvre de réaction entreprise contre le socialisme. Elle a commis la faute d'entrer en concurrence avec les ouvriers. »

Les femmes sont alors accusées non seulement d'être traîtres à la cause du socialisme, mais aussi à leurs propres maris : « elles cèdent, sans résistance, comme des prostituées, au lieu de décliner les propositions à la première invite du patronat. » [1] En 1903, l'organe de la C.G.T. évoque même « la veulerie des ouvrières » [2].

Certes, on affirme qu'il faut « gagner la masse encore amorphe des femmes du prolétariat à la révolution », comme l'affirme la résolution présentée au Congrès de Lyon sur la politique féminine du Parti communiste. Mais que l'on croit nécessaire de préciser que l'on doit agir, en ce sens, « sans crainte du ridicule » [3], donne une idée de l'état des mentalités, au lendemain de la Première Guerre mondiale, de la société française, de sa classe ouvrière et de son avant-garde communiste.

Ces jugements tranchés, souvent méprisants ne sont pas exempts de présupposés sexistes, dans certains cas, de jugements de classe. Ils s'expliquent aussi par l'impatience de forces politiques qui déplorent ne pouvoir s'appuyer sur la contestation des femmes. Mais à se limiter, à s'interroger sur le seul comportement des femmes, on élude nécessairement la responsabilité masculine.

2. La contrainte à la soumission ; le pli de la servitude

L'imperceptible tyrannie journalière à laquelle une longue accoutumance asservit si efficacement les femmes, l'isolement dans lequel elles sont tenues, la pesanteur des préjugés expliquent mieux que toutes les interdictions formelles, leur silence, en cette fin de siècle.

---

1. Fernand et Maurice Pelloutier, *La vie ouvrière en France*, Bibliothèque internationale des sciences sociologiques, Paris, Schleicher frères Ed., 1900, p. 118-119.
2. *La Voix du peuple*, 3 mars 1903.
3. *L'Ouvrière*, Résolution à présenter au congrès de Lyon sur la politique féminine du parti communiste, 12 janvier 1924.

L'éducation à la soumission

Ce en quoi l'oppression vécue par les femmes diffère de celle des hommes, c'est qu'elle leur est enseignée. La culture populaire n'affirme-t-elle pas qu'« une femme qui se révolte augmente son malheur, celle qui se résigne, l'atténue » [1]. Cette éducation qui accorde tant de place au rêve d'amour et laisse si peu de place à la liberté individuelle, façonne au don de soi. Comme l'écrit justement Madeleine Vernet, « à l'opposé de l'homme qui se détache dès qu'il a obtenu la possession de la femme, la femme s'attache par le fait même qu'elle se donne ; plus elle se donne, plus elle s'attache » [2].

Concernant le comportement des sardinières de Saint-Guénolé, la journaliste de *la Fronde* emploie ces mêmes termes : « Elles s'attachent à leurs maîtres », qui, par ailleurs, les jugent « en bêtes de somme ». Ainsi, le fait « qu'un peu de justice a fait moins rude leurs rapports avec le remplaçant du maître les impressionne fortement », constate-t-elle. Celles-ci se mettent néanmoins en grève, en 1901 [3].

Les relations que les femmes entretiennent à l'autorité, à la hiérarchie, comme avec leurs collègues sont, tout au moins dans un premier temps, nécessairement marquées par cette éducation. Les femmes qui n'ont d'autre identité que de se voir reconnue par un homme, d'autre statut que celui de servir un homme, d'autre alternative de vie que la recherche d'une protection masculine sont les plus nombreuses. Si l'on excepte les rares militantes, mis à part l'attente de l'amour, quelle occasion d'une vie meilleure peuvent-elles espérer ?

Nous savons cependant peu de choses sur la manière dont cette soumission est vécue et sur les moyens utilisés par des personnes placées dans des situations sans issue pour abriter leurs refus ; elle n'est, sans doute, pour beaucoup d'entre elles, qu'apparente. Si la résignation n'est que l'expression plus ou moins consciente de l'absence d'alternative, la ruse, le mensonge, la dissimulation, la vengeance ne sont-elles pas les armes séculaires des faibles [4] ? Aussi, serait-il grave de confondre le silence des femmes avec leur consentement.

Les féministes dénoncent l'intériorisation par les femmes des valeurs de soumission : « victimes d'une éducation fausse, (les femmes) tiennent pour

---

1. Georges Dubois Desaulle, *La faim et l'amour*, Paris, Librairie de la raison, 1907, p. 112.
2. Madeleine Vernet, *L'amour libre*, *op. cit.*, 1924, p. 27.
3. *La Fronde*, Osmont, Les sardinières de Saint Guénolé, 15 octobre 1901.
4. Pour une période plus récente, on pourra se reporter à Marie-Elisabeth Handman, *La violence et la ruse, Les hommes et femmes dans un village grec*, Aix en Provence, Edisud, 1983.

vertueux ce principe négateur de tout progrès, la résignation », déplore Marie Bonnevial au Congrès des droits de la femme de 1900.

Ces valeurs féminines se révèlent la plus efficace des contraintes. A trop protéger sans informer, cette éducation entretient la peur et la naïveté, meilleurs garants de l'impuissance. Résister, suppose, en effet, avoir une certaine conscience de soi, estimer avoir droit à la parole et savoir exprimer son refus. Là encore, Madeleine Pelletier s'avère une analyste éclairante. Pour elle, l'éducation à l'initiative féminine est toute d'abstention, elle « consiste à mettre l'enfant en présence des difficultés et à y refuser de l'y diriger » [1]. Après avoir dénoncé cette *morale de la passivité*, elle explique que : « les femmes sont, par suite de cette éducation stupide, privées de l'instinct de défense personnelle qui nous porte, avant toute réflexion personnelle, à riposter lorsqu'on nous attaque » [2].

Sur les lieux du travail, le beau roman américain de Nancy Zaroulis : *Lumières des ténèbres*, dont l'action se passe dans le prolétariat américain du Massachusetts du XIXe siècle, nous fournit une situation exemplaire. Sabra, l'héroïne est ouvrière dans une filature. Le contremaître s'approche d'elle sous prétexte de l'aider à réparer des fils de chaînes cassés :

> « Il fit un pas... Son mouvement, qui lui barrait le chemin, était aussi éloquent qu'un mot déplacé... Elle évitait son regard. Elle se tenait parfaitement immobile...Le moindre mouvement aurait signifié l'acceptation de sa défaite ou du moins aurait été un signe de faiblesse. Mais non. Il y avait moyen de s'échapper. Elle se tourna... Elle ne pouvait sortir de là. Elle était sûre qu'il ne la suivrait pas. Elle sentit la main de l'homme sur son bras. Une vie entière de conseils : sois obéissante, docile, aimable, bien élevée, l'empêcha de réagir. Sa soumission la surprit autant que sa propre témérité. Elle ne l'avait pas repoussé brutalement. Il s'enhardit... Il maintint son étreinte... Maintenant, trop tard, elle réagit... : Arrêtez... » [3]

Les jeunes filles, les jeunes ouvrières, élevées dans la crainte d'un danger dont elles ne connaissent souvent pas vraiment la nature, sont le plus souvent sans défense, n'ayant pour tout bagage dans la vie que leurs illusions. C'est ainsi que l'on peut comprendre ce que certains analystes de l'époque ont remarqué, à savoir que nombre de prostituées viennent directement des maisons du Bon Pasteur ou institutions religieuses analogues, fondées sur la soumission et l'enfermement, sur la crainte et l'obsession du corps et de la sexualité.

---

1. Madeleine Pelletier, *L'éducation féministe des petites filles*, préface et notes de Claude Meignien, Editions Syros, 1978, Coll. Mémoire des femmes, p. 93.
2. *Ibid.*, p. 75.
3. Nancy Zaroulis, *Lumières des ténèbres*, roman, Gallimard, 1980, p. 203.

La peur des hommes et l'absence d'éducation sexuelle

Lorsque les mères transmettent à leurs filles conseils et mises en garde, c'est sur le mode abstrait de « la méfiance des hommes », qu'il ne faut pas écouter, qu'il faut éviter, auxquels il ne faut pas répondre, mais auxquels il faut obéir. Autant de conseils, porteurs d'autant de contradictions, qui n'aident guère à réagir positivement face aux pressions ou aux agressions sexuelles. Un modèle-type de cette injonction en est donné dans le livre pieux de Mathilde Bourdon : *Marthe Blondel*, tout entier construit pour démontrer les dangers du travail en usine pour la moralité des femmes. La mère, contrainte par la dureté de la vie d'envoyer sa fille travailler, lui fait ce sage discours :

> « Mon enfant, tu seras prudente de toute manière. Tu ne feras pas de connaissances dans la fabrique ; sois honnête avec tous et familière avec personne et puis tu reviendras toujours tout droit à la maison, sans t'amuser dans les rues. » [1]

L'expression : « Passez votre chemin », afin de tenter de repousser les avances des hommes, est, selon Madeleine Pelletier, le seul conseil transmis par les femmes du peuple à leurs filles, « de générations en générations, comme l'usage du corset et des bigoudis. Talisman de vertu », cette formule ne renferme, d'après elle, que « la misère des mentalités féminines » [2].

Pour les plus jeunes, l'ignorance de leur corps, de ses fonctions, de la sexualité, les rend particulièrement désarmées face à des propositions dont elles ne mesurent pas toujours la véritable nature, ni les conséquences possibles. Dans un article concernant les attentats à la pudeur sur les fillettes au XIXᵉ siècle, Anne-Marie Sohn reproduit, dans un paragraphe, significativement intitulé : *De l'innocence au péché,* la déclaration de l'une d'entre elles, âgée de 10 ans, auprès du juge : « Comment voulez-vous, Monsieur, que j'ai inventé ces choses dont je n'avais jamais entendu parler ? ». Une autre, plus agée d'une année, rapporte un dialogue avec un domestique : « Il me demanda si je voulais faire l'amour. Je lui répondis que je ne savais pas ce que c'était. » Une troisième, agée de 14 ans, enceinte de son propre père, répond à sa mère, qu'elle ignorait ce que c'était que d'être enceinte. Dans nombre de dossiers dépouillés, poursuit Anne-Marie Sohn, « les récits témoignent d'une incompréhension avouée, d'une incapacité à nommer le sexe », mais aussi d'une absence de mise en relation entre l'acte sexuel et la grossesse [3].

---

1. Mathilde Bourdon, *Marthe Blondel ou l'ouvrière de fabrique*, Études populaires, Paris, 1876, H. Allard, p. 27.
2. Madeleine Pelletier, *La femme en lutte pour ses droits*, V. Giard et Brière, 1908, p. 16.
3. *Mentalités,* Anne-Marie Sohn, Les attentats à la pudeur sur les fillettes en France et la sexualité quotidienne, (1870-1939) No 3, Violences sexuelles, Sept. 1989.

La diffusion des méthodes néo-malthusiennes contribuera efficacement à relativiser les conséquences pour les femmes de cette ignorance. Ni la liberté de ton du langage populaire en matière de sexualité, ni la multiplication des avortements, ni même la cohabitation juvénile avant le maraige ne peuvent être considérées, à cet égard, en eux-mêmes, comme des eléments tendant à prouver l'autonomie sexuelle féminine. Il faut aussi relativiser la réalité de l'éducation sexuelle des hommes, le plus souvent, faite au bordel, sans prise en compte du désir des femmes, ni des conséquences physiologiques de l'acte sexuel.

Les féministes, soutenues par quelques individualité-e-s, dénoncent l'hypocrisie de l'inégal accès à l'éducation sexuelle. Louise Bodin [1] fait remarquer avec un certain humour, tout en dénonçant cette « injustice violente et révoltante », que

> « les hommes affectent de laisser les femmes dans l'ignorance des gestes de l'amour sexuel pour l'accomplissement desquels, cependant, il faut tout au moins la collaboration, l'acquiescement ou la soumission des femmes… La femme n'a pas besoin de savoir ce que l'on fait avec elle. Cela ne la regarde pas. » [2]

Les différences de classes

Les différences de classes entre *séducteurs* et *femmes séduites* renforcent encore le poids de cette éducation qui accorde si peu de place à la valeur d'une femme : « La dignité d'une ouvrière, qu'est-ce que c'est que ça ? Ils la violent, il s'en font litière, ils marchent dessus », constate un libertaire, en 1896, qui a toujours travaillé dans les ateliers et qui « sait très bien de quoi ces gens-là sont capables » [3]. Le respect des riches, des puissants n'est-il pas inculqué aux pauvres – aux femmes pauvres plus particulièrement – dès l'enfance ? Aussi, le sens commun veut que *lorsqu'on n'a pas le sou, on ne fait pas la fière*… Dans cet esprit, Hector Malot met en scène la grand-mère d'une institutrice qui veut quitter un emploi, faute du respect qu'elle estime devoir lui être dû : « Elle, qui était assez malheureuse pour avoir le droit de ne pas être juste, ne comprenait pas qu'on ait tant de susceptibilité et de fierté quand on était dans

1. Sur Louise Bodin, cf. Colette Cosnier, *La bolchévique aux bijoux, Louise Bodin*, Pierre Horay Ed., 1988.
2. *L'Ouvrière*, Louise Bodin, *Prostitution et prostituées*, 15 avril 1925.
3. *Le Libertaire*, A la recherche de travail, 28 mars 1896.

leur position. Cela était bon pour les riches de lever la tête, pour les pauvres, il n'y avait qu'à tendre le dos. »[1] La volonté n'est-elle pas bien fragile lorsque la conscience de soi est écrasée par les contraintes de la vie ? Et ce d'autant que l'humilité, le renoncement, le sacrifice sont érigés au niveau de valeurs morales, en vertus cardinales féminines. Et pourtant, ce sont bien les femmes qui prennent en charge le travail domestique et assument la plupart des responsabilités quotidiennes. Le constat de Marie-Helène Zylberberg-Hocquard évoquant « le matriarcat de la responsablité et du sacrifice » sonne à cet égard fort juste[2]. Les *fortes femmes du peuple* sont issues de cette culture faite de résignation, de force, de générosité.

3. La contrainte sexuelle masculine ; les femmes face aux désirs des hommes

Si nous connaissons peu la sexualité féminine au XIXᵉ siècle, nous savons que le plaisir féminin est une découverte récente. Les besoins, les désirs des hommes sont, sans ambiguïté, la norme à laquelle les femmes doivent *volens nolens* s'adapter.

La résignation des femmes ; la question sexuelle

Pas d'égalité dans le couple, beaucoup de contraintes et bien peu d'amour durable, telle est la réalité dominante de la sexualité des femmes, au XIXᵉ siècle. Un médecin, auteur d'un livre intitulé : *Le droit à l'amour pour la femme*, publié en 1919, estime même que : « 99 % fois sur 100, la femme supporte l'acte sexuel sans s'y associer »[3]. En 1894, pour faire état de violences sexuelles d'un agriculteur sur plusieurs jeunes filles (il est qualifié de : Don Juan du village), la *Gazette des Tribunaux*, qui précise cependant qu'il est la « terreur de celles qu'il embauche », relate, incidemment que : « presque toutes y passaient »[4].

---

1. Hector Malot, *Séduction, op. cit.*, 1881, p. 208.
2. *La Revue du Nord*, Marie-Hélène Zylbeberg-Hocquard, L'ouvrière dans les romans populaires du XIXᵉ siècle, *art. cit.*, 1980, p. 634.
3. Docteur Michel Bourgas, *Le droit à l'amour pour la femme*, Paris, Vigot Frères, 1919, p. 10.
4. *La Gazette des Tribunaux*, Cour d'Assises de Seine Inférieure, 1er juin 1894.

L'apparente neutralité de ces termes nous dévoile crûment le peu d'importance accordé, à cette date, par la justice, au consentement des femmes à l'acte sexuel.

Ce n'est qu'après la Première Guerre mondiale que les dénonciations sortent du domaine exclusif de quelques rares féministes ; elles-mêmes sont plus exigeantes. Madeleine Pelletier, qui, en tant que femme et médecin du peuple, reçoit nombre de confidences, est la plus avancée dans la critique comme dans la recherche d'ébauches de réponses… [1] « Que la femme puisse elle-même désirer ou refuser l'amour, y prendre du désir ou y avoir du dégoût, cela ne vient même pas à l'idée. L'amour est pour elle un devoir, et il serait immoral qu'elle songeât à y chercher du plaisir », affirme-t-elle, en 1923 [2]. Elle estime, par ailleurs, que si l'homme « plus intelligent que les bêtes a relevé l'acte sexuel en y ajoutant quelque fois de l'amour, il reste encore bien près de l'animalité » [3]. Quelques années auparavant, Madeleine Vernet, auteure d'un essai sur *l'amour libre*, l'une des rares femmes, avec Madeleine Pelletier, à s'être interrogée sur le vécu sexuel des femmes, dénonce la morale courante qui veut que :

> « seul l'homme a des désirs et des besoins qu'il doit satisfaire. Ce qu'on justifie du titre de besoin chez l'homme, on l'accable du qualificatif de vice chez la femme. Il est bien entendu que la femme n'a et ne doit avoir, ni désir de chair, ni besoin des sens. Les femmes, qui ont ces besoins, sont des anormales. L'homme se sert d'elles et les méprise… Pour le plus grand nombre, constate-t-elle, aimer une femme, c'est la désirer et la posséder. L'amour se borne à cela. » [4]

Cette autorité dont les hommes se prévalent pour imposer leurs propres exigences a son corollaire obligé : les femmes se font passives, résignées. Selon Edward Shorter, dans son livre sur *Le corps des femmes*, c'est bien la résignation – terme aussi employé par Paul Vaillant-Couturier – qui est le comportement sexuel le plus courant parmi les paysannes et les ouvrières, au tournant du XXe siècle [5]. Il n'est pas sûr que les bourgeoises échappent à ce constat. La peur de la grossesse peut aisément transformer cette résignation en peur, voire en répulsion. La propagande néo-malthusienne ainsi que les progrès de l'avortement en milieu rural et ouvrier – pourtant si traumatisant et si souvent porteur de mort – contribueront néanmoins à diminuer les pressions sur les femmes et à ouvrir la voie à leurs désirs.

1. Cf. Madeleine Pelletier, *Logiques et infortunes d'un combat pour l'égalité*, (Sous la direction de Christine Bard) *op. cit.*
2. Madeleine Pelletier, *L'amour et la maternité*, La Brochure mensuelle, Editions du groupe de propagande par la brochure, 1923, p. 7.
3. *L'Ouvrière*, Madeleine Pelletier, Le cerveau et le sexe, 31 juillet 1924.
4. *Le Libertaire*, Madeleine Vernet, L'amour libre, 5 mai 1908.
5. Edward Shorter, *Le corps des femmes*, Le Seuil, 1984, p. 27.

Quelques hommes abordent cependant ce problème. Dans un texte courageux, datant de 1924, un responsable communiste, Paul Vaillant-Couturier dénonce le pouvoir sexuel masculin. Tout en affirmant farouchement l'opposition du communisme au féminisme, « la pire des sottises et la mieux organisée des duperies, doctrine de stérilité et de fin du monde qui convient à une société pourrissante », il adresse à ses *camarades hommes*, « le frein le plus puissant à l'émancipation de leurs compagnes », des critiques que les féministes n'auraient pas reniées :

> « Avouons le donc... Nous acceptons comme dûs les services domestiques de nos femmes et leurs gestes sexuels souvent résignés. Nous nous reconnaissons trop souvent une autorité sur elles, autorité qu'exigent, seule, une loi que nous répudions et les injustices d'une société que nous voulons jeter par terre... Quelle que soit l'idéologie anarchisante d'amour libre, la classe ouvrière est parfaitement ravagée par l'esprit de la petite bourgeoisie conservatrice. L'esprit de propriété que les pauvres ne peuvent guère exercer que sur des meubles tristes, ils le réservent à la puissance jalouse de leurs femmes. On dit 'posséder une femme', être 'en puissance de mari'. » [1]

La faible résistance féminine face à l'exercice du droit de cuissage

C'est dans le cadre de ces rapports inégaux que l'on peut comprendre la difficulté de ces femmes à réagir face aux exigences d'un maître. Dans l'immense majorité des cas, les femmes subissent, en se taisant, ces contraintes sexuelles. Comme *la petite Roque*, violée, puis tuée par Renardet, dans la nouvelle de Maupassant, elles sont alors « trop effarées pour résister (et) trop épouvantées pour appeler » [2].

La force brutale n'explique pas tout. Sans sous-estimer ces violences – alors que nous commençons seulement à découvrir leur ampleur et leur gravité – on doit s'interroger sur les mécanismes qui permettent de comprendre la relative faiblesse affirmée de la résistance. On peut également tenter de saisir comment certaines femmes ont pu, non pas accepter ces violences, ni y consentir – ce qui supposerait qu'elles aient été libres – mais, en les subissant, tenter de les banaliser, les relativiser, s'y adapter. Faute de sources historiques adéquates, nous pouvons évoquer, non sans précautions, quelques sources littéraires qui nous ouvrent des pistes de réflexion.

---

1. *L'Ouvrière*, Paul Vaillant-Couturier, Naissance de l'amour, 11 mars 1926.
2. Guy de Maupassant, *La petite Roque*, Contes et Nouvelles, Albin Michel. 1964. Tome II p. 1040

Dans *Une vie*, de Maupassant, Rosalie, sommée de répondre sur les raisons qui ont conduit son patron dans son lit – comme si elle en était responsable – tente d'expliquer à la baronne, son épouse, ce qui s'est passé :

> « J'sais ti, mé ? C'est le jour qu'il a diné ici, qu'il est v'nu m'trouver dans ma chambre. Il s'était caché dans le grenier. J'ai pas osé crier pour pas faire d'histoire. Il s'est couché sur m'é ; j'savais pu c'que f'aisais à çu moment là ; il a fait c'qu'il a voulu. J'ai rien dit parce que je le trouvais gentil. » [1]

Si le patron de Rosalie se cache dans le grenier, celui de Rose, *La fille de ferme*, se glisse dans son lit, alors qu'elle dormait :

> « Elle comprit ce qu'il cherchait et se mit à trembler très fort, se sentant seule dans l'obscurité, encore lourde de sommeil. Elle ne consentait pas, pour sûr, mais elle résistait nonchalamment, luttant elle-même contre l'instinct toujours plus puissant chez les natures simples. Il la découvrit d'un mouvement brusque. Alors, elle sentit bien qu'elle ne pouvait pas résister. Obéissant à une pudeur d'autruche, elle se cacha la figure dans ses mains et cessa de se défendre. » [2]

Céder aux désirs des hommes

Le terme *céder*, l'expression *se laisser faire* sont probablement ceux qui, dans nombre de cas, s'approchent au plus près de la réalité. Les femmes, jeunes pour la plupart, *cèdent* par attachement au maître, lié au pli du servage, par peur d'être renvoyées, faute de savoir comment réagir, sans évoquer « la séduction troublante des bonnes manières, de la gentillesse du délinquant » [3]. Car, dans un monde fait d'uniformité, d'ennui, de solitude, d'absence de reconnaissance de soi, de répétition éternelle des mêmes gestes ; dans un monde qui nie la sexualité et, plus profondément encore l'individu-e, le désir de la jeune fille, de la jeune femme ne demande qu'un objet de fixation. Un patron, bien habillé, la joue fraîche, porteur, par sa seule présence, de l'existence possible d'un autre monde, peut aisément jouer ce rôle. Pour autant qu'il ne soit pas la caricature de la *peau de vache* ou du *chameau*, il lui suffit souvent d'utiliser, avec plus ou moins de raffinement, le prestige qui émane de lui. Un comportement paternaliste, sévère mais compréhensif, peut désarmer les résistances, et permettre à des tendresses inavouées d'émerger.

---

1. Guy de Maupassant, *Une vie*, Coll. Folio, p. 144.
2. Guy de Maupassant, *Histoire d'une fille de ferme*. Ibid. p. 780.
3. *La Fronde*, O. Gevin-Cassal, Filles-mères, 27 janvier 1898.

Faute d'une même culture de classe, d'une même culture sexuelle, certaines prennent la commisération pour de la sollicitude, la familiarité pour de la bienveillance, les fausses promesses pour argent comptant. Pour peu que certaines formes soient respectées, le désir de l'homme est interprété comme de l'amour. Ajoutons que beaucoup de femmes, élevées dans une culture de dépendance, sensibles au prestige masculin, peuvent être flattées de leur reconnaissance. Ces exigences masculines, en rêvant un peu, peuvent alors s'accorder à de secrètes aspirations.

Dans un monde ouvrier où tout nie la féminité, dans un monde domestique où les bonnes sont considérées, selon Severine, comme « un être à part, entre le piano et la pierre à évier » [1], ou selon Octave Mirbeau, comme « quelque chose d'intermédiaire entre le chien et le perroquet » [2], un geste, un compliment, une simple attention peuvent faire tomber aisément de bien fragiles forteresses. Dans la nouvelle de Maupassant, *Rosalie Prudent*, celle-ci *se laisse prendre* par le neveu de ses patrons, parce que, explique-t-elle,

> « il me répétait que j'étais une belle fille, que j'étais plaisante… Que j'étais de son goût… Moi, il me plaisait, pour sûr… Que voulez-vous ? On écoute ces choses là, quand on est seule… toute seule… comme moi… Ca m'a fait comme un frère qui s'rait revenu quand il s'est mis à me causer. Et puis, il m'a demandé de descendre à la rivière, un soir, pour bavarder, sans faire de bruit. J'y suis v'nue, moi. J'sait-il ? Je sais-t-il après ? Il me tenait pas la taille…Pour sûr que je ne voulais pas… non… non… J'ai pas pu… je vous jure… J'ai pas pu… Il a fait ce qu'il a voulu… Ca a duré trois semaines. » [3]

Jules Simon évoque, pour sa part, « ces pauvres filles isolées qu'il est si facile de séduire parce qu'elles sont si reconnaissantes à la première attention qui s'offre » [4] et Michelet – qui savait de quoi il parlait – « la petite bonne, qui est d'avance à celui qui lui montrera un peu d'amitié. » [5]

Un rapport sexuel, une liaison, donne, redonne un temps le sentiment d'exister. En outre, *céder* à un supérieur, c'est aussi, pour autant qu'il ne s'agisse pas d'un viol sans appel, transgresser un moment la barrière des classes ; c'est, un temps, abolir les frontières, dans le court moment de la relation. Sulette, dans le roman de Léon Frapié, *La figurante*, après avoir été l'objet d'une habile stratégie du fils du patron pour désamorcer son refus, se laisse finalement *prendre*,

1. *Ibid*, Séverine, La bonne, 24 mai 1900.
2. Octave Mirbeau, *Le journal d'une femme de chambre*, Paris. E. Fasquelle. 1927. p. 161.
3. Guy de Maupassant, *Rosalie Prudent*, Contes et nouvelles, Albin Michel, Tome II, p. 645.
4. *L'Ouvrière*, Jules Simon, *op. cit.*, p. 298.
5. Michelet, *La femme*, Flammarion, 1981, p. 58.

« inconsciemment subjuguée de se sentir arrachée à la domesticité vulgaire et entraînée vers un autre servage réservé, inconnu. » [1]

Quand Marianne, dans le roman d'Octave Mirbeau, *Le journal d'une femme de chambre*, annonce à Célestine « avec une sorte de fierté », qu'elle est enceinte de Monsieur, qui, sans rien lui dire, « s'était jeté sur elle », elle lui précise :

> « J'ai bien vu de quoi il s'agissait… Monsieur, vous comprenez… Je n'ai pas osé me défendre… Et puis, on a si peu d'occasions, ici ! Ca m'a étonné… mais ça m'a fait plaisir… Alors, il est revenu, souvent… c'est un homme bien mignon, bien caressant. » [2]

Mais, c'est le plus souvent, dans la violence, le silence, la non – communication que se passent ces rapports entre deux êtres qui n'ont souvent que peu de choses à partager, à échanger, à l'exception d'un échange physique. Dans le roman de Jules Renard, *Les cloportes*, une scène entre Monsieur Emile, le fils de la patronne, et Françoise, la petite bonne nous dévoile cette absence de culture amoureuse que l'écart de statut social aggrave encore. Emile est tombé, dans le foin, sur elle :

> « Françoise se débattait, étouffée et pouvait à peine articuler : Oh ! monsieur Emile, monsieur Emile ! Elle pleurait, sans force, soumise, aimante. Ils ne se parlaient pas, ne se disaient aucune tendresse. Françoise ne savait pas et Emile ne pouvait pas. Etroitement mêlés, ils restaient étrangers l'un à l'autre. Se bornant à la caresse, ils hésitaient devant le mot du cœur qui lie plus fortement encore. Si Emile avait dit : Je t'aime, Françoise ne l'aurait pas crû. Si elle lui avait dit : Je t'aime, elle lui aurait déplu. Vaguement, ils se rendaient compte qu'un vide existait entre eux, impossible à combler. Françoise était heureuse et pleurait. Emile possédait avec gêne. Embarrassés, passionnés, sans paroles, ils se sentaient mal à l'aise, inhabiles aux aveux, comme s'ils se fussent servi d'une langue différente. Pleine d'amour, Françoise subissait Monsieur Emile et Monsieur Emile prenait sa servante comme un muet prend une sourde. » [3]

Signe des temps, dans certains romans modernistes de l'après-guerre, non seulement les hommes qui *profitent* de leur situation pour coucher avec leurs employées sont sévèrement jugés, mais le comportement, jugé trop passif de celles-ci, est, lui aussi, l'objet de la critique. Il en est ainsi du personnage de Rosa, la femme de chambre, dans le roman de Victor Marguerite: *Le Compagnon*. Pierre Lebeau, directeur de journal, « un de ces malades qui ne peuvent se trouver seul avec une femme sans passer de la vue au désir, et du désir aux actes, l'avait trouvée jolie, le lui a dit et même prouvé !… Mais oui,

---

1. Léon Frapié, *La figurante*, p. 162.
2. Octave Mirbeau, *Le journal d'une femme de chambre*, op. cit p. 377.
3. Jules Renard, *Les cloportes*, roman, Paris. G. Crès. 1889.

sur le champ... comme ça, dans son cabinet de travail. Elle attend un bébé de cette furtive liaison ». Informée de cette histoire, Cécile Hardy, l'institutrice féministe, ne fait pas de misérabilisme et exprime sa colère contre « cette idiote qui s'est laissée faire... abrutie... peut être flattée. » [1]

La dénonciation des pouvoirs sexuels masculins sort de l'analyse abstraite qui déréalise, du misérabilisme qui accable et de la culpabilité inopérante, pour entrer dans l'ère de la responsabilité. Les dénonciations féministes peuvent tout à la fois critiquer ces pouvoirs, sans pour autant revendiquer le maintien d'une logique de protection. L'amour libre – qui n'est plus le seul apanage des hommes – devient une revendication des femmes ; il suppose que « l'homme et la femme soient pleinement consentants, sans contrainte de part et d'autre... Cela déplaît, paraît-il à ces messieurs, écrit Madeleine Vernet. Sans doute ont-ils peur de ne plus avoir de femmes pour eux, le jour où les femmes seront libres de se donner à leur gré. Loin d'être une permission de dévergondage, « l'amour libre » sera la vraie moralité. » [2]

Ce qui doit être noté, c'est que, si la liberté des femmes est encore largement invoquée pour mieux les accabler, des failles apparaissent dans des discours fondés sur leur exclusive responsabilité.

4. Les femmes contraintes au silence

Dans une série d'articles intitulés : *Qu'est-ce que l'honneur ?* publiés en 1900, dans *La Fronde*, la romancière Marcelle Tynaire affirme que : « pour les hommes, celui-ci consiste surtout à respecter la propriété, (et) pour les femmes, à respecter, en elles-mêmes, la propriété de l'homme ». C'est alors dans leur capacité à se taire que réside leur fierté. A l'appui de cette affirmation, elle affirme que

> « lorsqu'un père découvre que sa fille a été déshonorée, neuf fois sur dix, il commence par l'assommer, ensuite, il recherche partout le séducteur pour le lui faire épouser. Le séducteur est un malhonnête homme ; il est méchant, hypocrite, brutal. Tant pis ! La jeune fille sera malheureuse toute sa vie, mais l'honneur sera satisfait. »

Elle évoque en ce sens, le cas d'une institutrice française, Louise Masset, pendue en Angleterre, le 9 janvier 1899. D'après elle, les tribunaux britanniques la jugèrent beaucoup moins « à cause d'un crime hypothétique, qu'en vertu

---

1. Victor Margueritte, *Le Compagnon*, Paris, Flammarion, 1923, p. 25, 26.
2. *Le Libertaire*, Madeleine Vernet, L'amour libre, 5 mai 1908.

du péché d'impureté qu'elle avait commis ». Sa propre mère, « révoltée de son inconvenance amoureuse », a refusé de l'embrasser, la veille de sa mort [1].

De fait, les risques d'une accusation sont si lourds, si graves pour la victime, que les femmes, préfèrent souvent défendre une *morale de la pudeur*. Le silence peut apparaître moins coûteux que le prix de la dénonciation.

La situation sur les lieux du travail

Lorsque certaines dénoncent les injustices dont elles sont les victimes, dans la quasi totalité des cas, c'est à elles de partir. « Les plaintes isolées ne donnaient aucun résultat et portaient plutôt préjudice à celles qui les formulaient » affirme lucidement, sur la base d'une expérience de plusieurs dizaines d'années, une responsable syndicale, en 1907 [2]. Aussi, les femmes sur lesquelles un homme a *jeté son dévolu*, ou qui ont été violentées, doivent *passer à la caisse* ou même, s'en aller, sans demander leur compte, sans mot dire.

Car, les patrons ont vite fait d'évoquer, devant les récalcitrantes, une possible intervention policière. Julie Daubié évoque même des « hommes fort connus qui ont eux-mêmes livré à la police des femmes dont ils ont abusé » [3]. On peut toujours découvrir une inadapation au poste, créer de toutes pièces une faute professionnelle – justifiant légalement le licenciement – placer une pièce d'outillage dans un casier personnel ou une somme d'argent, de l'argenterie dans la malle d'une bonne-à-tout-faire.

La norme est donc soit le départ, soit le licenciement de celle par qui le scandale risque d'arriver. Car c'est elle qui dérange, parce qu'elle dévoile ce qui aurait dû rester caché. Une jeune ouvrière, au Creusot, en 1899, est violentée par un contremaître, pourtant reconnu coupable. Mais elle fut « en butte à de telles vexations, à de telles injustices qu'elle dût quitter l'usine et même la ville où la vie était devenue impossible, sans que l'on fit rien, en haut lieu, pour la retenir ou pour demander l'explication de ce départ. » [4]

En 1900, une jeune fille à l'usine Clément à Levallois est enfermée par un contremaître dans la salle d'archives d'une usine désaffectée. Le subterfuge est

1. *La Fronde*, Marcelle Tinayre, Qu'est-ce que l'honneur ? 21 mars 1900.
2. Conférence de la citoyenne Jacoby, janvier 1907, cité par Marie-Hélène Zylberberg-Hocquard, Les ouvrières d'Etat, *art. cit.*, p. 102.
3. Julie Daubié, *La femme pauvre au XIXe siècle, op. cit.*, p. 256.
4. *La Fronde*, Les femmes au Creusot, 4 octobre 1899.

découvert par le directeur qui passe, par hasard, par là... « Sur ses injonctions répétées, le quidam dut ouvrir. Grand tapage dans la maison. Le directeur prit une mesure énergique et renvoya qui ?... la demoiselle. » [1] Trente ans plus tard, chez Flaive, à Saint Etienne, à l'atelier de mécanique 3, une jeune fille se trouve être « l'objet de convoitise d'un chef qui tenta même d'abuser de sa force ». Bref, une tentative de viol. « Se voyant repoussé, ce petit monsieur lui cherche querelle et tenta par tous les moyens, à la faire renvoyer. Sur une petite péccadille – la jeune fille s'étant mise au travail un peu après l'heure – il alla se plaindre d'elle au chef d'atelier. La coupe était pleine, l'injustice trop insupportable. « Devant tant de brimades », elle explique à ce dernier les vrais motifs pour lequels on exigeait son renvoi. Le chef d'atelier déclare qu'il allait en référer au directeur, ce qui fut fait. Ce dernier procéde à une enquête. Elle fut menée et aboutit.... au renvoi de la jeune fille, alors que « devant elle, il avait fait des aveux complets au chef d'atelier » [2].

De toutes façons, « ce sera votre parole contre la mienne » affirment, avec beaucoup d'assurance, les auteurs de ces violences. L'hypothèse que la parole d'une femme puisse, en elle-même, avoir une valeur et fonder une accusation, qu'une décision de justice puisse aller à l'encontre des hiérarchies sexuelles et sociales, n'est pas évoquée. Qui peut en effet imaginer qu'un policier, qu'un tribunal puisse mettre sur le même plan, la parole d'une femme – qui plus est, subordonnée – avec celle d'un homme qui est hiérarchiquement en position de pouvoir vis-à-vis d'elle, comme souvent, vis-à-vis de bien d'autres ?

La justice

L'absence de chef d'inculpation (sauf si la victime est violentée physiquement et a moins de 13 ans ou, si elle a entre 15 et 21 ans et est capable d'apporter les preuves de la séduction dont elle a été l'objet) est l'une des raisons premières du silence des femmes. Le difficile accès à une justice coûteuse pour des femmes déjà démunies, cumulé avec la nécessité d'une préalable autorisation maritale pour les femmes mariées, le renforce encore. De fait, la justice ne traite souvent pas mieux les femmes que ne le fait la société. Julie Daubié

---

1. *La Voix du peuple*, Le droit de cuissage, 1er décembre 1900.
2. *L'Ouvrière* Chez Flaive, Un scandale, 1er mai 1930.

signale un procès, à la Cour d'assises des Bouches du Rhône, en mars 1864, au cours duquel l'avocat général déclare :

> « J'admets que Monsieur Roux ait fait des ravages dans la partie féminine de la domesticité d'Alais ; je ne veux certes pas le couronner de roses ; mais je ne crois pas non plus qu'il mérite le gibet pour cela. »

Le sexisme si patent de cette affirmation provoque la réaction indignée de l'avocat de la partie adverse [1].

Il existe plusieurs moyens pour faire taire les victimes lorsqu'elles réclament ce qu'elles estiment être leurs droits, pour mieux occulter la réalité de la situation inégale et invalider leur témoignage. Le premier, classique, est la subornation de témoins, placés en général, eux-mêmes, dans des rapports de subordination – inhérents au contrat de travail – lesquels ne leur laissant que peu d'autonomie. Le second, en cas de dépôt de plainte, est de menacer l'accusatrice de dénonciation calomnieuse, déplaçant ainsi le problème ; c'est alors à elle, accusée d'avoir voulu nuire, qu'incombe la charge de la preuve. Dans le même sens, il aussi possible d'accuser les femmes de chantage.

L'hypothèse n'est pas exclue. En 1901, une jeune femme qui *pose le nu* pour un peintre de Montparnasse, donne naissance à un enfant. Le peintre met autant d'énergie à nier sa paternité que le modèle en met à l'affirmer ; elle exerce des menaces, fait un chantage. Il porte plainte contre elle et obtient gain de cause. Le fait qu'elle se retouve seule à élever son enfant et que cela a produit, selon ses termes, « le désastreux effet de briser sa carrière » n'est pas évoqué par le tribunal qui « se garde bien d'essayer de percer le voile que la loi a elle-même jeté sur la paternité naturelle ». Elle est condamnée à 13 mois de prison avec sursis et 100 francs d'amende [2].

Enfin, il est possible – et très fréquent – d'accuser les victimes d'avoir effectivement été la maîtresse des hommes qu'elles accusent ce qui, là encore, peut être le cas. C'est en tout cas l'argument employé par Nicolas Touloppe, âgé pourtant de 80 ans, habitant à Maison-Laffite. Il a vitriolé sa femme de ménage qu'il *poursuit de ses assiduités* et qui « ne repond pas, à son gré, à ses avances ». Son seul système de défense à l'audience est qu'elle est sa maîtresse. Nous ne savons pas la réalité de leurs relations, mais nous pouvons nous interroger sur le raisonnement sous-jacent. Faut-il déduire que, dès lors qu'elle a eu des relations sexuelles avec lui, elle lui appartient et qu'il est alors en droit de la vitrioler ? Ou pense-t-il, en affirmant son *inconduite*, justifier qu'elle mérite le sort qui lui est fait [3] ?

---

1. Julie Daubié, *op. cit.*, p. 60.
2. *La Gazette des Tribunaux*, 16 janvier 1901.
3. *Ibid.*, 11 mars 1911.

Comme Marie-Agnès Mallet l'a montré, les femmes confrontées à la justice, le sont parce qu'elles sont déjà inculpées pour infanticides, avortements ; elles sont alors dans les plus mauvaises conditions pour dénoncer leur *complice*. Il faut vraiment des circonstances exceptionnelles pour que cela arrive. L'histoire véridique suivante, publiée dans le journal *Le Rappel*, en août 1869, reproduite par Léon Richer, semble sortir tout droit d'un roman populiste de Ponson du Terrail, Mathilde Bourdon ou Hector Malot. Elle met le doigt sur la partialité des jugements d'assises dont les jurés sont exclusivement des hommes.

Au service d'un notaire M. C, Félicie R. accusée d'infanticide, est arrêtée et jugée. Le dit notaire qui fait partie des jurés – demande les circonstances atténuantes, puis se rétracte rapidement, confronté à l'allusion d'un autre juré sur son éventuelle responsabilité quant à la naissance de l'enfant de Félicie R. Celle-ci, sommée de nommer son complice, refuse. La sentence tombe. Elle est condamnée à mort. C'est alors qu'elle s'écrie :

> « Eh bien quand on m'a demandé si j'avais un complice, j'ai dit : non. J'ai menti. J'ai même fait mieux, ce n'est pas moi qui ait tué l'enfant, c'est le père. Et ça ne lui suffit pas, maintenant, voilà qu'il tue la mère, à présent ! Et elle poursuit : Dites donc, vous les bourgeois ! Ca ne vous suffit pas de nous faire des enfants et de nous les tuer de peur qu'ils nuisent à votre ménage et à votre réputation. Il faut encore que vous soyez nos juges et que vous nous condamniez ! »

Le notaire, inculpé, fut condamné dans un procès ultérieur, mais bénéficia de circonstances atténuantes [1].

L'opinion publique

Aux contraintes sociales, économiques et sexuelles, s'ajoute, pour les seules femmes, le poids des normes sociales qui, confère aux femmes la responsabilité de leurs rapports aux hommes. L'accusation est le plus souvent sommaire : « Elle a fauté », fait fonction d'analyse. Comme le dit Antoine Silvère dans *Toinou*, à la fin du XIXe siècle, « la responsabilité de la fille étant seule en jeu, il ne serait venu à l'esprit de personne que la faute put être partagée avec quiconque » [2].

Peu importe les moyens employés par le séducteur, c'est à elle d'assumer les conséquences d'avoir *mal tourné*. Aussi, dénoncer une violence, c'est se mettre

---

1. Léon Richer, *La femme libre, op. cit.*, p. 101 à 104.
2. Antoine Sylvère, Toinou, *Le cri d'un enfant auvergnat*, Coll. Terres Humaines, Plon, p. 218.

soi-même au ban de la société, car c'est confirmer la perte de son honneur. C'est ainsi que l'on peut comprendre que les femmes sont d'autant plus contraintes au silence que les violences durent plus longtemps et qu'elles sont plus révoltantes.

Dans *la bonne société*, comme dans la petite bourgeoisie, une jeune fille enceinte, n'est pas fréquentable, on ne l'épouse pas, on la montre du doigt ; elle disparaît de son milieu, marquée du mépris et de la honte. A moins que la famille compréhensive ne trouve rapidement un mari de remplacement dont on peut acheter la complaisance par une dot qu'il est alors en droit de négocier, à son avantage. Dans les petites annonces du *Chasseur Français* de l'avant guerre, toute une catégorie d'annonces matrimoniales, émanant d'hommes, précisent que l'on est « prêt à passer sur tache ».

C'est la femme qui est salie, flétrie, souillée, altérée ; son interêt bien compris réside alors dans sa capacité à se cacher aux yeux des autres. Il faut se taire pour ne pas entacher une réputation, si facilement salie et empêcher à tout prix le scandale qui rejaillirait d'abord sur la victime, mais aussi sur sa famille. L'essentiel est alors de sauvegarder les apparences face à la menace d'une accusation de l'opinion qui vaut souvent jugement.

Pour les femmes qui exercent une activité professionnelle, tout se passe souvent comme elles devaient racheter, par une vie d'austérité, la transgression que représente la volonté d'autonomie que représente le travail salarié et comme si elles devaient, en affichant une conduite réservée circonvenir l'accusation de se vouloir indépendantes.

Ce sont les premières institutrices laïques qui se sont plaintes le plus fortement de ce contrôle social si pesant. L'une d'entre elles évoque cette réalité :

> « Elle vit toujours seule et toujours épiée… Sa moindre démarche prête aux plus malveillants commentaires. Veut-elle, après la classe, aller rafraîchir son front sur les grandes routes ? Elle court à un rendez-vous. S'enferme-t-elle dans sa chambre pour y pleurer ? C'est une hypocrite qui cache son jeu, ses amours ? Pare-t-elle sa jeunesse d'une fleur ou d'un ruban ? C'est une coquette, dévergondée. Demeure-t-elle prudente et réservée ? C'est une mijaurée que méprise ceux qui valent mieux qu'elle… Trop heureuse si quelque jour l'insistance des calomnies ne provoque pas le scandale, le déplacement d'office, la disgrâce, l'exil. » [1]

Dans les classes populaires, ce modèle n'est pas aussi prégnant. Il est alors moins question de *chute* – d'où serait-on tombée ? – que de *faute*, de *bêtise*, de

---

1. *La Fronde*, Andrée Téry, La défense de l'institutrice, 13 octobre 1902.

destin malheureux. En tout état de cause, les femmes n'ont pas grand'chose, non plus, à gagner en parlant.

Cependant, dans tous les milieux, la capacité d'une indépendance par le salaire permettra, plus que tous les discours, aux femmes de vaincre ces préjugés, ces abus des temps passés. Il faudra attendre l'arrivée des jeunes diplomées sur le marché du travail, pour que le poids des préjugés s'érode. Toutes n'y parvinrent cependant pas.

5. Les suicides de jeunes filles, de jeunes femmes

La marge d'initiative laissée aux femmes est bien faible. Les suicides de femmes, mais surtout de jeunes filles séduites par leurs maîtres ne sont pas par hasard, de si populaires sujets de romans à succès. Le préjugé pesant sur les *filles perdues* est lourd ; la réputation imputée à une femme qui peut décider d'une vie, et en tout état de cause d'un mariage, expliquent que tant de jeunes filles, faute de pouvoir réagir face à ces exigences, de pouvoir en parler, a fortiori braver l'opinion, n'ont d'autre alternative que le suicide. Julie Daubié évoque celui d'une servante à Paris qui, apprenant que son patron a décidé, après lui avoir promis le mariage, de la licencier dès qu'il avait appris qu'elle était enceinte, se pendit dans la maison même d'où elle allait être bannie. La justice appelée sur les lieux fit son enquête et constata « un suicide volontaire » [1].

Le double suicide de Troyes, 1893

En 1893, un double suicide, particulièrement atroce, consécutif à l'exercice d'un droit de cuissage est découvert à Troyes. Deux jeunes filles de 17 ans, liées l'une à l'autre par leur tablier « afin sans doute de montrer plus de fermeté et de s'encourager répiproquement » [2], les yeux bandés avec leurs mouchoirs, sans doute pour ne pas se voir mourir, sont repêchées dans le canal de la haute Seine, à deux kilomètres de la ville. L'autopsie révèle que l'une d'entre elles, Octavie Dupont, à qui on ne connaît aucun amoureux, est

1. Julie Daubié, *op. cit.*, p. 88.
2. *Le Petit Républicain de l'Aube*, 21 mai 1893.

enceinte de deux mois. Les deux amies travaillent dans le même atelier de bonneterie. L'une d'entre elles qui a, dans son corsage une somme de 4, 25 francs correspondant au reliquat de son compte a été renvoyée, le matin même par son patron Oscar Hirlet, fabricant de bonneterie. Elle a déclaré qu'elle n'osait plus rentrer chez sa mère. Son amie, apprenant la nouvelle de son renvoi avait voulu, elle aussi, quitter son emploi. Selon *le Père Peinard*, « son patron a pratiqué sur elle, comme sur bien d'autres, le droit de cuissage et l'a envoyée paître lorsqu'elle l'avait informée de sa grossesse. » Octavie raconte son histoire à Marie Renaud, lui conseillant de se méfier, car, « un de ses matins, c'est à elle que le patron s'en prendrait. Fallait pas qu'elle se croie plus à l'abri que les autres. Et ça arriva, nom de Dieu », commente *le Père Peinard*, particulièrement indigné par ce droit féodal, si aisément repris à leur compte par les patrons capitalistes.

> « A se voir les victimes de leur singe, à se dire que ce que l'une avait subi, l'autre avait évité, il faudrait l'endurer demain et après... ça leur tourna la boule. L'horreur de vivre esclave, de servir de matelas à leur exploiteur, horreur si forte qu'elles préférèrent en finir illico que de vivre cette garce de vie. » [1]

La nouvelle de ce double suicide fait, selon la presse régionale, l'objet de toutes les conversations des milliers d'ouvriers – et d'ouvrières – qui se rendent à leurs ateliers respectifs. Cependant, une semaine après la découverte des corps, un journaliste du *Petit républicain de l'Aube*, constate l'absence de manifestation de douleur ou de sentiment de pitié, dans la population de Troyes : « L'indifférence a été si profonde, si générale, que la plupart de ses concitoyens se demandaient de quoi il voulait faire part » explique-t-il dans son article. Et pourtant, écrit-il, « les acteurs vivaient au milieu de nous, beaucoup d'entre vous les connaissent, étaient des vôtres... Mais le suicide de deux enfants ne menace personne. Et chacun pense à autre chose... » [2]

Le suicide de Rose; Toinou

La triste histoire de Rose, telle qu'elle nous fut retranscrite par Antoine Sylvère se conclut aussi par un suicide. *Toinou*, le paysan auvergnat, nous explique que « cette histoire bouleversa (leurs) cœurs, pourtant si difficiles à

1. *Le Père Peinard*, Patron assassin, 4 juin 1893.
2. *Le Petit Républicain de l'Aube*, 29 mai 1893.

émouvoir et (les) plongea dans une extrême perplexité quant aux lois qui ré-
gissaient (leur) société.

Rose, la petite vachère des Cussac, s'abandonnait au fils de ses maîtres comme
les vaincus de la vie s'abandonnent au malheur. Ce grand gars aux dents noires,
insolent et brutal, était le cauchemar de ses nuits, la permanente hantise de
ses jours empoisonnés.

— Eh! la petite garce, on y va?

Que ce fût sous l'une ou l'autre forme, un identique sentiment de honte
et de dégoût soulevait la cœur de la fillette.

— Je me demande pourquoi tu fais encore des grimaces, disait ensuite le
gars, médiocrement satisfait d'une abdication consentie dans le fatalisme et
la résignation. Depuis deux mois, c'était un fait accompli. Le mal était devenu une habitude et la petite, entrée dans le monde sans joie des filles qu'on
prend sans amour, s'y débattait sans apercevoir d'issue. Elle n'avait pas 15 ans...
Les alternances de peines légères et de joies puériles avaient fait place pour
elle à un marasme chronique; comme si elle eût souffert de l'un quelconque
de ces maux prétendus incurables et gardés secrets... Elle avait été placée à
la Saint-Martin chez les Cussac, une maison qui nourrissait bien. Elle y avait
été heureuse jusqu'au jour où... Le jour de la foire de Moissac, elle était restée seule avec le fils pour ensacher le restant du blé de l'année... Et ce fut un
grand malheur. Elle ne s'était pas méfiée quand il avait commencé à la regarder drôlement. Puis tout à coup, il était devenu comme enragé. Il l'avait
jetée à terre en étouffant ses cris, et forcée sans ménagements. Après, pendant qu'elle sanglotait, le gars avait été chercher un fusil et, devant elle, l'avait
chargé de deux cartouches. Folle de terreur, elle s'était jetée à genoux, pleu-
rant sa mort que raconteraient les journaux, et avait demandé grâce, jurant
dix fois de suite que personne, jamais, ne saurait rien. Il l'avait durement si-
gnifié, en tapant sur la batterie:

— Mets-toi bien dans la tête que je ne veux pas aller en prison. Compris?
Avant que les gendarmes viennent sur notre bien, il y aura une cartouche pour
toi et une pour moi. Alors autant que tu te fasses une raison. Il y en a toujours un qui t'aurait eue, pas vrai, alors un peu plus tôt, un peu plus tard. Et
il avait conclu, avec un sourire satisfait:

— Autant que ça soye moi qu'un autre, hein, t'es d'accord?

Depuis, la pauvre Rose se sentait toute abîmée, lasse de son corps, comme
elle s'imaginait que doivent l'être les femmes qui sont très vieilles. Si souvent le fils Cussac avait réitéré ses violences qu'il était impossible d'en dire
le nombre et cependant, jamais il ne faisait attention à elle quand il y avait
du monde.

— Un soir, la patronne avait observé :

— Notre Rose prend des tétons comme une nourrice. Faudra la surveiller. C'est déjà fait comme une femme mais faut pas croire que ça a de la raison. Le fils avait riposté :

— T'inquiète pas, va ! Y en a plus d'un dans le pays qui se vante de la frayer. Tout de même, s'il lui arrivait quelque chose, pense un peu aux embêtements qu'on aurait, nous autres ! La petite s'était enfuie, prise d'une épouvantable confusion, anéantie par le cynisme de cette offensive inattendue. A table, pendant la soupe, la vieille avait repris le sujet et l'avait admonestée sans délicatesse :

— Tu prends de drôles de manières, ces temps-ci, ma petite. Je me méfie, tu sais. T'aurais ça dans le sang que ça ne m'étonnerait qu'à moitié. Mais si tu fais la pute, c'est nous qu'on serait responsables.

Et elle avait ajouté : Je crois qu'on ferait bien de prévenir M. Gaure, si ça commence à se savoir dans le pays. Pas de fumée sans feu, comme disait ma grand-mère !

Cette menace terrifiait la petite :

— Quoi j'ai fait ? avait-elle bredouillé, sanglotante. Dites-le, au moins. Pourquoi que vous m'êtes tous après ?... Si elle n'avait pas manqué de courage, elle aurait pu en appeler à M. Gaure. Mais, non elle aurait été trop honteuse. Comment dire ces choses-là ? Et puis, elle avait peur de cette charge de plomb dans le ventre qui lui était promise. Et si elle ne mourrait pas, personne ne voudrait croire la vérité. Il y avait trop longtemps que ça avait commencé... L'idée cent fois reprise et refoulée de se confier à M. Gaure l'agitait comme une houle. Je lui dirai et lui demanderai pardon décidait-elle soudain et puis elle changeait d'avis : Non, je n'oserai pas, au premier mot, j'en perdrais le souffle ! Les pauvres, les abandonnés n'ont qu'à se taire quand il leur arrive des choses de la sorte. Le mieux est toujours que personne ne sache...

— Le dimanche de la Fête-Dieu, les Cussac et leur fille prirent la voiture pour aller à Ambert, à la séance du soir donnée par le cirque Kruger... La charge de la maison était laissée à Rose... Le fils Cussac, ivre depuis le matin, cuvait son vin... Dès le départ des voyageurs, Rose appréhenda le réveil de la brute, se tenant prête à le subir puisque le fait était maintenant coutumier. Désormais, elle obéissait dans l'attente d'un avenir qu'elle prévoyait avec épouvante : sa taille s'épaissirait et on la montrerait du doigt. C'était si affreux qu'elle s'efforçait de ne pas penser. Au crépuscule, le fils Abrial, le fils Beisse et un gars de la Murette vinrent faire grand tapage dans la cour et réveiller l'ivrogne. Il s'agissait de consommer sur l'heure une bouteille d'absinthe...

La jeune fille se réjouit prématurément d'une arrivée qu'elle croyait opportune… Un appel éraillé la tira de ses réflexions douloureuses :

— Hé ! la fille ! Viens par ici !

Passive, elle obéit à la voix du fils Cussac comme l'eut fait un chien docile et se traîna vers la grande salle avec une lenteur craintive. Derrière elle, quelqu'un ferma la porte à clé. Les quatre gars, les yeux luisants, la respiration courte, se rassemblèrent autour d'elle. Avec autorité, son jeune maître rompit le groupe et entraîna Rose vers la chambre du rez de chaussée encore souillée de vagues odeurs de vomissures.

Un garçon observa :

— Elle ne dit rien, elle doit aimer ça !

Mais bientôt la pauvre enfant se mit à crier :

— Je ne veux pas laissez-moi tranquille ! Pitié !

Un moment après, du seuil de la pièce qu'il quittait, le fils Cussac invita Abrial :

— T'es le plus ancien dans le grade le plus élevé, c'est ton tour.

La malheureuse petite tenta alors une résistance désespérée qui la dénuda complètement. Les mâles présents furent appelés en renfort.

Ce ne fut que plusieurs heures après que Rose, enfin rendue à elle-même, eut le droit de se lever et de s'habiller. Le fils Beysse proposa une collecte en faveur de la p'tite. Cette idée fut acceptée avec enthousiasme.

— Ça vaut bien dix francs chacun, proposa Abrial.

Le gars de la Murette offrit à Rose un verre de liqueur qu'elle dédaigna autant que les pièces de dix francs, abandonnées sur la table. Elle n'eut pas un mot de reproche. Son visage sans larmes avait la paleur sereine que l'on observe chez les êtres frappés à mort.

— Te tourmente pas pour les vaches, repose-toi, proposa le fils Cussac, vaguement troublé. On ira les traire à ta place. S'agenouillant près d'un baquet d'eau fraiche, Rose mouilla ses paupières douloureuses, se peigna soigneusement et, sans dire un mot, regagna sa chambre… Rose écrivit une courte lettre qu'elle cacheta avec application et déposa sur le lit pendant qu'elle mettait un tablier propre. Sans bruit, elle quitta la maison en tenant ses sabots à la main… Au bureau de tabac, elle acheta un timbre et le marchand observa :

— Tu crois que c'est une heure pour être dehors à ton âge ?

Et, à part lui, il pensa : Avant d'être femme, ça a déjà du vice plein les yeux et plein la peau. La petite Rose n'appartenait plus au monde des vivants et se désintéressait tout autant de leurs paroles que de leurs regards… La lettre dûment timbrée mise à la boîte, elle se dirigea vers la rivière où l'appelaient les eaux profondes du Grand Tournant. Demain sans doute, M. Gaure saurait toute l'histoire et la défendrait devant tout le monde. Il dirait qu'elle n'était pas une mauvaise fille. Et on le croirait puisqu'elle serait morte. La mort donne l'indulgence... Avant d'atteindre la berge, elle ferma les yeux. Et tout à coup, ce fut le vide et dans un éclair, la pensée suprême, fulgurante, que mourir est le pire des maux. Les eaux se refermèrent sur son jeune corps...

Le tribunal d'Ambert eut à connaître de l'affaire et prononça des condamnations avec sursis. Des avocats parisiens, déplacés à grands frais, blanchirent approximativement ces quatre garçons, qu'un soir de beuverie avait égaré regrettablement.

La disparition de la petite Rose fut ramenée à ses justes proportions. Le monde est plein de filles abandonnées, mal instruites ou mal surveillées [1].

Antoine Sylvère, *Toinou, Le cri d'un enfant auvergnat*, Pays d'Auvert, Paris, Plon, Coll. Terres humaines, 1980.

1. Antoine Sylvère, *Toinou, Le cri d'un enfant auvergnat*, Paris, Plon, Coll. Terres Humaines, 1980, p. 222 à 232.

Chapitre 9
Le silence déchiré, les luttes de femmes pour la dignité

Montrez à vos oppresseurs que vous êtes des femmes et non des choses dont on peut user et abuser [1].

On leur opposera leur sexe;
elles répondront par le mérite [2].

Au tournant du siècle, ce silence des femmes n'apparaît plus comme une fatalité inévitable. Les faits démentent l'affirmation de Proudhon selon laquelle « la femme est dans sa nature quand elle se montre craintive et timide » [3]. A la lecture de plaidoiries, à l'occasion de *faits divers*, on découvre que l'appropriation du corps des femmes n'est plus de l'ordre de l'évidence. Les auteurs de ces violences, sont – certes, dans des proportions très faibles – l'objet

1. *La Bataille Syndicaliste*, Appel des femmes socialistes aux femmes de la raffinerie Lebaudy, 17 mai 1913.
2. *L'Ouvrière*, 5 octobre 1922.
3. Proudhon, *La pornocratie ou les femmes dans les temps modernes*, A. Lacroix, 1875, p. 37.

de charivari, de dénonciations formelles dans l'entreprise et, ont, dans quelques rares cas, à répondre de leurs actes, devant la justice. En brisant le monopole de la parole masculine, des femmes font sortir de l'ombre ce qui relève dès lors de l'abus de pouvoir. Marcelle Capy estime en 1913 qu'« étaler au grand jour la peine des femmes est pour le moment la meilleure façon de leur être utile »[1]. Grâce à la dénonciation de moralistes, de féministes, de quelques rares hommes de gauche, mais surtout grâce à la parole des femmes, au tournant du siècle, ces impositions sexuelles sont remises en cause. Les aspirations des femmes, des ouvrières surtout, entrent dans le domaine des revendications, et s'affirment, par l'action collective, dans les grèves.

1. Le silence déchiré

Si des hommes exigent qu'on leur cède, les femmes salariées, plus nombreuses, mieux organisées, plus qualifiées, réagissent et exigent de gagner leur vie en restant *honnêtes*. Le champ de la dénonciation s'élargit, au point de remettre en cause – marginalement – il est vrai toutes les atteintes à la dignité de femmes.

La dénonciation

Des femmes parlent en leur nom propre ; leurs plaintes sortent de l'anonymat, de manière encore timide et peu explicitée. C'est la première étape, la condition nécessaire à l'action. Des dénonciations individuelles ont lieu dans la presse ouvrière, des scandales éclatent, des histoires sortent de l'ombre. En 1883, une domestique est chassée, après sept ans de travail dans la même maison au service du même maître, sans que celui-ci s'inquiète de savoir « si elle aura du pain le lendemain «. Elle écrit à l'organe de la Fédération socialiste de la région du Nord, *Le Forçat* : « On ne pourra jamais savoir ce que souffre une domestique qui doit, à toute heure du jour et de la nuit, être à la disposition de ceux qui, pour un peu d'or, disposent d'elle-même ». Et celle-ci, qui affirme avoir été licenciée « pour satisfaire un caprice du maître », déplore que le motif de son renvoi ne sera jamais dit, car, « on ne connait que trop bien sa vie »[2]. On n'en saura pas plus…

1. *La Bataille Syndicaliste*, Marcelle Capy, 4 septembre 1913.
2. *Le Forçat*, 22 juin 1884.

L'année suivante, ce même journal se fait plus incisif: la menace d'une dénonciation plane, inquiétante. Le défi est posé. Le petit chef, qualifié de *gratte-papier,* est ouvertement accusé. Les ouvrières de chez Sapin à Canteleu prient *Le Forçat* qui sert d'intermédiaire – et d'une certaine manière les protège d'une attaque patronale directe – de bien vouloir « faire savoir à M. Clef d'être, à partir de ce jour, un peu plus convenable et moins entreprenant avec elles, sous peine de recevoir la correction qu'il mérite » [1]. Cette annonce déplut fort à l'intéressé. Dans la livraison suivante, le journal poursuit ses attaques et lui demande « s'il a la franchise, lui, qui ne se gêne pas pour faire pression sur les ouvrières par le moyen de l'amende ou du livret, d'aller communiquer ledit avis à son patron, comme il l'a fait pour le précédent ». Et l'entrefilet se termine par la menace suivante: « Attention, Clef, on te regarde par le trou de la serrure. » [2]

L'Echo des Tabacs, auquel plusieur-es ouvriers et ouvrières des Manufactures ont signalé les *excès de zèle,* de *méchancetés* et d'*incapacités,* mais aussi d'*inconduite* et d'*immoralité* décide d'ouvrir, en 1886, une rubrique – du même nom – consacrée à la dénonciation, souvent nominativement énoncée, de ces abus. C'est ainsi que l'on apprend que M. Edouard, contremaître au service général à la Manufacture du Mans poursuit de ses *assiduités* l'institutrice de la crèche. Celle-ci est « loin de l'encourager » ; malgré l'affirmation de son « grand amour, sa grande autorité et toute son influence », elle n'a pour lui que du *mépris.* Il en conçoit un profond dépit et « la poursuit de toutes espèces de tracasseries et de vexations ». Il en fit tant qu'elle porte plainte auprès du directeur. La parole se libère dans la Manufacture. On découvre que M. Edouard est coutumier du fait et que les ouvrières, directement sous sa coupe et qui n'ont pas, sans doute, l'assurance de l'institutrice, « n'ont eu d'autres alternatives que de demander leur changement d'atelier pour lui échapper » [3].

Certaines font partager, sans fausse honte leur malheur, afin que d'autres évitent les pièges grossiers qui leur sont tendus. L'une d'elles, raconte, en 1925, comment, sortant, avec sept sous en poche, de l'hôpital, où elle a accouché dans de pénibles conditions, elle se voit proposer un emploi chez un homme seul. « Le patron, plus malin que moi, sut me prendre par la pitié que m'inspirait sa réelle sollicitude… Il arriva ce qui devait arriver. Vous l'avez toutes

1. *Ibid.,* 14 janvier 1883.
2. *Ibid.,* 8 juillet 1884.
3. *L'Echo des Tabacs,* Novembre 1897.

déviné. C'est une catastrophe que je regretterai toujours ». Son enfant, placé chez une nourrice, tombe malade ; elle demande une autorisation pour aller le voir et le ramène. Aussitôt l'employeur, craignant sans doute la charge de l'enfant, la licencie. « Cet homme, écrit-elle dans une lettre, qui m'a fait descendre un échelon plus bas de l'échelle sociale, me jeta sans remords dans la rue ». Et pourtant, estime-t-elle, « je n'avais fait que défendre ses intérêts, au détriment des miens ». Elle termine sa missive par cette recommandation adressée aux femmes : « Chères camarades. Soyez fermes, ne vous laissez pas attendrir. Songez qu'avant l'homme, vous aurez affaire au patron. » [1]

L'appel à la hiérarchie

Quelques femmes mettent au courant la hiérarchie des injustices qui se commettent en son nom. Sans grand succès, il est vrai. Claudie Lesselier a retrouvé dans les archives des grands magasins des lettres de salariées aux employeurs. L'une d'elle, signée par une dénommée Léonie Faye, est adressée au directeur du Printemps, en 1910. Elle mérite d'être citée, car on y trouve une critique mesurée et d'une haute tenue morale, mais, de fait, relativement subversive de la gestion du grand magasin. Les rapports de subordination étant abolis par la rupture du contrat de travail, cette jeune femme est libre de parler. Par ailleurs, au-delà de la dénonciation de celui qui lui a fait perdre son emploi, elle pose, sans ambages, à l'employeur le problème de sa propre responsabilité :

> *Monsieur,*
>
> *Pardonnez la liberté que je prends de vous adresser ce qui suit : j'étais employée dans votre magasin depuis quatorze mois et je viens d'être remerciée par la fantaisie d'un second, Monsieur Guellerin, qui ne pouvait pas me voir et pourquoi ? Parce que j'étais une fille sérieuse. Toutes les corvées étaient pour moi : j'ai lutté, ayant besoin de gagner ma vie et n'ayant que mon travail comme ressource pour faire vivre ma mère. Croyez, monsieur, que ce n'est pas par esprit de vengeance que je me permets de vous écrire ; c'est seulement pour que vous fassiez jeter un coup d'œil sur le rayon ; une partie de mes collègues ont*

1. *L'Ouvrière*, Le sort d'une mère travailleuse, 16 avril 1925.

lui, jusqu'aux clientes qui le remarquent et qui souvent sont indignées de la
façon dont il cause à certaines employées ; il y en a cependant une ou deux qui
ont tous les passe-droits parce que celles-ci s'avilissent. J'ai besoin, Monsieur,
mais rien ne me fera céder à un chef. Je regrette sincèrement ma place et c'est là
la récompense de quinze jours de veillées ; ce qui est injuste c'est qu'on accepte de
signer le bon d'une vendeuse sans prendre de renseignements et s'assurer qu'elle
faisait son travail consciencieusement.

Recevez, Monsieur, mes salutations [1].

En 1926, c'est aussi dans l'entreprise, mais avant le licenciement, qu'une ouvrière syndiquée aux Cordonneries du Havre, en compagnie de deux de ses camarades, décide d'aller voir le patron, pour dénoncer le contremaître qui voulait la contraindre à coucher avec lui. Le patron s'exclame : « Mais enfin, il y a déjà eu pas mal d'histoires comme la vôtre dans votre atelier et aucune des intéressées n'a fait autant de bruit ! » Très dignes, les jeunes filles lui rétorquent que « cet aveu n'honore pas sa classe et que si jusque là, les autres histoires ont été étouffées avec facilité, il n'en sera plus de même, car il a désormais affaire à des ouvrières organisées » [2]. On peut cependant se demander si cette réaction, si à-propos, n'est pas une reconstruction *a posteriori* aux fins de créer un idéal-type d'ouvrière politiquement consciente...

Ce qui est important de noter, c'est que le discours sur l'immoralité ouvrière est ici renversé. Ce sont des jeunes filles, des jeunes femmes, qui non seulement exigent le respect de leur dignité, mais qui en outre portent des jugements moraux sur les pratiques des classes dirigeantes. Elles contestent même la légitimité de leur pouvoir, du fait de leur comportement : si ces hommes méritent le mépris, comment peuvent-ils exiger du respect ?

Les femmes se targuent de la *vertu* dont on les a dépossédées ; celle-ci devient une arme que l'on retourne contre les patrons.

Responsabiliser les parents qui placent leurs enfants dans les *boîtes* sordides, rendre inopérant le discours moralisateur de la bourgeoisie qui prétend donner des leçons de dignité et de vertu civique, qui prêche l'ordre, la morale et s'assigne pour ambition de réhabiliter la famille au sein d'un milieu ouvrier récalcitrant à ses valeurs, devient un enjeu social et politique.

1. Cité dans Claudie Lesselier, Employées des grands magasins à Paris (avant 1914), in *Le Mouvement Social*, Travaux de femmes dans la France du XIXᵉ siècle, Octobre-décembre 1978, p. 115. 116.

2. *L'Ouvrière*, Un aveu, 23 décembre 1926.

Le recours à la justice

La partialité patronale en faveur de la hiérarchie oblige celles qui refusent de l'accepter, à faire appel à l'autorité de la puissance publique ; c'est au commissariat ou à la gendarmerie qu'il faut déposer plainte, pour que la justice soit éventuellement saisie. C'est ce que fait, en 1922, Madame R., âgée de 25 ans qui travaille à la maison Doré fils de Fontaine les Grès dans l'Aube. Selon sa déposition au commissariat, elle est l'objet de *poursuites galantes* de la part de son patron, M. Jean Davoine, âgé de 42 ans. Il se serait plu, en outre, « à lui faire admirer une collection de cartes postales dites artistiques, ainsi qu'un moine en position scabreuse à seule fin de la faire rougir ». Elle refuse ses *propositions* et se voit notifier sa mise en huitaine. Elle demande le réglement de son compte et, à cette occasion, lui reproche ses façons d'agir. Dans son bureau, devant deux ouvrières appelées comme témoins par M. Davoine, Madame R. renouvelle ses griefs. C'est alors qu'il accule la jeune femme dans un angle du bureau et la frappe à trois reprises, sans doute furieux d'avoir constaté que cette présence extérieure n'a pas été dissuasive. Celle-ci n'est sauvée que par l'intervention de Madame Davoine, attirée par ses cris. Les deux ouvrières, solidaires, témoignent de la scène de violence, tandis que le médecin constate des ecchymoses au cou et sur les bras [1].

Mais les chances pour une femme pour une femme du peuple surtout de convaincre juges et magistrats sont faibles. Il n'est pas facile pour ces *notables* de s'abstraire de leur milieu, de leur préjugés, de leur vision du monde, de la défense des intérêts masculins.

Il arrive cependant que les plaignantes finissent par inverser les rapports de force. Le cas est exceptionnel. En 1905, une jeune plumassière cite devant le tribunal correctionnel son ancien contremaître qui l'a giflée. Selon elle, la cause du *dépit* doit être recherchée dans « l'insuccès de certaines propositions immorales » qu'aurait *hasardées* le contremaître. Bien entendu affirme *La Gazette des Tribunaux*, le prévenu refuse d'attribuer à ce motif « son emportement regrettable ». Le contremaître irrascible est cependant, condamné à 50 frs d'amende [2].

Les demandes de réparation faites, en 1910, par Eugénie I. à la justice sont, à cet égard, remarquables. Elle est embauchée, en 1894, à 15 ans, comme bonne-à-tout-faire, au service de M. G. En 1897, elle accouche d'une petite fille,

1. *La Dépêche de l'Aube*, citée par *l'Ouvrière*, 14 octobre 1922. Comment on respecte la femme.
2. *La Gazette des Tribunaux*, Tribunal correctionnel de la Seine, 5 mai 1905.

qu'il reconnaît. En 1910, il décide de se séparer d'elle. Elle intente une action contre lui et demande le paiement de :

– 4 346 frs et 60 centimes, montant de constructions et plantations effectuées par lui sur des terrains lui appartenant.

– 25 000 frs à titre de dommages et intérêts en réparation du préjudice
qu'il a commis par ses agissements dolosifs au moment où il l'a séduite.

– 30 francs par mois, à titre de gages, de janvier 1894 à janvier 1910.

– la garde de son enfant et la condamnation de G. à lui verser une men-
sualité de 150 frs pour subvenir aux charges de l'éducation.

Eugénie I. dévoile ainsi, en toute lucidité, l'ambiguïté des rôles que cet
homme lui a fait assumer et demande réparation de toutes les injustices dont
elle estime avoir été l'objet. Il l'a traitée en bonne et en maîtresse, il doit payer,
à ces deux titres. Il l'a volée, qu'il rembourse. Il l'a abusée, qu'il répare le préjudice et qu'il paie. Sous prétexte de vie commune, elle a travaillé gratuitement six ans, qu'il lui paie rétroactivement ses gages. Il l'a rendue mère, il
est aussi père, qu'il assume sa paternité et qu'il paie…

Elle est – faut-il le préciser ? – déboutée de toutes ses demandes [1].

Les charivaris

Il faut aussi faire état de réactions sociales, de type *charivari,* qui révèlent
la permanence de formes de régulation sexuelle qui peuvent s'avérer être une
forme de protection pour les femmes. Louise Tilly et Joan Scott font référence
à ces pratiques de *chahuts* qu'elles situent dans l'économie familiale pré-in-
dustrielle et qui

> « avaient l'efficacité d'une sanction légale puisque le charivari établissait et fai-
> sait respecter les normes d'une conduite sexuelle acceptable. Une trop grande dif-
> férence d'âge par exemple, la promiscuité sexuelle ou l'adultère pouvait attirer les
> railleries des jeunes du coin qui s'adonnaient à des rituels compliqués… Ainsi fai-
> saient-ils des charivaris devant la maison des mères célibataires ou des hommes ma-
> riés qui avaient séduit une jeune fille. » [2]

Alors que l'exemple cité dans leur livre, *Les femmes, le travail et la famille,*
fait état d'une égale condamnation du séducteur et de la femme séduite, dans
l'histoire citée ci-après, le *charivari,* auquel participe l'ensemble de la communauté, fait fonction de fête expiatoire et accuse le seul séducteur. A

---

1. *Ibid.*, Tribunal civil de Gray, 19 juillet 1910.
2. Louise Tilly & Joan Scott, *Les femmes, le travail et la famille*, Paris, Rivages Histoire, 1987, p. 57.

Marquette, dans le Nord, se produit, en 1883, une petite révolution, qui nous est transmise par l'organe de la Fédération Socialiste du Nord.

> « Depuis 35 ans travaillait dans le tissage de monsieur Scrive un individu qui, par sa souplesse, avait acquis une certaine confiance dans la maison. Les ouvrières croyaient l'autorité de ce monsieur beaucoup plus grande qu'elle ne l'était effectivement, ce qui lui permettait de les terroriser et de leur faire accepter ses actes d'immoralité sans murmurer. La croyance de son autorité était si grande que, depuis nombre d'années, aucune d'entre elles, n'avait osé faire une réclamation à qui de droit. Cet individu a tellement abusé de ses fonctions qu'un grand nombre d'ouvrières en ont été la victime. Deux ouvrières de la maison se querellent, se reprochant réciproquement d'avoir eu trop de complaisances pour l'homme en question. Les bruits parviennent aux oreilles du gérant de la maison, lequel accomplissant son devoir d'honnête homme, après une enquête qui démontra la culpabilité de l'ignoble personnage, le flanqua à la porte. La joie s'empare des habitants de Marquette et se traduit par une manifestation spontanée. Deux mille personnes suivirent un habitant de la commune qui s'était habillé comme le sieur Scrive en chantant :
> Tu t'en vas et tu nous quittes !
> Tu nous quittes et tu t'en vas ! »

Ils continuent à chanter en se dirigeant vers la demeure du gérant : « La joie de ce dernier, affirme, très moralement, le journal socialiste, a dû lui prouver qu'on ne perd jamais rien à faire son devoir ». Le bon est récompensé, le méchant doit être puni : le soir, la fête continue et un grand bal populaire est organisé derrière la maison du coupable. Le journal socialiste tire la leçon suivante : « Nous ne pouvons nous empêcher de nous souvenir que par le manque de franchise des ouvriers, cet état de chose a pu durer un grand nombre d'années ». Le journal propose, pour que de pareils faits ne se reproduisent plus, que tous adhèrent au syndicat des tisserands de Marcq en Bareuil [1]. On remarquera que seuls les ouvriers sont sollicités pour adhérer au syndicat ; les ouvrières n'y sont pas conviées. Elles ont disparu de l'analyse.

Les *charivaris* regroupent des communautés entières, mais peuvent aussi être le fait de seules femmes. Celles-ci dévoilent les abus qui ne peuvent se produire que dans un silence complice ; certaines vont jusqu'à ridiculiser publiquement les hommes sur lequels elles ont décidé de se venger. *Le Père Peinard* nous rapporte l'histoire suivante : En 1893, dans la fabrique de paumelle Leprault, à Nouzon, le directeur s'en prend essentiellement aux femmes ; « avec les hommes, il a peur de recevoir un pain sur son gnasse ». Sa spécialité est « d'engueuler les ouvrières de l'usine », ce qui donne une idée du respect qu'il leur porte. Il donne rendez-vous à l'une d'entre elles,

---

1. *Le Forçat*, Une révolution à Marquette, 15 avril 1883.

« espérant bien user du droit de cuissage ». Malheureusement pour lui, elle avertit une quinzaine de ses compagnes et lorsque le directeur se retrouve au lieu du rendez-vous escompté, « la gueule enfariné, il tomba au milieu de la bande. Il fut copieusement injurié, traité de traînard, de fumier et de tout. Et c'est dans un charivari du diable qu'il fut raccompagné jusqu'à sa porte. Or, l'animal était marié. Voyez le tableau quand sa femme a reluqué la procession ! Les bougresses n'en sont pas restées là ; le lendemain, elles sont allées avec les ouvriers l'attendre à Grenoble ». *Le Père Peinard* conclut : « Si chaque fois qu'un des mecs d'usine se permet de faire des propositions à une copine était reçu *kif-kif* le cochon en question, le droit de cuissage passerait vite de mode. » [1]

La vengeance

Ces rares cas dévoilent néanmoins les failles qui apparaissent dans un système très contraignant qui ne laisse aux femmes que fort peu de recours. Alors, la vengeance individuelle apparaît souvent comme la seule alternative, la seule forme d'expression qui leur est laissée. La violence exprime alors l'arbitraire d'une situation qu'elles refusent. Des femmes se font alors justice, se vengent des hommes qui les ont trahies, vitriolent ou font feu sur leurs séducteurs, obligeant ainsi la société à voir ce qui était jusqu'alors occulté.

En 1897, une ouvrière d'une fabrique de caoutchouc du quai National à Puteaux tire à bout portant trois balles sur son contremaître et dirige ensuite le coup sur elle. Un bouton de son corsage joue un rôle de cuirasse. Le contremaître en réchappe, lui aussi. Qu'apprend-on alors ? Qu'il l'avait trouvée *à son goût* et que, devant ses refus, il lui avait expliqué que « comme Mac Mahon, elle devait se soumettre ou se démettre, accepter ses caresses ou être saquée. Devant la perspective de la misère, elle ne résista pas : elle se livra aux bécottages du salopiaud… Quand il eut soupé de la petiote, il l'envoya paître. Elle ne l'accepta pas ainsi : S'étant donnée, elle n'accepta pas d'être plaquée. » [2]

En 1900, une demoiselle Roppé, jeune ouvrière devient la maîtresse du contremaître de la maison où elle travaille ; il a 42 ans, vit avec une femme plus âgée que lui et apprécie fort sa jeunesse. Mais il se lasse et rompt la relation ; elle se

1. *Le Père Peinard*, Hardi les bonnes bougresses, 11 juin 1893.
2. *Ibid.*, Drames d'usine, 22 aout 1897.

voit abandonnée après la naissance d'un enfant. Elle l'attend gare de Lyon et fait feu sur lui à bout portant. Il n'est que légèrement blessé et elle fut acquittée [1].

En 1913, à Salbris, dans le Loire et Cher, c'est une ouvrière de 23 ans, Fernande Bourhis, qui fait feu sur son ancien patron, âgé de 43 ans. Louis Bouet, fabriquant de vêtements de confection, l'embauche. Il la courtise ; elle cède. Eternelle histoire... L'industriel presse la jeune femme de quitter son mari et son enfant. « Déjà fort compromise, elle cède encore et abandonne le domicile conjugal. » Après s'être installés ensemble à Paris, il revient sur sa décision, rejoint sa femme, en la laissant « sans ressources, perdue dans la grande ville, en proie au plus violent désespoir ». Il lui écrit enfin pour lui donner rendez-vous dans un hôtel lyonnais. Là, il l'informe que, « cédant aux sollicitations de sa fille, il estime de son devoir de reprendre la vie de famille ». Sa décision est irrévocable. Le lendemain, au moment où il allait la quitter, la jeune femme tire sur son ancien patron, dont « l'état est grave » [2].

La relative indulgence des jurys dans de telles situations exprime sans doute une certaine conscience de l'injustice dont les femmes sont, de manière banale, les victimes. En 1901, on relève dans la *Gazette des Tribunaux*, quatre cas de femmes vitriolant leurs amants ; si l'une est condamnée à 15 jours de prison, l'autre à 5 ans, deux autres sont aquittées.

2. La combativité des femmes, la spécificité des grèves de femmes

En novembre 1892, une loi dite de *protection du travail des femmes* est votée ; elle s'avère rapidement, dans de larges secteurs, avoir pour effet de consacrer leur situation précaire, sinon de l'aggraver. Le surgissement notable de grèves de femmes, au cours des années 1890-1900 s'explique sans doute, dans le cadre classique des luttes pour l'emploi, par réaction aux effets d'une loi censée les protéger. Mais il est significatif que nombre d'entre elles ont, en outre, de manière incidente ou spécifique, pour objectif, la défense de leur dignité.

---

1. *La Gazette des Tribunaux*, 14 novembre 1900.
2. *La Bataille Syndicaliste*, 19 octobre 1913, Un patron séducteur.

La combativité des femmes

Vers 1900, les contemporain-es notent que : « depuis une dizaine d'années, les femmes se sont habituées à prendre une part qui, chaque jour, s'accroît à l'agitation ouvrière ; des syndicats féminins sont fondés et l'on a vu s'organiser des grèves d'ouvrières »[1]. Aline Vallette qui s'était montrée si critique à l'égard de l'engagement des femmes peut, en 1898, écrire : « Les femmes ne sont pas les moins ardentes dans les luttes ». Elle cite, pour la seule année 1893, 55 grèves liées à l'application de la loi de 1892, atteignant 350 établissements, jetant hors de l'usine ou de l'atelier, 20 000 grévistes dans 20 départements et provoquant 160 000 journées de chômage. Elle évoque plus spécifiquement les grèves des *tisseuses de Mazamet* ou de Roanne, des *tullistes de Caudry*, des *corsetières de Nemours*, des *ouvrières des moulinages de Marcols et Saint Pierreville*, des *fileuses de soie de Crest*, des *empailleuses de chaises de Tarbes*, des *Carmausines*, des *tisserandes du Nord*, des *allumettières d'Aubervilliers*, des *casseuses de sucre de Lebaudy*...[2]

Ces faits consacrent l'émergence d'une nouvelle force dont témoignent notamment, au tournant du siècle, l'explosion de livres, d'articles, d'enquêtes, de thèses consacrés au travail des femmes dans la couture, à domicile, dans la commerce, l'industrie, l'administration...

D'autres signes peuvent être notés. Une femme, Marie Bonnevial, est élue, en 1893, déléguée au Secrétariat national au travail de la Fédération des Bourses du Travail ; la Bourse du travail voit en 1889, adhérer son premier syndicat féminin, celui des piqueuses de bottines. Quant au Congrès international de la condition et des droits de la femme, qui a lieu en septembre 1900, il consacre une part importante de son programme au travail professionnel des femmes. Il revendique l'égalité des salaires, la suppression de toutes les lois d'exception qui régissent le travail des femmes, la nomination d'inspectrices du travail, la journée de huit heures, le vote de *la loi des sièges*, l'assimilation du travail des domestiques à celui des employés et ouvriers en matière de conditions de repos et d'hygiène, l'évaluation du travail des femmes dans la famille, la protection des apprenties, des indemnités et un repos pour les femmes en couches[3].

---

1. *La Fronde*, Maximilienne Biais, Les ouvrières et les grèves, 2 janvier 1901.
2. *Ibid.*, Aline Vallette, La grève et les femmes, 27 février 1898.
3. *Ibid.*, Congrès international de la condition et des droits des femmes, Vœux adoptés par la commission d'organisation et soumis à la discussion et au vote du congrès, 29 août 1900.

La spécificité des luttes de femmes

Si la question de l'emploi et des salaires comme la réaction de femmes menacées de licenciements sont les causes les plus fréquentes de leurs grèves, les luttes révèlent aussi des revendications axées sur la défense de leur dignité.

Comme l'écrit justement Michelle Perrot, lors des grèves, « les souffrances tues, les désirs enfouis, sous l'usante monotonie du quotidien, affleurent au niveau du langage » [1]. Il n'est donc pas étonnant que, confrontées à une réalité qui leur soit propre, les femmes réagissent de manière spécifique. Les grèves regroupées sous le qualificatif de *questions de personnes*, (opposées à : *questions de salaire et de travail*) dont on peut penser, sans trop de risques, qu'il s'agit – au moins pour une part importante – de problèmes proches de ceux qui nous occupent, sont en effet plus nombreuses dans les grèves de femmes que dans les grèves mixtes. Ainsi, en 1899, pour 701 grèves mixtes, ces questions sont soulevées dans 132 cas – soit un sixième des cas –, tandis que ce pourcentage s'élève au tiers dans les grèves de femmes : 11 grèves sur 39.

> « Il n'est pas besoin d'insister, écrit Maximilienne Biais qui commente ces chiffres, pour faire comprendre qu'il est une certaine catégorie de questions de personnes qui n'existent et ne peuvent exister que pour les ouvrières. Lorsque le contremaître renvoie l'une d'entre elles d'une façon par trop inexpliquée ou lorsqu'elles vont jusqu'à la cessation de travail pour se débarrasser d'un surveillant, le motif allégué n'est pas toujours le motif véritable et on sait assez de quelle nature est ce dernier. » [2]

Précisons que des motifs tenant aux questions de personnes peuvent être, soit dévoilés à l'occasion d'une grève concernant les questions de salaires et de travail, soit ne pas apparaître formellement comme tels – nous savons les difficultés à les dénoncer – mais être cependant l'une des causes de grèves, ou l'un de ses facteurs catalyseurs.

Au même titre que les motifs de grève, les formes de combativité des femmes peuvent être aussi spécifiques. Un article du *Travailleur Fougerais*, paru en 1902, est particulièrement intéressant à cet égard : l'auteur est un ouvrier, un Fougerais. Selon lui – d'autres témoignages le confirment – dans cette ville, particulièrement combative, « les fabriques où sont exploitées nos femmes et nos filles sont des bagnes démoralisateurs, où le vice s'étale, tous les jours, comme une immonde lèpre, aux yeux de tous ». Cet homme nous dit, en outre, que les grèves « causées par ces pratiques de *démoralisation* sont plus nombreuses

---

1. Michelle Perrot, *Les ouvriers en grève*, France, 1871-1890, Paris, La Haye Morton, 1973, p. 7.
2. Maximilienne Biais, *art. cit.*

qu'on ne veut le dire ». Il propose alors une analyse novatrice de la spécificité des comportements des femmes dans les luttes sociales :

> « Si nous cherchons bien quelles furent les causes presque déterminantes de beaucoup de grèves, dont une surtout qui tourna à la révolte, nous les trouverons dans la haine que ces femmes violées ont voué aux contremaîtres et aux patrons. Et si, dans ces grèves, elles sont violentes, c'est que, à leur façon, elles se vengent de leur prostitution forcée. » [1]

La dimension spontannée, subite, souvent violente et agressive des grèves de femmes, notée par Michelle Perrot, trouve peut-être ici partiellement une explication [2].

L'émergence du thème de la dignité des femmes dans les revendications

En 1899, les chapelières de Saumur, demandent le renvoi d'un contremaître dont les agissements sont présentés comme *immoraux*. La presse nous rapporte que « les grévistes qui bénéficient du soutien de l'opinion publique sont fermement décidées à ne reprendre le travail qu'après satisfaction de leur réclamation » [3]. En 1914, lors de la grève des ouvrières en parapluies d'Aurillac, il est fortement question, en sus des brimades et diminutions de salaires, « des grossieretés et des insolences des patrons et de leurs représentants » [4].

Ailleurs, cette revendication de dignité – pour n'être pas aussi centrale – n'est pas, pour autant, secondaire ; dans certains cahiers de revendications, en effet, les femmes posent de manière encore allusive, mais autonome, cette exigence. En 1898, éclate à l'usine Grey à Dijon une grève motivée par une diminution de salaires. Les 200 ouvrières de la bonneterie ne gagnent pourtant que 40 sous à 3 francs par jour, « pour les plus fortes d'entre elles ». Elles travaillent, debout, « attelées à la machine, dans une position qui, au bout de très peu de temps, doit confiner au supplice, treize heures par jour dans une atmosphère empuantie des vapeurs de la lumière du gaz. » Plusieurs points figurent à l'ordre du jour de la grève : le *retour à l'ancien tarif*, la *suppression des amendes abusives*, la *diminution de la journée de travail*, de *l'eau à discrétion*.

---

1. *Le Travailleur Fougerais*, Dumoulin, Dans les fabriques : un satyre, n°17, 1er décembre 1902.
2. Michelle Perrot, *Les ouvriers en grève*, *op. cit.*, p. 319.
3. *La Fronde*, Grève des chapellières de Saumur, 25 Octobre 1899.
4. *La Bataille Syndicaliste*, 22 février 1914 et L'Humanité, 20 février 1914.

Quant au point 4, il demande « le remplacement des commis surveillants par des femmes, ce à quoi, sans doute, les mœurs n'auront qu'à gagner », précise *La Fronde* [1]. Notons que ces femmes sont soutenues par la *citoyenne* Ragouget, ex-présidente du syndicat des Tabacs qui a, trois ans plus tôt, mené et gagné la grève de Dijon sur la défense de la dignité des femmes [2]. En 1907, le point 6 du cahier de revendications de fileuses de soie des Cévennes pose de manière plus sibylline : « le respect de la liberté de conscience et de la personnalité de l'ouvrière. » [3]. Cette revendication apparaît, en 1907, dans l'Indre comme la première posée par le syndicat des chemisières de Villedieu : « défendre chacun de ses membres contre les vexations et les injustices dont il serait victime de la part de ses patrons ou chefs. » [4]

Quelques rares grèves aboutissent. C'est le cas, en 1900, à Giromagny, dans la vallée de la Savoureuse, où les grévistes obtiennent, après sept semaines de lutte, le renvoi d'un contremaître « malpropre, borgne et bossu, aussi hideux au moral qu'au physique », qui *abusait* des femmes et des jeunes filles placées sous sa surveillance. Une pétition est signée par les victimes, au nombre desquelles se trouvent des adolescentes de 13 à 14 ans. Les patrons Warnod, Boigeol et Cie, pour lui éviter des démélés avec la justice, se décidèrent à le renvoyer. Il semble que la menace, non mise en œuvre, de le déférer au Parquet, se soit avérée efficace [5].

3. Le détournement des luttes pour la dignité ; trois grèves exemplaires

Les grèves qui obligent à poser la question de la dignité des femmes dérangent ; certes, la défense de la dignité ouvrière n'est pas nouvelle, mais celle des femmes l'est incontestablement. Ces grèves s'opposent aux principes fondamentaux de l'action ouvrière : la collectivité et l'anonymat [6]. Enfin, dénonçant les abus des supérieurs, elles posent inévitablement le problème du pouvoir des hommes en général, mais aussi celui des maris et des compagnons. Il n'est donc pas étonnant que les causes de ces grèves aient été sous-estimées, détournées

1. *La Fronde*, Aline Vallette, Dans l'usine de bonneterie de Mr Grey, 27 mars 1898.
2. Cf. plus bas p. 262.
3. *L'Humanité*, Pour les fileuses de soie, 13 mai 1907.
4. Jean Louis Labbé, *Les chemisières du Bas Berry. Les femmes et le travail industriel dans l'Indre au XIXᵉ siècle*, 1860-1914, Musée social, 1985, p. 84 et 101.
5. *La Voix du peuple*, Le droit du seigneur, 30 décembre 1900.
6. Cette analyse est empruntée à Danièle Kergoat.

par l'histoire syndicale. Pour les relayer, il eut fallu être à même de voir ces violences, de savoir lire dans le flou d'une allusion, à l'occasion d'une gêne inexpliquée, derrière la pudeur des termes employés, ce que les femmes ne font qu'évoquer incidemment, faute de pouvoir les expliciter. La dénonciation – quand elle est formulée – ne dépasse que rarement le stade de l'indignation. Aussi, si nombre de ces grèves démarrent sur la dénonciation de cette réalité, rares sont celles qui la prennent en compte en tant que telle. Comme si ces revendications de femmes, pour elles-mêmes, sont indignes de figurer dans un cahier de revendications, *a fortiori* comme un motif de grève. A moins qu'elles ne soient, à l'inverse, trop graves pour pouvoir être prises en compte. En règle générale, cette réalité est simplement, au mieux, évoquée, sans pour autant être considérée comme importante.

Le détournement des grèves pour la dignité des femmes ; les réactions de femmes syndicalistes

Sauf exceptions notables, dans les grèves mixtes, la réaction syndicale consiste pratiquement toujours à détourner ces luttes de leur sens. Lorsque les femmes s'adressent à leurs collègues, syndicalistes ou non, on constate la mise en œuvre d'un processus qui vise généralement à dévoyer ces revendications et à les refouler, partiellement ou totalement. Françoise Thébaud, analysant les grèves de femmes dans les industries de guerre, pendant la Première Guerre mondiale, remarque que, là où les grèves sont victorieuses, les revendications, autres que salariales, sont vouées à l'échec : le renvoi d'un contremaître est presque toujours refusé aux ouvrières. Elle évoque notamment la grève de Puteaux, en juin 1916, où les ouvrières protestent contre le nouveau tarif *aux pièces,* exigeant, en outre, « d'être traitées avec respect par les contremaîtres » [1].

Ces femmes dont on sollicite la participation, et qui, pour les communistes, en 1922, sont encore considérées comme « l'arrière de l'armée prolétarienne » [2], peuvent-elles poser la lutte contre la grossièreté masculine, sans provoquer l'hilarité ou un simple haussement d'épaule ? Ces motifs sont présentés comme n'étant jamais assez sérieux ni importants, ni urgents. Le postulat de l'égalité entre exploités n'est-il pas en outre la doctrine syndicale ?

1. Françoise Thébaud, *La femme au temps de la guerre de 14*, Stock, 1986, P. 260.
2. *L'Ouvrière*, La femme dans les luttes ouvrières, 14 Octobre 1922.

Beaucoup plus que les clivages politico-syndicaux, ce qui fait la différence, en la matière, c'est l'engagement féministe du ou de la syndicaliste qui relaie ces luttes.

Certaines syndicalistes cependant, sont très critiques à l'égard des réactions des hommes censés défendre les interêts des femmes. Marguerite Michard, dans *l'Ouvrière*, échaudée par l'absence de réaction syndicale aux licenciements de femmes chez Renault, en 1924, donne son point de vue, dans un article au titre provoquant « La femme, voilà l'ennemi ».

> « Nous aimerions que nos camarades hommes se rendissent mieux compte de la psychologie féminine et qu'ils tendissent à la femme une main fraternelle, au lieu de la considérer comme un joujou au dehors, comme une ennemie à l'atelier, ennemie à laquelle on n'oublie pas de faire appel lors du déclenchement d'une grève pour faire triompher des revendications masculines, alors qu'on ne songe même pas à insérer ses revendications propres dans le cahier de revendication présenté au patron, comme cela se produit trop souvent. »[1]

Syndicaliste, elle aussi, Jeanne Bouvier, est fort critique quant la prise en charge par le syndicalisme des revendications des femmes. Elle constate que :

> « les intérêts professionnels ou sociaux des femmes sont complètement négligés. Les hommes n'éprouvent pas le besoin de consulter les femmes. On sacrifie toujours les intérêts de ceux qui ne sont pas là pour se défendre. »[2]

C'est par la conscience de l'inégale prise en charge par les syndicats des revendications en fonction du sexe que les femmes apprennent à décider ce qu'elles estiment important, sans s'en remettre à d'autres du soin de l'apprécier. C'est aussi par le sentiment de l'insupportable de ces injustices que des solidarités ponctuelles, y compris masculines, surgissent.

La grève des fromagères de Roquefort, 1907

Les conditions imposées aux *cabanières* qui travaillent à la manipulation des fromages sont éprouvantes : les caves sont glaciales et situées quelquefois au septième sous-sol : les courants d'air souterrains sont en effet nécessaires à la qualité du fromage. Il n'est pas étonnant que cette situation génère les maladies les plus diverses et notamment la tuberculose. Le salaire

---

1. *Ibid*, Marguerite Michard, La femme voilà l'ennemie, 15 mars 1924.
2. Jeanne Bouvier, *Une syndicaliste féministe*, 1867-1945, Paris, La Découverte/Maspero, p. 147

maximum est, en 1907, de 1 Fr 50 par jour. Ces femmes couchent dans des dortoirs surveillés par des religieuses qui exigent d'elles de rentrer à 9 heures et qui sont chargées de faire l'appel. Enfin, elles doivent se nourrir chez des personnes désignées par le patron. Pour la CGT, elles sont « esclaves de jour comme de nuit ». On apprend en outre qu'elles « ne peuvent se soustraire aux lubricités de quiconque possède un atome d'autorité et qu'il leur faut subir sans se plaindre un tutoiement dégradant et d'avilissantes privautés ». Au terme d'une grève qui, selon *La Voix du peuple*, organe de la CGT, est « une victoire complète des cabanières », les points suivants sont obtenus : reconnaissance du syndicat, augmentation de salaire et octroi d'une indemnité pour frais de nourriture [1]. Les *privautés* de la hiérarchie ne sont pas évoquées. Cette grève, soutenue par la *citoyenne* Sorgue, s'était pourtant produite deux ans après celle de Limoges, au cours de laquelle cette syndicaliste, comme la CGT, prirent position contre les atteintes à la dignité des femmes [2]. La reconnaissance obtenue du droit à se nourrir « où bon leur semblera » – aussi secondaire peut-elle apparaître – peut être cependant être analysée comme une étape dans un processus d'autonomisation de la vie privée des femmes par rapport aux exigences patronales. Il en a été de même, un an auparavant : les fleuristes, lors de la grève des jardiniers, ont obtenu *l'externement*, c'est à dire la suppression du couchage et de la nourriture imposés [3].

Les grèves des sucrières de la raffinerie Lebaudy, 1902 et 1913

Les revendications sur la dignité sont, en revanche, primordiales lors de la grève des casseuses de sucre de 1902, soutenue par les féministes, et lors de celle de 1913, soutenue par la CGT.

Le 16 juin 1902, les casseuses de sucre de la raffinerie Lebaudy, 19 rue de Flandre, à Paris, dans le 19 ème arrondissement, se mettent en grève totale après plusieurs échecs de grèves partielles. Elles demandent avant tout la suppression des mises à pied et des punitions. Mais la presse féministe évoque aussi « leurs plaintes à l'égard des chefs d'ateliers » et, sans autre précision, affirme qu'elles sont traitées « non comme des femmes, mais comme des esclaves ». L'organe de la CGT parle d'une « exploitation, non pas uniquement salariale, mais corporelle » [4]. Sur les affiches, les grévistes affirment que « les

---

1. *La Voix du peuple*, Les fromagères de Roquefort, 16 juin 1907.
2. Cf chapitre 10.
3. L. M. Compain, *La femme dans les organisations ouvrières*, Paris, V. Giard & Brière, 1910, p. 31.
4. *La Voix du peuple*, La grève Lebaudy, 22 juin 1902.

vexations doivent avoir des bornes, qu'elles veulent être respectées et que c'est l'arbitraire des chefs qui les obligent à se mettre en grève ». La question des salaires et des discriminations entre hommes et femmes est également posée. Le 20 juin, des sucrières, interviewées par Marie Bonnevial, décrivent avec force détails leur *exploitation*. L'une affirme que « les criminelles qui vont au bagne expier leurs crimes ne sont pas plus maltraitées qu'elles » ; une autre demande surtout à « ne plus être brutalisée, car pour être du peuple, on n'en a pas moins un cœur et un amour-propre » ; une troisième évoque « les méchants traitements » qu'elle estime plus durs encore que les conditions de travail. Aussi inacceptables soient-elles, celles-ci font partie, de son point de vue, de l'ordre des choses : « Puisque l'ouvrier doit trimer, il trime ». Ce qu'elles réclament c'est « quelques sous et surtout moins de vexations et plus de justice » [2].

Une réunion est organisée pour les soutenir. Clovis Hugues, député du XIXème arrondissement, Marguerite Durand, directrice de *La Fronde*, Marie Bonnevial leur apportent leur soutien. Un syndicat est mis sur pied. La réunion se termine par : « Vive la grève, vive le syndicat, vive l'émancipation des travailleurs sans distinction de sexe ou de nationalité ».

Les sucrières doivent cependant reprendre le travail sans avoir rien obtenu.

Onze ans plus tard, une nouvelle grève éclate à la suite d'une décision patronale de diminuer les salaires. Quatre cents ouvrières – et quelques ouvriers – cessent le travail. En plus du maintien de la paie à son tarif ancien, « le respect de la dignité de la femme » apparaît, à nouveau, comme le motif principal de la grève :

> « Ce qui se passe dans ces ateliers est inouï, écrit le – ou la – correspondant-e de *La Bataille Syndicaliste*. Les paroles obscènes, les mots crus, les gestes dégoûtants, les attouchements cyniques sont de bonne mise. De presque tous les contremaîtres, elles ont à se plaindre, à relever de sales choses, à l'exception du contremaître Champion qui a toute leur sympathie et dont la correction tranche en clair dans ce tableau fort sombre ». Au reste, l'exemple vient de haut : M. Grégoire, directeur de l'usine, devant les réclamations des ouvrières n'a-t-il pas laissé échapper cette phrase : 'Si vous ne gagnez pas assez, vous n'avez qu'à travailler le soir ! Quant au sous-brigadier 38 du 19ème, il est encore plus explicite lorsqu'il s'adresse à quelques-unes d'entre elles : Qu'est ce que vous attendez pour aller au boulevard, il y a des clients à faire ! » [3]

---

1. *La Fronde*, Berthe Mendès, Chez les sucrières, 300 femmes sans travail, 19 juin 1902.
2. *Ibid.*, Marie Bonnevial, La grève des sucrières, 20 juin 1902.
3. *La Bataille Syndicaliste*, La Raffinerie, Quatre cents femmes en lutte, 10 mai 1913.

C'est l'ensemble des conditions de travail qui sont dénoncées : ces femmes sont diabétiques, leurs mains sont meurtries, la chair est mise à vif, leurs doigts déformés, elles ont des varices et des hernies. En outre,

> « une discipline militaire pèse sur elles : un morceau de sucre jaune dans un carton : 15 jours de balai ; une brisure de morceau : même peine ; une étiquette mal collée : 4 jours ; du sang sur un carton : 8 jours… Pour une ouvrière qui séjourne à l'usine, 15 y passent et s'en vont, chassées par la faute de leurs doigts ensanglantés. » [1]

La Fédération Syndicale de l'Alimentation les soutient afin, affirme-t-elle, de « mettre un peu d'ordre dans tout ce fatras ». Un syndicat est immédiatement constitué : 315 adhésions *du premier coup*. Les directeurs acceptent de recevoir la commission de grève, mais appellent néanmoins la police « comme s'il se fut agi d'une invasion de suffragettes anglaises ». Sans reconnaître le syndicat, et sans signature de contrat – il a affirmé que sa parole valait bien une signature – le raffineur Lebaudy accepte de diminuer la baisse des salaires de 10 centimes : 0 fr 20 au lieu de 0 fr 30. Les grévistes exigent le maintien de l'ancien prix et – curieuse revendication de la part d'un personnel quasi-exclusivement féminin – elles affirment *vouloir*, en revanche, une augmentation du salaire des hommes qui réclament 0 fr 50 de l'heure au lieu de 0 fr 30.

Lors d'une réunion à la Bourse du Travail, les délégués syndicaux prennent la parole. Luquet évoque les raisons qui militent en faveur de l'action syndicale et notamment les tracas des ouvrières, qui, épouses, ménagères, mères de famille, doivent encore subir l'oppression capitaliste. Quant au camarade Laurent, il fait allusion à « l'immorale fortune des Lebaudy » [2]. C'est ainsi que le syndicat abandonne le thème des atteintes à la dignité des femmes pour ne défendre que celui de la défense des salaires. Ce qui est immoral, pour la CGT – qui décide ainsi souverainement de la hiérarchie des revendications – ce n'est pas les conditions de vie imposées aux ouvrières, mais le profit du raffineur. Cette décision d'abandonner les intérêts des femmes n'empêche pas *L'Humanité* « d'appeler (les ouvrières de Lebaudy) à participer à l'agitation contre le service militaire à trois ans » [3].

Malgré l'échec de cette grève, celle-ci n'est pas vaine, y compris et surtout dans le sens d'une prise de conscience des femmes. Des brochures malthusiennes, « qui obtiennent un grand succès » sont diffusées. Des femmes prennent des responsabilités et s'affirment comme leaders ; c'est le cas des *camarades* Tengier et Bourez, nommées secrétaire et trésorière du syndicat des

1. L'*Humanité*, Léon et Maurice Bonneff, Les ouvrières aux mains usées, 16 mai 1913.
2. *La Bataille Syndicaliste*, La résistance s'accentue, 17 mai 1913.
3. L'*Humanité*, Une belle victoire ouvrière des raffineuses en grève de la maison Lebaudy, 22 mai 1913.

raffineuses. Mais c'est surtout la vie imposée aux femmes dans l'entreprise, ainsi révélée, qui suscite l'indignation, y compris chez certains hommes. Certains viennent les soutenir dans les meetings et découvrent que « l'on fait exécuter par des femmes un travail qu'on jugerait scandaleux dans un bagne » [1].

Mais le fait qui marque le plus profondément les contemporains est le comportement du mari d'une ouvrière gréviste, relaté par *La Bataille Syndicaliste* :

> « Le 16 mai, les femmes en grève ont été les témoins indignées d'une chose monstrueuse, incroyable, inouie : un mari, la menace à la bouche, le fouet à la main, pour prévenir toute rebellion, conduisant sa jeune femme à l'usine ! A l'instant d'en franchir la porte, la malheureuse doublement exploitée par le mari et le patron coalisés, ne put se défendre d'un mouvement de révolte contre son brutal époux. Elle voulut rejoindre ses sœurs de misère pour les aider à triompher de leur exploiteur. Le mari se jeta aussitôt sur elle et la frappa odieusement. Les grévistes qui se trouvaient là sont alors intervenues pour arracher leur camarade des mains de ce triste personnage. Fou de rage, l'infect complice de Lebaudy, lança un coup de poing au visage d'une femme. Le sang gicla. L'inqualifiable attitude de ce goujat ne méritait-elle pas une leçon ? » [2]

Dès lors, le comportement des maris devint l'un des thèmes du meeting ouvrier du lendemain. La *camarade* Tengier flétrit l'attitude des hommes qui contraignent, par la force, leurs femmes à briser la grève. Dumoulin, secrétaire de la CGT s'élève contre les hommes qui n'ont pas soutenu leurs compagnes, et aborde le thème des violences des ouvriers sur leurs femmes : « On boit pour oublier sa misère, on cogne sur la femme parce qu'on n'a pas le courage de s'en prendre au patron », pour enfin exhorter à plus de soutien masculin à la grève, car « ce sont (les femmes) qui élèveront les hommes de demain ». Le meeting se termine par : « Vive le syndicat, vive la CGT, vive la grève. » [3]

Malgré l'absence de référence aux conditions de travail spécifiques aux femmes, les rapports de pouvoirs, au sein de la famille, apparaissent, timidement encore, dans les syndicats. Comment, en effet, imaginer un accroissement du pouvoir des femmes au travail sans provoquer un réaménagement des rapports entre les sexes dans la famille ?

La réponse apportée à ces luttes est cependant d'autant moins uniforme qu'elles touchent tout à la fois aux conditions de travail, au respect de celles qui les vivent, mais surtout parce qu'elles sont au cœur des rapports de pouvoirs entre patrons et ouvriers, ouvriers et ouvrières, maris et femmes, femmes entre elles. C'est sans doute la raison pour laquelle ces revendications aboutissent difficilement sur une action et apparaissent dangereuses lorsqu'elles

---

1. *La Bataille Syndicaliste*, L'enfer des raffineries, 14 mai 1913.
2. *La Bataille Syndicaliste*, La résistance s'accentue, Une brute immonde, 17 mai 1913.
3. *Ibid*, Le meeting de la Villette, 18 mai 1913.

la suscitent. Ce n'est qu'à la condition que les femmes aient un pouvoir dans l'appareil syndical – c'est le cas des Tabacs et Allumettes – que ces luttes peuvent être menées effectivement sur les problèmes vécus et posés par elles.

4. La dignité des femmes au cœur de la grève

La première condition du succès d'une grève axée sur l'affirmation de la dignité, c'est – faut-il le dire ? – que le problème soit posé en tant que tel. Le cas est rare. Car, ce qui fait la spécificité de ces grèves, c'est que le pouvoir patronal – toujours remis en cause par les revendications ouvrières – l'est ici frontalement. Tout d'abord, parce qu'il s'agit de questions fondamentales sur lesquelles personne ne peut – dès lors que le problème est posé – ni céder, ni transiger, ni négocier. Il est par ailleurs d'autant plus difficile de réagir que ces pratiques sont plus anciennes et plus banales.

Ces grèves révèlent à la fois la valeur accordée aux femmes, mais aussi la nature du pouvoir patronal, c'est à dire sa capacité à gérer des conflits, sans s'estimer attaqué dans sa légitimité. En ce sens ces luttes interrogent les fondements de l'autorité. Comment définir l'abus de pouvoir ? Où commence-il ? Comment peut-on abuser d'un pouvoir – qui par définition, implique un rapport inégal – dès lors qu'on l'exerce ? Quel statut accorder à la perception différente de la notion d'abus ?

La grève Bessonneau, Angers, 1904 : L'échec ouvrier

La grève survenue dans le *bagne* Bessonneau, à Angers, en novembre 1904, est déclenchée dans les circonstances suivantes. Jusqu'alors, selon *Le Libertaire*, « la traite des blanches (dans le contexte : le droit de cuissage) se pratiquait, à la bonne franquette, sous l'œil bienveillant du patron » [1]. La presse locale est plus circonspecte : « les femmes et les jeunes filles, estime-t-elle, sont l'objet de trop vives manifestations de galanteries de la part des contremaîtres qui voyaient d'un mauvais œil, leurs avances repoussées. » [2] Un contremaître de l'atelier des jouets, candidat éconduit aux *faveurs* d'une jeune ouvrière,

---

1. *Le Libertaire*, A Angers, grève et traite des blanches 13 au 20 novembre 1904.
2. *Le Patriote de l'Ouest*, 8 novembre 1904.

imagine, pour la renvoyer, une réduction de tarif de 40 % . C'est du moins la version du *Libertaire*. Les ouvriers de la section – menuisiers, tourneurs sur bois et assimilés – prennent le parti de la victime et tentent d'entrer en pourparlers avec la direction. Après trois jours de vaines tentatives, la grève est décidée : l'objet en est le droit de cuissage, le chantage sexuel. Or, l'entrepreneur M. Bessonneau, est connu comme clérical. On raconte même que les embauches se font sur recommandation de l'abbé Secretain. La presse de gauche saisit l'occasion de lier anticléricalisme, républicanisme et justice sociale :

> « Nous nous étonnons que des directeurs d'usine, alors que l'entrée (dans l'usine) est entre les mains du seul aumônier cherchent à couvrir des scandales provenant de la part de certains contremaîtres grossiers toujours prêts à abuser de leur autorité par tromper des jeunes filles sans défense. Nous savons bien que dans certains milieux bien pensants, on n'est que trop porté à se faire des gorges chaudes sur la vertu des filles du peuple. Nous croyons que les façons des grands seigneurs, héritage des temps féodaux doivent avoir une fin. En notre nouveau siècle, la conscience du peuple se révolte contre cette prétention de nos petits fruits secs de fils à papa, pommadés et étriqués, qui voudraient continuer à leur profit le droit de cuissage exercé par les ancêtres de ceux dont les grands parents ont été jadis les valets et au rang duquel ils croient se hisser, en les imitant jusque dans leurs vices les plus éhontés. » [1]

Comme lors de la grève de Limoges qui a lieu un an après celle-ci, cette exigence ouvrière apparaît comme une remise en cause inacceptable du pouvoir patronal, d'autant que les contremaîtres – pour lesquels ces postes sont autant de sinécures doublés de harem – n'ont pas les qualités requises pour exercer leurs responsabilités et s'avèrent être des incapables. Les grévistes envoient, le 17 novembre, à la presse locale – crime de lèse-majesté patronale insupportable – une lettre ouverte à M. Bessonneau. Non seulement ils dévoilent publiquement ce qui se passe derrière les murs de l'usine, mais ils révèlent en outre que le patron est au courant de ces pratiques et les accepte :

> *Monsieur l'administrateur,*
>
> « *En dépit des racontars intéressés de certains de vos employés, la cessation générale du travail dans vos ateliers n'a pour cause principale qu'une question de moralité. A différentes reprises, et conformément à vos exigences, «par la voie hiérachique», des plaintes vous avaient été transmises contre les procédés d'un contremaître. Lors de notre entrevue, vous avez d'abord prétendu les ignorer, puis enfin, avec une désinvolture plutôt douteuse, vous nous déclariez textuellement : 'Qu'après tout, ce dont on acccusait ce monsieur en question, ne relevait que de*

---

1. *Ibid.*, 10 novembre 1904.

la galanterie française, et qu'indépendamment de nos ateliers, vous n'ignoriez pas qu'elles se pratiquaient couramment de la même façon jusque dans vos bureaux.' A ce personnel singulier, nous laissons le soin de se défendre ou d'estimer sa dignité comme il l'entendra. Quant à nous, nous estimons être trop soucieux de la nôtre, de celle des femmes et des jeunes filles, avec lesquelles nous travaillons côte à côte pour admettre qu'à l'avenir elles devront subir, sous peine de la perte de leur travail, ne fut-ce que momentanément, les outrages journaliers d'un malpropre individu, dont les actes antérieurs semblaient consacrés par votre déclaration. En conséquence, nous sommes décidés à ne reprendre le travail que lorsque satisfaction complète nous sera donnée par son renvoi....

Veuillez agréer....

La commission. [1]

A moins de se déjuger, de licencier le contremaître concerné et d'admettre sa responsabilité, que peut faire M. Bessonneau? Se faire donner des leçons de morale par ses propres ouvriers est une humiliation que leur employeur leur fera payer cher; il choisit le bras de fer. Faute de reconnaître les faits, il contraindra les ouvriers à se déjuger.

Le lendemain de la publication de cette lettre, une note non signée est affichée sur la porte de l'usine «exigeant une rectification publique de la lettre». 2 000 employées de deux usines se réunissent, refusent cette demande et s'engagent à maintenir la lutte jusqu'à ce qu'entière satisfaction leur soit donnée. Mais, parallèlement, une lettre plus soucieuse des susceptibilités de l'employeur, déférante à son égard, est adressée à Mr Bessonneau. Les ouvriers «sont prêts à reprendre le travail, sous réserve de discuter de l'opportunité du maintien de l'ancien tarif», au cas où justice leur est rendue. Mais ils affirment ne pouvoir démentir les termes de leur lettre, «puisque ce sont bien les termes qu'il a tenus». Ils acceptent cependant d'écrire qu'ils «ont dépassé sa pensée». Ces concessions formelles peuvent être considérées comme une nouvelle humiliation: les ouvriers sont prêts à accorder à leur patron le bénéfice du doute quant à sa bonne foi. En outre, la question des salaires reste liée, comme elle l'a été dès le début, à celle de la dignité des ouvrières: céder sur l'une, c'est céder sur l'autre.

La solidarité avec les grévistes s'élargit: les carriers d'Aurillé et les tisserands du Nord apportent leur secours pécunier et moral. Le secrétaire général de l'union textile du Nord, le citoyen Renard estime que «les propos

1. *Ibid.*, 15 novembre 1904.

lubriques et les chantages à l'emploi ne sont plus de la galanterie française et que les ouvriers ne veulent plus de cette licence, dont ils sont les victimes » [1]. Le 19 novembre, tout en continuant à exiger le départ du contremaître (en note de leur lettre cependant), la commission de grève cède encore
un peu. En abandonnant progressivement le terrain de l'attaque patronale de
la dignité ouvrière, ils se placent sur celui de l'attaque par les ouvriers du pouvoir patronal. Les ouvriers et ouvrières affirment « vouloir croire que
Mr Bessonneau n'a pas donné, dans sa pensée, toute l'importance que nous y
attachons nous-mêmes, en ce qui concerne son appréciation sur les mots de
galanterie française » [2]. Le 20 novembre, nouvelle concession unilatérale : les
ouvriers s'affirmant « désireux de mettre un terme à ce conflit préjudiciable
aux intérêts généraux », *sollicitent* d'être entendus. Ils veulent croire, qu'« après
explication, le travail pourra reprendre ». Il n'est plus question de leurs revendications ; la demande de rendez-vous en fait fonction. Quant à la solution, non du conflit, mais du *malentendu*, elle est laissée à l'appréciation du
patron : la lettre qui lui est envoyée est respectueusement signée : « Votre personnel » [3]. Une partie des ouvriers se désolidarise en outre publiquement de
la rédaction de la lettre et demande la reprise immédiate du travail. Le
22 novembre, l'usine est ouverte et le travail reprend.

« Tous ceux qui ont eu le malheur d'offusquer M. Bessoneau dans leur
lettre » [4] sont exclus : c'est le cas des ouvriers du cablage, de la moitié des pe-
loteuses et de tous les ouvriers du bois ceux d'entre eux qui ont accepté de reprendre le travail, se sont vus ordonner de faire demi-tour. Quant à l'ouvrière
congédiée, M. Bessonneau n'accepte de la réintégrer que si elle fait les deux
jours de punition qui lui ont été infligés. Il faudra que les grévistes cèdent
jusqu'au bout de l'humiliation. M. Bessonneau, comme le fera plus tard le
contremaître Penaud lors de la grève de Limoges, leur donne « sa parole d'honneur qu'il ne cédera pas ». Pense-t-il ainsi en excipant de son *honneur*, rappeler, malgré l'image qu'il a donné de lui-même et de son entreprise, qu'il n'en
est pas dépourvu ? Les polisseuses reprennent alors le travail ; restent alors, seuls,
les ouvriers des jouets. « Pour eux, point d'entrevue, ni de pitié ». Leur atelier
est fermé. Leur présence est insupportable pour le bon ordre et la discipline
de l'entreprise. S'ils veulent être repris un jour, ils devront s'inscrire individuellement sur des listes d'attente. La décision est laissée à la discrétion

1. *Ibid.*, 18 novembre 1904.
2. *Ibid.*, 19 novembre 1904.
3. *Ibid.*, 20 novembre 1904.
4. *Ibid.*, 22 novembre 1904.

patronale. Mais, selon la presse locale, « les ouvriers ne se font aucune illusion sur le sort qui les attend » [1].

Monsieur Bessonneau a donc gagné sur toute la ligne ; dans le domaine de l'*honneur*, il existe peu de place pour les concessions. Quand le pouvoir assume son *immoralité*, il n'a d'autre recours que la fuite en avant, d'autre échappatoire que la surenchère autoritaire. Faute d'autre légitimité, il n'a plus que le pouvoir de la force. Il lui faut donc réprimer, faire disparaître ceux et celles qui ont dévoilé l'inacceptable et faire comprendre à tous et à toutes que les atteintes au pouvoir patronal ne sont pas de mises. Humilié, ce pouvoir ne peut s'affirmer que par l'imposition d'une contre-humiliation : les ouvriers doivent individuellement quémander pour être repris et le don qui leur sera ou non accordé confirmera le pouvoir dans sa fonction. On se prend à mieux comprendre les arguments récurrents, à l'occasion de ces luttes pour la dignité, notamment de la nécessité de l'*action directe*.

Les grèves dans les Manufactures des Tabacs et Allumettes : Le succès des ouvrières

C'est dans les Tabacs et Allumettes qui, au début du siècle, emploient 18 000 femmes sur 20 000 salarié-es, que la dignité des femmes a été la plus efficacement défendue. Au gré des luttes qui ponctuent leur histoire, ces ouvrières posent un certain nombre d'exigences novatrices. Elles affirment que c'est à elles de démontrer, par leur engagement, qu'elles « ne sont pas aussi esclaves que l'on voudrait bien qu'elles le fussent » [2], qu'elles ne « peuvent souffrir d'être insultées, ni laisser s'immiscer dans leur vie privée ceux qui ne sont leurs supérieurs que pour le travail » [3], qu'elles ne doivent, enfin, « le respect aux contremaîtres qu'autant que ceux-ci en auront pour ceux qui sont sous leurs ordres » [4]. Ces positions énoncent clairement le principe de la séparation entre la sphère privée et professionnelle ; la hiérarchie doit la respecter. Faute de quoi, elle ne saurait être elle-même obéie dans le domaine qui est le sien. Or, ces ouvrières s'expriment à la veille du XXe siècle, dans une profession où le droit de cuissage était une pratique courante. En 1901, selon une ouvrière des Tabacs, les travailleuses « n'avaient plus besoin pour

---

1. *Ibid.*, 23 novembre 1904.
2. *L'Echo des Tabacs*, mars 1897.
3. *Ibid.*, avril 1897.
4. *Ibid.*, novembre 1897.

avoir droit au travail d'être jeunes, belles et jolies » [1]. La grande figure féminine du syndicalisme des Tabacs, la *citoyenne* Jacoby, confirme ce jugement. Elle se remémore, en 1905, la banalité des chantages sexuels qui prévalaient dans les manufactures et les estime disparus : « Les jeunes avaient jadis les faveurs, les gentillesses et les sourires ; des filles et des femmes étaient obligées de se livrer à la prostitution ou on les mettait dans des postes où elles ne gagnaient pas leur vie. Je l'ai vu et je pense que c'était partout la même chose. » [2]

Comment ces ouvrières ont-elles obtenu ces acquis ? Trois grèves ont ponctué leur lutte : en 1895, 1897, 1899.

La grève de Dijon

La plus exemplaire est celle menée à la manufacture de Dijon, en 1895. Le 12 février de cette année, une entrevue a lieu entre les délégués des ouvriers et ouvrières et le directeur de la Manufacture, Mr Boyenval, concernant la fondation d'une caisse de secours mutuels. Les salarié-es veulent l'administrer eux-mêmes, ce que refuse le directeur. Au cours de la discussion, celui-ci « se laisse aller à des violences de langage » [3] et émet « une appréciation défavorable sur la conduite privée d'une ouvrière », Madame Koenig, « honnête mère de famille » et « doyenne de la Manufacture ». Il aurait dit, selon *Le Petit Bourguignon*, que « les parents étaient tout heureux de vivre de l'inconduite de leurs enfants, etc. Tout cela en des termes assez crus que Zola, seul dans le monde littéraire, n'hésiterait pas à reproduire. » [4] En guise de protestation contre ces propos qualifiés d'injurieux, 350 ouvrières se mettent immédiatement en grève et réclament le départ du directeur. Elle se plaignent de son manque d'égards envers elles [5]. Madame Ragouget, présidente du syndicat, affirme qu'il « les considère comme des esclaves soumis à tous ses caprices » [6]. Dès le lendemain, tous les voisins de madame Koenig attestent de « sa parfaite honorabilité, tant au point de vue des bonnes mœurs que de l'honnêteté et des relations de bon voisinage, en un mot, qu'elle a la considération de tous ceux qui la connaissent depuis 19 ans qu'elle habite la

---

1. *Ibid.*, Mars 1901.
2. *Ibid.*, Avril 1905.
3. *Le Petit Bourguignon*, 26 Février 1895.
4. *Ibid.*, 12 février 1895.
5. *Le Progrès de la Côte d'Or*, 13 février 1895.
6. *Le Petit Bourguignon*, 12 février 1895.

rue des Moulins » [1]. Elle envoie au Préfet les certificats délivrés par tous ses précédents employeurs. Un inspecteur général des Manufactures, ancien directeur de celle de Dijon, apprécié du personnel, est envoyé de Paris, le 14 février, aux fins d'enquête. Il demande aux ouvrières de reprendre le travail, en leur assurant le respect de leurs droits. Elles refusent : « Personne ne veut s'exposer, même pour quelques jours, aux petites tracasseries qu'il aurait bien pu leur faire subir en attendant la fin de l'enquête » [2]. Monsieur Boyenval, pour sa défense, nie avoir jamais *insulté* les ouvrières et assure qu'elles ont dû mal interpréter ses paroles, ce qui provoque des « rires ironiques » des intéressées. Le nombre des témoins est trop important pour cette défense tardive ne soit crédible. La grève continue : « Nous ne rentrerons dans nos ateliers comme de braves gens que nous sommes après que celui qui nous a injuriées – dans ce que nous avons de plus cher au monde – aura lui-même quitté la place », affirme avec force la représentante syndicale [3]. Celle-ci est sans doute d'autant plus exigeante que l'inspecteur chargé de l'enquête a déclaré qu'il n'hésiterait pas à demander le changement du directeur, si l'enquête devait confirmer les dires des ouvrières.

La grève n'est pas pour autant soutenue par tous : le député socialiste de la Côte d'Or vient annoncer que « les caisses du parti étant vides », il ne pourra pas aider les grévistes ; la décisison de grève lui semble trop *hâtive*. Aussi conseille-t-il à Madame Koenig de déposer une plainte en diffamation contre son directeur, afin d'obtenir sa révocation, en cas de condamnation pénale. Elle se conforme à ses vues ; les ouvrières ne suivent pour autant pas les conseils du député d'arrêter leur action. Le 20 février, la solidarité entre manufactures est décidée ; le 23, deux délégué-es de Dijon obtiennent un rendez-vous auprès du Président du Conseil, autorité de tutelle des Manufactures des Tabacs.

Au terme de 18 jours de grève, les ouvrières reprennent le travail, sans obtenir de résultat formel. Mais l'opinion publique, sensibilisée par le calme dont les grévistes ne se sont pas départies, presse le gouvernement de prendre une décision « inspirée par le sincère souci de la justice et le respect des droits de tous ». Un éditorial du *Petit Bourguignon*, en date du 26 février, espère que la décision gouvernementale se préocupera autant de « faire respecter la liberté de conscience et tous les droits légitimes des ouvriers que d'assurer le maintien de la sacro-sainte hiérarchie » [4]. Cette double exigence – véritable tour de force – peut être effectivement honorée parce que les ouvrières ont

1. *Ibid.*, 13 février 1895.
2. *Ibid.*, 14 février 1895.
3. *Ibid.*, 14 février 1895.
4. *Ibid.*, 26 février 1895.

estimé qu'«elles pouvaient croire à la parole du gouvernement». Ce dernier peut alors d'autant plus facilement leur donner, en retour, satifaction que la grève est terminée et que le principe d'autorité risque moins d'être mis à mal : « J'ai demandé que le travail fût repris, ne pouvant examiner les faits tant que la grève durerait, tant il y avait une sorte de menace adressée à l'administration» déclare en effet le Président du conseil [1]. Au terme de la grève, après résultats de l'enquête, tout polytechnicien qu'il fut et, paraît-il, ami de promotion de Carnot, ancien Président de la République, le directeur est mis d'office à la retraite. Assigné par Madame Koenig devant le tribunal de simple police, il est cependant acquitté et l'ouvrière condamnée aux dépens.

Mais l'affaire n'est pas close. Le 15 mars 1895, le Président du Conseil en personne, ministre des Finances, M. Ribot, à la Chambre, prend position sur le fond. Il affirme que «l'Etat doit être un patron modèle», que «le gouvernement n'a pas cessé de se préoccuper du bien-être de ces ouvriers et que le salaire des ouvrières des Tabacs, dont la situation avait particulièrement besoin d'être améliorée, a augmenté de 27 % depuis 1885, alors que celui des hommes n'a été augmenté que de 10 % .» Puis il rappelle les circonstances de la grève : «des paroles qui avaient blessé une ouvrière, qui l'avaient atteinte dans sa vie privée et qui avait produit une émotion qu'[il] avait considéré comme légitime».

> « La grève terminée, le travail repris, poursuit-il, j'ai examiné les faits avec la plus grande impartialité, et autant j'exigerai toujours que la discipline soit maintenue et que l'autorité soit respectée, autant je demanderai également aux directeurs de ne pas oublier que les ouvrières et les ouvriers employés dans nos ateliers doivent avoir les mêmes sentiments de susceptibilités et de dignité que nous apportons tous dans notre vie. (Applaudissements). L'autorité ne peut que gagner à ce qu'il y ait ce respect mutuel. (très bien, très bien !)... J'ai cru, en accomplissant mon devoir comme je l'ai fait... avoir plus fait pour l'autorité dans ce qu'elle a de légitime et de bon, qu'en opposant une fin de non recevoir à des réclamations qui étaient légitimes. (très bien !, très bien !). » [2]

La Chambre, ayant particulièrement apprécié la haute teneur de ces paroles, a voté l'affichage du discours.

La grève de Marseille

Deux ans après cette grève, une seconde éclate à Marseille : le 8 janvier 1897, trois jours après son déclenchement, une délégation fait connaître au

1. Débats, Assemblée Nationale, 15 mars 1895, p. 1175.
2. Débats, Assemblée Nationale, Ibid.

Préfet sa véritable raison, jusqu'alors occultée ; 750 ouvrières sur 800 réclament le déplacement de Mr X., chef de section « accusé d'excès de sévérité et de rudesse ». Une enquête officielle est ouverte qui « révèle à sa charge quelques paroles grossières, quelques faits isolés de raideur ou de rudesse, fort excusables chez des agents de cet ordre, anciens ouvriers ou anciens officiers ». Les auteurs de cette prudente conclusion reconnaissent, avec une certaine gêne, qu'« une enquête analogue faite dans de telles conditions, au sujet de n'importe quel d'entre eux, aurait permis de révéler des faits semblables ». [1] L'administration savait qu'une capitulation pouvait être grosse de conséquences pour l'avenir. Cependant, comme la campagne de presse en faveur des grévistes se poursuit, il devient de plus en plus difficile à l'Administration de continuer à soutenir un individu contre toutes. Aussi doit-elle se résoudre au départ du chef de section, dont le nom, protégé par les intérêts patronaux, a disparu de l'histoire.

La grève de Bordeaux

En 1899, les ouvrières, sans doute enhardies par les résultats obtenus par leurs camarades, passent à l'action directe. Elles poursuivent de huées un ingénieur et un chef de section et décident la grève. L'ingénieur est déplacé après qu'une enquête eut reconnu, en des termes euphémiques, qu'il « avait commis des vexations » et que le chef de section « avait fait preuve de manque de tact » [2].

---

1. Charles Mannheim, *De la condition des ouvriers dans les manufactures de l'Etat (Tabacs et Allumettes)*, Paris, V. Giard et E. Brière, 1902, p. 423.
2. Ibid. p. 426.

Chapitre 10
La grève de Limoges contre
le droit de cuissage, Avril 1905

Vous défendez la femme exploitée dans tous les pays
Salut et honneur à vous, ouvriers de Limoges [1].

Franchement, camarades limousins,
la cause méritait-elle un tel effort ? [2].

On pouvait lire, le 30 mars 1905, dans la chronique locale du *Courrier du Centre* cet l'entrefilet :

> « Un léger conflit, qui fut vite aplani, a éclaté mardi à la fabrique de Mr Théodore Haviland, dans l'atelier de peinture. Hier, de nouvelles difficultés surgirent et les peintres quittèrent tous le travail. Ils réclament, paraît-il, le renvoi du directeur de la peinture. Les grévistes ont tenu une réunion dans la soirée à la Bourse du travail ».

Quinze jours plus tard, la ville de Limoges est, du fait de ce *léger conflit*, plongée dans une situation insurrectionnelle. L'armée tire sur la foule : un ouvrier, Camille Vardelle, est tué et quatre autres blessés par balles. On évoque un second Fourmies.

1. *Le Réveil du Centre*, Citoyenne Sorgue, 23 avril 1905.
2. *Le Libertaire*, A Limoges, Le droit de jambage sanctionné par la république, 25 avril 1905.

Cette grève, dont on a si longtemps caché la véritable signification en l'expliquant seulement par la tradition ouvrière, socialiste, révolutionnaire de Limoges, *la ville rouge*, la *Rome du socialisme* [1], n'a, du début jusqu'à la fin, qu'une seule et même revendication : le départ d'un directeur, nommé Penaud, pratiquant sur les ouvrières le droit de cuissage. C'est en raison de son importance que cette grève exemplaire mérite un statut spécifique.

1. La classe ouvrière de Limoges en 1905

Contrairement à l'analyse récente qui a pu en être faite, le déclenchement des grèves de 1905 à Limoges et notamment de la plus importante d'entre elles, celle de l'usine de Théodore Haviland, n'est pas un « mouvement largement spontané » [2], à moins de considérer comme tel tout mouvement qui échappe aux analyses classiques en matière de luttes sociales.

L'évolution des structures familiales

Pour certains contemporains, Limoges est une ville « aux mœurs patriarcales où l'esprit de famille est très puissant, où les fils restent généralement avec leurs parents jusqu'à l'établissement de leurs sœurs » [3]. Pour d'autres,

> « la famille ouvrière n'y est plus qu'une fiction. C'est l'affranchissement en fait pour la femme, l'enfant, le chef de famille de ce contrôle mutuel de tous les instants qui maintient la moralité dans les foyers, ou tout au moins s'oppose aux trop grands écarts. La gravité de cet état de choses est surtout apparente pour les femmes et plus encore pour les jeunes filles »,

peut-on lire dans une thèse publiée, en 1904, sur *le travail porcelainier en Limousin* [4].

On peut émettre l'hypothèse suivante : les structures familiales du Limousin encore largement imprégnées de traditions rurales, sont, au début du siècle, confrontées à un éclatement, dû à l'importante croissance du salariat féminin. Cependant, le « recrutement par familles, père et fils, mère et

---

1. Cf. John M. Merriman, *Limoges, La ville rouge, Portrait d'une ville révolutionnaire*, Paris, Belin, 1990, Chapitre VIII : Les grèves de 1905, p. 351 à 375.
2. *Ibid.*, p. 374.
3. *Le Libertaire*, 25 avril 1905, *art. cit.*
4. Gabriel Ducray, *Le travail porcelainier en Limousin*, Thèse, Université de doit de Paris, Angers, 1904, p. 193.

filles, travaillant ensemble ou successivement dans la même usine, voire dans la même spécialité » [1], contribue à perpétuer ces structures.

La croissance du salariat féminin et l'émergence des grèves de femmes

Dans la porcelaine, principale activité industrielle de la ville, les femmes sont 24 % de la population active en 1884, 35 % en 1901. Le patronat trouve dans la main-d'œuvre féminine le moyen de procéder à la rationalisation du travail, accélérant ainsi le processus de déqualification des ouvriers : les décalqueuses, payées quatre fois moins que les artistes en porcelaine, remplacent la plupart des anciens décorateurs. Si les femmes sont payées, en moyenne, deux fois moins que les hommes et sont affectées aux ateliers les plus dangereux pour la santé – leur espérance de vie est de cinq ans inférieure à celle des hommes [2] – elles ont, néanmoins, acquis une force indiscutable. Selon John M. Merriman, historien de la ville de Limoges, les ouvrières de la ville « se syndiquent de plus en plus » ; il s'était notamment créé une Chambre syndicale des ouvrières de la peinture céramique qui compte 120 membres en février 1904 et 400, l'année de la grève. En 1905, 1200 ouvrières sont syndiquées, soit 20 % du total, c'est-à-dire, deux fois plus que la moyenne nationale. 30 % des syndiquées de la chaussure et de la porcelaine sont des femmes. Et – chiffre plus édifiant encore – 42 % des membres de l'*Initiative*, (la Chambre syndicale de la porcelaine) sont des ouvrières, soit 12 % de plus que 5 ans auparavant [3].

Nous savons aussi qu'en sus de leur participation aux grèves mixtes, les femmes ont initié plusieurs grèves qui ont secoué Limoges en 1904 : deux grèves de décalqueuses, c'est-à-dire de femmes peintres : l'une, pour la suppression des amendes ; l'autre, sur le refus d'utiliser un nouveau papier décalque qui devait supprimer deux emplois sur cinq ; une troisième, de lingères, sur les salaires et le départ du contremaître. Les ouvrières d'une papeterie de Saint Junin ont même obtenu d'élire leur contremaîtresse [4].

1. Geneviève Désiré Villemain, Une grève révolutionnaire, Les porcelainiers de Limoges, *Annales du Midi*, Tome 83, N° 101, Janvier-mars 1971, Privat, p. 40.
2. John M. Merriman. *op. cit.* p. 270.
3. Ibid. p. 337.
4. Geneviève Désiré Villemain, *art. cit.*, p. 49 et 50.

L'apparition de luttes contre le droit de cuissage

Selon Geneviève Désiré Villemin, historienne de Limoges, l'accusation faite au directeur de l'usine Haviland d'exercer un droit de cuissage sur les ouvrières, « n'est pas dépourvue, dans le contexte de l'époque, de vraisemblance »[1]. Elle affirme, en outre, que « les ouvrières limousines acceptent avec plus de difficultés que les ouvriers l'autoritarisme des contremaîtres, car les conflits ayant pour cause (leur) tyrannie y sont plus fréquents dans les ateliers féminins que masculins »[2]. La lutte contre le droit de cuissage dont Penaud est le symbole, n'est pas une nouveauté : les ouvrières de Limoges ont déjà fait part de la violence qui leur est faite, sans être entendues. Lors de la grande grève de la maison Fougeras (chaussures et sabots) – qui ouvre la voie à celle de Haviland – l'un des contemporains a déjà noté que la demande de renvoi du directeur Crouzière, qualifié de « dur, inflexible, autoritaire, outré, insolent a pour cause son attitude à l'égard des femmes… Les ouvrières disent que les maris et les pères de famille doivent se joindre à elles pour demander son renvoi. »[3] Un dirigeant du syndicat des ouvriers et ouvrières en chaussures, Jacques Rougerie, a d'ailleurs, en mars 1905, saisi, à ce sujet, la Fédération des cuirs et peaux, en évoquant « l'attitude arrogante, insolante et hautaine de Crouzières, ainsi que des faits… et même des actes d'une moralité douteuse »[4]. De fait, les revendications des ouvrières sont, après sept semaines de lutte, largement satisfaites. Certes, Crouzière reste chez Fougeras, mais il n'a plus de contact avec ses subordonnées ; en outre, une légère augmentation de salaire est obtenue. L'articulation réussie entre ces deux revendications : salaires et luttes pour la dignité s'avère dangereuse pour les intérêts patronaux. Si les grèves de Fougeras et de Haviland s'expliquent par les mêmes réalités, la différence tient sans doute au fait que, mieux organisée, plus combative, la classe ouvrière dans l'usine Haviland a pu être stimulée par le succès chez Fougeras. Mettant à son profit la montée générale des luttes sociales à Limoges, en 1904, 1905, elle a cru alors pouvoir mettre un terme à l'exercice du droit de cuissage.

1. *Ibid.*, p. 55.
2. *Ibid.*, p. 50.
3. *Le Mouvement socialiste*, Gabriel Beaubois, Mai 1905, p. 82.
4. Francine Bourdelle, *Evolution du syndicalisme ouvrier à Limoges (1870-1905)*, Mémoire de maîtrise, Université de Limoges, 1973, p. 123.

2. Le déclenchement de la grève : le droit de cuissage exercé par Penaud

Le contremaître Penaud – souvent qualifié aussi de directeur – âgé de la cinquantaine, est employé depuis douze ans dans la fabrique Charles Haviland, industriel de nationalité américaine, qui possède la plus importante et la plus moderne des fabrique de procelaine de Limoges. L'usine compte 5 740 hommes, 2 400 femmes et 1528 enfants [1]. Au terme d'une grève récente, la suppression du travail aux pièces qui favorise l'arbitraire patronal a été obtenue. « On voyait un mauvais ouvrier gagner 150 frs par quinzaine, tandis qu'un bon ouvrier n'atteignait que 40 frs. Le 1er mars 1905, la Chambre syndicale vota un ordre du jour flétrissant ces agissements. » [2]

Selon un contemporain, Penaud

> « fait tout son possible pour amener le rétablissement du travail aux pièces (et, par ailleurs)... réserve le bon travail à ses créatures. On ne peut gagner sa vie sans s'être assuré, par des amabilités, des gracieusetés, des dons – en nature et en argent – de la bienveillance du contremaître... Les femmes et les jeunes filles sont soumises à des exigences de caractère particulier. » [3]

Le journal *Le Libertaire* présente Penaud comme un être « abject, autoritaire et prévaricateur » et estime que « les faits (sont) constants, prouvés et connus de tous » [4]. *Le Réveil du Centre*, se fiant à ce que racontent les grévistes, décrit

> « les prévenances spéciales qu'il a pour certaines, (dont il exige) qu'elles le paient en retour ; il poursuit de sa haine celles qui lui résistent. On a renvoyé des ouvrières dont le crime unique est de n'avoir pas été suffisamment... aimables, peut être même en a-t-on renvoyé qui avaient cessé de plaire. » [5]

Certes, aucune information ouvrière de première main – en particulier aucune information formelle – émanant d'ouvrières ne nous est parvenue. Charles Haviland, lors d'une interview, se targue de ce silence. Il déclare : « Lorsque, avec les autres chefs de maison, j'ai reçu la délégation ouvrière, devant l'insistance de quelques-uns d'entre eux à qualifier de suborneur le contremaître, que ceux qui ont des faits probants à lui reprocher, ai-je dit, portent plainte ! On enquêtera. Quel est celui qui peut formuler une accusation précise ? » [6] Personne, d'après Haviland, ne répondit.

---

1. Archives départementales de Limoges, Dossier: Grèves de 1905. Tous les documents cités sous l'intitulé : Archives départementales, proviennent de ce dossier.
2. *Pages Libres*, Maurice Kahn, Les événements de Limoges, 1er juillet 1905, N° 235, p. 3.
3. *Ibid.*
4. *Le Libertaire*, 25 avril 1905, art. cit.
5. *Le Réveil du Centre*, 22 avril 1922.
6. *Le Gil Blas*, Interview de Charles Haviland, 20 avril 1905.

Mais cette absence de dénonciation formelle ne signifie pas pour autant que Penaud, qui n'a jamais, pas plus que son patron, démenti les faits dont il est accusé, n'est pas coupable. Quelques témoignages ouvriers font état de ses pratiques. L'un d'entre eux, interrogé par un journaliste parisien, pendant la grève, déclare : « Penaud à tout fait... excepté quelque chose de bien. Il est injuste, dur. Et puis, avec les femmes... Il les fait passer par un petit couloir pour entrer et sortir, et puis... » Et le journaliste, qui attribue à la *pudibonderie*, son mutisme soudain, observe que « le porcelainier s'arrête en rougissant » [1]. Un ancien employé de l'usine rencontré par le correspondant de *l'Humanité* affirme, pour sa part, qu'« il a été le témoin de faits révoltants dont un seul suffirait à légitimer la colère ouvrière » [2]. Toujours selon le journal communiste, la Chambre syndicale de la Céramique avait été saisie de nombreuses plaintes [3].

Néanmoins le relatif silence ouvrier doit être analysé. Il peut s'expliquer par la nature des faits reprochés. En outre, faire appel à la justice ou à l'autorité patronale pour dénoncer Penaud, sans législation adéquate, sans garantie, sans autre preuve que la parole d'une ouvrière face à un patron tout puissant, c'est prendre le risque d'être soi-même l'objet de la suspicion, de la vindicte, du licenciement. « L'éternelle argumentation des défenseurs des débordements de la virilité : noircir les victimes pour tenter d'excuser les accusés » [4] aurait été avancée : c'eut été immédiatement sur le travail ouvrier ou sur l'*honneur* des ouvrières que les accusations ou *enquêtes de moralité* se seraient portées. Un compte rendu d'une réunion patronale, tenue le 24 mai 1905, confirme cette hypothèse. On peut y lire ceci :

> « Mr Penaud a été interrogé par le délégué du ministre et il est certain qu'on n'a pu trouver aucun fait immoral sur son compte, tandis que chez les ouvriers et surtout les ouvrières, les enquêtes faites par les fabriquants les occupant ont prouvé que certaines se livraient comme suppléantes dans les maisons de prostitution. » [5]

Dans le peuple, la cause est cependant entendue ; la satire s'empare de ces faits :

1. *L'Echo de Paris*, 19 avril 1905.
2. *L'Humanité*, 21 avril 1905.
3. *Ibid.*, 17 avril 1905.
4. A. Deschamps & J. Deschamps & B. Mériglier, 1905 : *Les troubles de Limoges*, Lucien Sony Edit., 1984, p. 162.
5. J. P. Baroux & H. Chartreux, *Les porcelainiers de Limoges en grève*, Institut C. G. T. d'Histoire sociale du Limousin, p. 32.

Chanson à l'éminent Penot

Le père Penot, le mistonneur (bis)
Passe son temps à faire le charmeur
Tous les jours, nous le voyons
Avec la femme de poil à maron

Refrain :

Voilà pourquoi, nous disons
A bas Penot, A bas Penot

Quand une fille vient demander
Du travail pour turbiner
Avant de demander son nom
Il lui touche les nichons
Et si cela lui plaît
Vite, elle est embauchée [1].

Une *complainte héroïque* de 25 couplets est par ailleurs entièrement consacrée aux événements de 1905 :

Les peintresses et la grève à Limoges.

Il était une fabrique
Porc'lainière de son métier
La têt', avenue de Poitiers
Mais l'cœur, à la Martinique,
Ousqu'un amoureux farceur
Rêvait du droit du seigneur

Donc, ce monstre, en défaillance
(– Or, c'est trop s'apitoyer
Et l'on devrait hongroyer
Tous les contremaîtres de France ! –)
Aux jeunes' à dents d'ivoir'
Offrait sournoisement le mouchoir !

Mais, ces bich'un peu farouches,
Au fait de toutes les couleurs,
Et abîmées de douleur,
Par un procédé si louche,

---

1. In A. Deschamps & J. Deschamps & B. Meriglier, *op. cit.*, p. 37.

> *Supplièrent le syndicat*
> *Qu'il les en débarassât !*
>
> *D'zim !... par certain'fausses hanches*
> *Le pauvre était fasciné !...*
> *Il fut soupçonné, tout net,*
> *De fair'la traite des blanches*
> *Boum !... Allons, frère Jonathan,*
> *Remerciez l'mangeur de piment.*
> *Ou, sur le champ, c'est la grève...*

Et, cette complainte se termine par cette suggestion révélatrice :

> *Pour clore aussi cett' faconde,*
> *Soufflons donc à moussu l'prefet*
> *Un truc pratique et parfait*
> *Qui peut contenter tout le monde :*
> *C'est, à la Bourse du travail,*
> *D'adjoindre un nombreux sérail* [1].

Enfin, dans un style plus grandiloquent, *La Marche des fusillés*, signée Goulesque, qui fut éditée par l'auteur, au bénéfice des chômeurs.

Citons les troisième et quatrième strophes :

> *... Le porcelainier demandait*
> *Que l'on respectât sa misère*
> *Au patron qui se refusait*
> *A bien vouloir les satisfaire*
> *Penaud voulait des ouvrières*
> *Car la luxure l'étreignait*
> *S'indignant de pareils marchés*
> *L'amour sacré de la famille*
> *Vibrait au cœur des ouvriers*
> *Crever, mais non livrer nos filles*
> *Jamais des âmes aussi viles*
> *N'animent des porcelainiers* [2].

---

1. Signé : Las Bourricodas, Limoges, Pâques 1905, Archives départementale de Limoges.
2. Archives départementales de Limoges.

La genèse exacte de ce qui se passa le 28 mars 1905 dans l'atelier de peinture n'est pas clairement établie. La cause officielle est le renvoi de trois peintres « accusés d'avoir fourni, depuis qu'ils étaient payés à l'heure, un travail insuffisant » [1]. Mais toutes les analyses, toutes les interprétations, dont aucune n'a été démentie ou infléchie, sont formelles : la cause réelle en est le droit de cuissage. On peut d'ailleurs se demander pourquoi Penaud, après avoir renvoyé les peintres, cède subitement à la pression ouvrière ? N'est-ce pas parce qu'il savait ces accusations fondées ? Devant son recul, le travail reprend le 29, mais « à la suite d'une vive discussion entre le directeur de l'atelier de peinture et les ouvriers peintres, 40 de ces derniers abandonnent le travail, déclarant qu'ils ne le reprendraient que lorsque le directeur aurait été renvoyé » [2].

3. Les caractéristiques du conflit

La propagation de la grève est rapide : elle gagne tout l'atelier de peinture, le 29 mars ; elle est totale, le 2 avril, dans l'usine, et s'élargit, le 10 avril, à l'usine de Charles Haviland, le frère de Théodore. Là, les ouvriers demandent le départ, d'un autre contremaître, lui aussi détesté, nommé Sautour. Celui-ci est accusé du licenciement d'un ouvrier qui avait enterré civilement son enfant et plus fondamentalement de « favoriser les ouvriers qui partagent ses opinions (cléricales) et de se montrer injustes envers les autres » [3].

La grève chez Charles Haviland bénéficie très vite du soutien syndical ; s'il faut croire en la complainte déjà citée, ce sont les ouvrières qui auraient fait appel à lui. Dès le 30 mars, la Chambre syndicale des peintres céramistes déclare « approuver pleinement les camarades peintres de la maison Haviland » et décide de « donner plein pouvoir à la Fédération de Céramique pour s'occuper du conflit existant entre Mr Théodore Haviland et le personnel de la peinture ». Le soutien syndical est notamment financier ; cette solidarité a déjà été à l'origine de l'importance et de la durée de la dernière grande grève de la porcelaine de 1882. La cotisation est fixée en 1905 à 10 % du salaire pour les hommes et 5 % pour les femmes et les enfants.

1. Rapport du commissaire de police au préfet de Haute Vienne, 28 mars 1905, Archives départementales de Limoges.
2. Télegramme du Préfet au Ministre de l'Intérieur faisant connaitre les causes de la grève, 14 avril 1905, Débats Assemblée Nationale, 18 avril 1905, p. 1897.
3. John M. Merriman, *op. cit.*, p. 356.

Cette grève est originale par son objet et par ses formes. Tous les contemporains, ont noté, avec étonnement, qu'elle ne s'assigne aucune revendication matérielle : ni augmentation de salaire, ni diminution des horaires de travail. Jaurès, notamment, a évoqué « son caractère singulier » [1]. Il tient à son facteur déclenchant, mais surtout à l'intransigeance ouvrière, quant à son objet, alors même que les critiques sur son bien-fondé ne manquent pas dans le milieu ouvrier et syndical.

Les pouvoirs locaux et nationaux occultent et sousestiment la cause réelle de cette grève : on parle d'*incident*, de *querelle*, de *problème de mœurs*, de *susceptibilités*. Le maire socialiste de la ville, Labussière, affirme, le 3 avril, que « les conflits survenus n'ont aucune cause de gravité exceptionnelle ». Certaines autorités l'ignorent totalement : le Préfet de la Haute-Vienne, Cassagneau, n'y fait allusion dans aucun des télégrammes au Ministre de l'Intérieur. Il faudra attendre que l'émeute éclate dans les rues de Limoges, pourqu'un télégramme codé émanant du Ministre, en date du 17 avril, s'en inquiète. Celui-ci, tout en mettant l'accent sur le maintien de l'ordre, demande en effet au Préfet, « s'il ne conviendrait pas de rechercher une solution par la constitution d'une sorte de commission d'enquête, composée de deux représentants patronaux, deux représentants ouvriers et un représentant choisi par le gouvernement, qui aurait pour seule mission de vérifier les griefs contre les deux contremaîtres et de dire si ces griefs sont fondés » [2]. Quant aux fabriquants de Limoges, ils se réunissent, le 3 avril, non pour débattre des pratiques de Penaud, d'emblée « mis hors de discussion », mais sur le sujet de « la situation faite à l'un des leurs ». La note du commissaire de Police au Préfet précise qu'ils « sont outrés de l'attitude mauvaise des ouvriers » [3].

La presse, enfin, élude, elle aussi, l'essentiel. Les lecteurs et lectrices du principal journal de Limoges *Le Courrier du Centre*, devront attendre 22 jours après le début du conflit et trois jours après l'émeute avant de voir évoquer, incidemment, par le délégué CGT, sur la tombe de Camille Vardelle, « le nécessaire respect de nos femmes et de nos enfants dans les ateliers » [4]. Il en est de même pour le *Réveil du Centre* [5]. Ce n'est que le 19 avril, en reproduisant les débats à la Chambre au sujet de l'émeute, qu'ils ont pu lire l'interpellation du député Poulain : « Les ouvriers ont appris par où on a essayé de faire passer leurs sœurs, leurs filles, leurs femmes, même quand celles-ci venaient

1. Débats, Assemblée Nationale, 18 avril 1905, p. 1907.
2. Archives départementales de Limoges.
3. *Ibid.*, Note en date du 3 avril 1905.
4. *Le Courrier du Centre*, 20 avril 1905.
5. *Le Réveil du Centre*, 19 avril 1905.

chercher du travail. » Et celui-ci termine ainsi son discours : « Je n'insiste pas ; on est fixé là-dessus. » Ce n'était cependant pas par leurs journaux locaux que les Limousins en avaient été informés. Il reviendra à *La France du Centre* de présenter, sous la plume de son directeur, le député Tourgniol, l'analyse la plus proche de la réalité. Celui-ci impute la responsabilité « des événements de Limoges à l'ignoble Penaud, son complice Haviland et le syndicat patronal ». Et il estime que cette grève est d'autant plus *respectable*, qu'elle est fondée « sur des motifs élevés ». Il regrette enfin, qu'aucune loi ne permette encore de poursuivre ce *crime social* [1].

Cette grève sort très vite du lieu de travail ; l'usine est fermée le 3 avril et les grévistes font la jonction avec d'autres. Les réunions à la Bourse du travail se terminent régulièrement par des manifestations au cœur même de la ville. Labussière adresse, dès le 3 avril, une missive à ses concitoyens pour les mettre en garde contre les conséquences pouvant survenir « des troubles occasionnés par les nombreuses manifestations sur la voie publique, accompagnées d'actes répréhensibles ». Cette grève, aux formes directes et violentes, s'en prend, faute de médiations, aux personnes elles-mêmes, en particulier aux contremaîtres, symboles de l'exploitation, « cibles déclarées des grèves » [2]. Le contremaître Sautour, alerte, en ce sens, le 1er avril 1905, le Préfet pour « lui demander la protection légale qui lui est dûe, en tant que citoyen français ». Sachant que son employeur est américain, on peut s'interroger sur son insistance à arguer formellement de sa nationalité. *Menacé*, il précise qu'il a été « avisé que, sous peu, ce soir peut-être, [il] doit être traité, comme il est d'usage maintenant, à Limoges, pour les contremaîtres boycottés, c'est-à-dire avec sifflets, huées, crachats et le reste. » Sur des papillons affichés en ville, on peut en effet lire : « Sautour, ta condamnation est prononcée... Sautour, on t'observe », tandis que, lors des cortèges, des « inscriptions peu aimables » contre Penaud, selon *Le Courrier du Centre*, sont inscrites sur des pancartes. Dans une déclaration au commissariat de police du 1er avril, Sautour fait état de « jets de pierres lancés contre sa maison et dans son jardin, brisant une partie d'une persienne » [3]. Par ailleurs, des mannequins portant des pancartes où l'on peut lire : « Mort à Penaud, Mort à Sautour » ou : « Vous êtes tous priés d'assister à l'enterrement de Sautour et de Penaud » accompagnent les drapeaux rouge et noir de la manifestation du 15 avril. Les patrons n'échappent pas, non plus, à la vindicte populaire ; ils sont eux

---

1. *La France du Centre*, Les événements de Limoges, 23 avril 1905.
2. John M. Merriman, *op. cit.*, p. 269.
3. Note du commissaire de police au Préfet, 2 avril 1905, Archives départementales de Limoges.

aussi, mais dans une plus faible mesure, injuriés. Haviland est pendu en ef-
figie, le 14 avril.

L'action directe, qui emprunte ses méthodes aux libertaires, aux anarcho-
syndicalistes, peut être considéré comme le pendant des méthodes utilisées
à l'encontre des ouvrières, attaquées dans leur personne. A la violence et aux
abus de la hiérarchie, les ouvriers opposent une violence alternative. *L'Ouvrier
Céramiste*, évoquant les pratiques du successeur de Penaud à l'usine Haviland,
demande même aux ouvriers de se poser la question de savoir s'il ne faut pas
l'*abattre*[1]. Cette violence atteint aussi les ouvriers et ouvrières qui ne sont pas
solidaires. Des notes de police évoque les moyens utilisés par les grévistes pour
obtenir la solidarité financière; les ouvriers et ouvrières sont poursuivi-es,
conspué-es, voire molesté-es dans les rues, lorsqu'ils « refusent de verser l'obole
convenue à la collecte en faveur des grévistes »[2].

4. L'historique du conflit : Bloc contre bloc. L'impossible accord[3]

La ville est socialement et politiquement coupée en deux : l'affaire Penaud
est son affaire Dreyfus : « On était contre Penaud, si l'on épousait la cause ouvrière, pour lui, si l'on soutenait les patrons. »[4] Dès le début du conflit, Charles
Haviland refuse de négocier. Le 28 mars, il *parlemente* avec une délégation de
peintres qui lui présente leurs revendications. Mais il s'oppose à toute concession comme à toute relation directe avec les ouvriers, sous quelque forme que
ce soit. Il s'en tiendra à cette position jusqu'au terme du conflit. Les discussions entre le syndicat patronal et ouvrier, chargés de défendre les intérêts respectifs des protagonistes, sont donc largement formelles puisque Haviland a
prévenu qu'il ne céderait pas. Considérant toute discussion sur la base des exigences ouvrières comme atteinte à son autorité, Haviland refuse de remettre
en cause un droit, pour lui, imprescriptible : celui de choisir ses représentants.

1. *L'Ouvrier céramiste*, Limoges, 1905, No 3.
2. Rapports de police en date du 10 mars et du 8 mai 1905, Archives départementales de Limoges.
3. Cette grève ayant été largement analysée, nous insisterons essentiellement sur ses aspects moins connus
ayant trait à l'affaire Penaud. On pourra se référer aux sources déjà citées, ainsi qu'à la presse locale : *Le Courrier du
Centre*, *le Réveil du Centre* essentiellement, et nationale : *Le Journal des débats*, *L'Humanité*, *Le Siècle de Paris*, *l'Echo de
Paris*, *La Voix du peuple*, *Le Petit Bleu de Paris*, *La Lanterne*, *Le Gils Blas*...
4. Geneviève Désiré Villemain, *art. cit.*, p. 75.

C'est d'ailleurs en arguant de l'intransigeance patronale que le maire de Limoges jouera le rôle qui fut le sien tout au long de ce conflit : tenter d'obtenir des concessions de part et d'autre, pour éviter le pire. Il se rend, le 1er avril, de son propre chef, à l'usine Haviland, pour demander à Penaud « au nom de l'intérêt général », sa démission. Selon ses dires, celui-ci répond, « sans même une hésitation », qu'il accepte volontiers de se retirer, mais qu'il répugne à le faire lui-même. Labussière, encouragé par cette affirmation, téléphone à Haviland qui « répond par un blâme », confirmant par là même la réalité de l'offre de démission donnée par Penaud [1]. Le jour même, après le désaveu patronal, Penaud quitte, avec sa famille, Limoges pour se réfugier à Angoulême. Il n'est pas pensable que ce départ, le soir même de cet engagement oral, en présence de plusieurs directeurs de l'usine Haviland, ait pu avoir lieu sans l'accord et sans doute à l'initiative même de Haviland. La parole de Penaud entre peu en ligne de compte dans la stratégie patronale.

Alors que les délégués ouvriers, sans doute informés par Labussière, pensent que le conflit est terminé, ceux-ci se voient à leur grand étonnement, communiquer une lettre de Penaud, le 8 avril, par le Comité des fabricants : « En réponse aux allégations qui se sont produites, celui-ci qu'il se considère comme engagé d'honneur à ne pas donner sa démission. »

Les délégués ouvriers font alors deux contre-propositions :
— le retour au travail du personnel « sous la direction de Mr Penaud, sous réserve de son renvoi dans un délai d'un mois » ;
— sa rétrogradation hiérarchique, « soit comme ouvrier à la banquette, soit comme employé en dehors des ateliers de peinture » [2].

De fait, il semble moins qu'il s'agisse d'un « louable sentiment d'humanité », comme l'analyse Le Réveil du Centre, que d'une tradition ouvrière libertaire, chère au Père Peinard, de vouloir remettre les contremaîtres à la base, d'où ils n'auraient jamais dû sortir. Les délégués patronaux refusent cette atteinte au pouvoir disciplinaire et font alors une contre-proposition, qualifiée de « vraiment bizarre » par le Réveil du Centre, organe de presse proche du maire. « Mr Penaud conserverait ses titres et ses fonctions, mais ne s'occuperait pas de la direction de l'atelier de peinture pendant six mois. Afin de permettre au calme de renaître dans les esprits, il obtiendrait un congé d'un mois, au terme duquel il serait employé par M. Haviland, soit à la direction de la lithographie, soit à tout autre service qui lui conviendrait, en dehors des ateliers de peinture, pendant un délai de cinq mois ». Les ouvriers refusent cette

1. Le Réveil du Centre, 10 et 11 avril 1905.
2. Le Courrier du Centre, 9 avril 1905.

proposition qui laissait les mains libres à M. Haviland de remettre Penaud à son poste antérieur.

Le conflit reste entier et s'aggrave même lorsque les mécaniciens de la maison Charles Haviland, frère de Théodore, demandent, à leur tour, le renvoi de Sautour et se mettent en grève. Le sort des deux contremaîtres et des deux usines, qui occupent à elles seules plus de 6 000 ouvriers et ouvrières, est désormais lié. A la demande des Haviland, les patrons de la porcelaine font alors connaître, par l'intermédaire de leur Fédération, leur intention de fermer toutes les usines de la ville, c'est-à-dire mettre près de 20 000 personnes au chômage, si les ouvriers des deux usines Haviland ne reprennent pas le travail. A la solidarité ouvrière, ils opposent la solidarité patronale : bloc contre bloc. La lutte des classes n'est pas ici un vain mot.

La grève prend alors une dimension nationale. Le Président du Conseil, Maurice Rouvier, envoie un télégramme pour tenter de retarder le lock-out, ne fut-ce que de 48 heures. Mais, le 14 avril 1905, les portes de 19 fabriques de porcelaine sur 32 restent fermées tandis que Georges Haviland est reçu par le Ministre de l'Interieur à la sortie du Conseil des ministres. A Limoges même, Mr Labussière, peu entendu par les grévistes, « les adjure, les supplie dans un but d'apaisement et dans l'interêt général de ne pas exiger le renvoi pur et simple de Penaud et d'accepter les conditions patronales ». Pensant que l'influence de certains pouvait être atténué par un vote à bulletins secrets, Labussière décide d'y avoir recours. En vain. L'après-midi, par 260 voix contre 67 et 6 bulletins blancs, la proposition patronale est repoussée [1].

Le 15 avril, la Fédération de la Céramique affirme que « malgré de nombreuses concessions de leur part, aucune n'en a été faite par les patrons ». Les ouvriers ont notamment fait savoir qu'ils se résigneraient au maintien en place de Sautour pour peu que Penaud disparaisse. Mais, faute de réponse patronale, « ils se voient contraints d'accepter la lutte. . avec l'intime conviction d'avoir avec eux l'opinion publique. Car, devant tous les faits reprochés au directeur Penaud et au contremaître Sautour, il n'est pas un ouvrier conscient qui ne condamne leurs agissements. » [2]

Le maire, toujours à la recherche d'un accord, prend cependant très fermement parti contre la décision patronale de lock-out, qualifiée de *pacte de famine*, comme l'atteste une protestation du Conseil municipal de Limoges le 17 avril : « Ils ont sacrifié des milliers de familles au caprice d'orgueil de

---

1. Rapport du commmissaire de police au Préfet, Archives départementales de Limoges, 13 avril 1905.
2. *Le Courrier du Centre*, 16 avril 1905.

l'un d'entre eux », peut-on y lire. « Ils n'eussent pas agi de façon différente s'ils avaient prétendu provoquer ceux là mêmes qui sont leurs victimes », poursuit la déclaration [1]. Des souscriptions s'ouvrent en solidarité aux victimes du lock-out. Celle du *Réveil du Centre* que Labussière, entouré de ses adjoints et de nombreux conseillers municipaux inaugure le 17 avril, en versant la somme de 20 frs, recueille la somme de 4 962, 05 frs à la date du 2 mai 1905. Provocation ou non, Mr Haviland décide d'interdire aux ouvriers l'accès à la caisse de secours qui contient 28 000 francs.

Plusieurs manifestations ont lieu en ville, où la violence croît en relation notamment avec l'entrée de l'armée dans la ville, décidée par le Préfet. Une note en date du 14 avril du Commissaire central de police fait état de « la surexcitation d'une grand partie de la population de Limoges depuis l'entrée de Monsieur le général Tournier », commandant du 12ème corps d'armée. Celui-ci constate que « les relations entre civils et militaires ont cessé, [et que] l'animosité a pris naissance » ; il pense donc que « la situation ne peut être améliorée que par le départ de Mr le général Tournier. Dans le cas contraire, une haine se produira contre les officiers et il ne faudra que bien peu de choses pour que des faits déplorables à tout point de vue (puissent) se produire. » [2] La situation prend alors une tournure nettement insurrectionnelle ; c'est l'émeute, l'entrée des ouvriers dans les usines pour déloger les personnes qui y travaillent encore, y compris dans les usines ayant décrété le lock-out, la découverte d'une bombe, le pillage d'armureries, l'attaque contre la prison pour délivrer les personnes qui ont été arrêtées. *Le Courrier du Centre* estime toujours que « le cas de Mr Penaud peut être encore réglé de manière satisfaisante si la ville ne vivait pas au milieu de cette fièvre et de cette tension nerveuse qui font qu'une révolution locale peut sortir d'une simple grève. » [3]

La troupe cependant « charge et tire sans sommation sur une foule réfugiée au jardin d'Orsay » [4]. On relève un mort, un jeune peintre sur porcelaine de 20 ans, Camille Vardelle, atteint, dans l'aine, d'une balle tirée d'un fusil Lebel. Plusieurs blessés sont relevés, dont trois atteints, eux aussi, par balles.

Le 18 avril, un débat a lieu à la Chambre. Le Ministre de l'Intérieur, M. Etienne, traite exclusivement du maintien de l'ordre. Le député Rouanet l'interrompt, aborde le problème des causes du déclenchement de la grève et termine ainsi son discours : « On a tiré sur des travailleurs qui, en somme, ne luttaient que pour assurer leur dignité d'hommes. » Jaurès intervient aussi,

1. Ibid. Appel à la population, 16 avril 1905.
2. Notes du commissaire de police, Archives départementales de Limoges.
3. *Le Courrier du Centre*, 16 avril 1905.
4. *Le Réveil du Centre*, La Municipalité à la Population, 17 avril 1905.

mais la demande d'une enquête parlementaire qu'il propose est repoussée par 369 voix contre 176.

Le 20 avril, les obsèques de Vardelle, aux frais de la ville, sont suivies par 20 à 30 000 personnes. La presse note que beaucoup d'ouvrières portaient des fleurs à la main : dernier hommage à celui qui est mort pour leur dignité ? Trois discours sont prononcés sur sa tombe : Labussière rappelle ses multiples tentatives pour désamorcer le conflit et fait allusion sans plus de précisions à « la périlleuse question d'amour-propre des patrons » ; un député socialiste de la Seine lance un appel au calme ; un représentant de la CGT lance un vibrant appel à la syndicalisation. Il est cependant le seul à évoquer les causes de la grève : « Nous voulons que dans les ateliers, on respecte nos femmes et nos enfants » affirme-t-il.

Les ouvriers de la maison Haviland votent, le soir même, un ordre du jour demandant toujours le renvoi pur et simple de Penaud. A Paris, le Comité confédéral de la CGT, au cours d'une réunion extraordinaire, fait la déclaration suivante : « Le conflit actuel a eu pour origine les actes immondes d'un contremaître, soutenu par tous les patrons porcelainiers. Le Comité confédéral souligne que c'est pour protéger ce pourceau que l'armée a été lancée par le gouvernement contre les travailleurs limousins. » La déclaration évoque aussi : « l'arrogance et les passions bestiales des patrons ou de leurs représentants ». La CGT se dit convaincue que « le prolétariat saura faire tout son devoir pour imposer au moins le respect et la vie des siens » [1].

Les initiatives en vue d'une solution au conflit continuent.

Mais, le 20, les patrons refusent de se rendre à la convocation du juge de paix, afin de mettre un terme au lock-out. Cette décison « produit la plus pénible impression » [2]. Trois membres du conseil municipal de Limoges se rendent à Angoulême, précédés de deux parents de Penaud, pour obtenir, de lui, à nouveau, sa démission. Ils sont reçus par son frère qui fait savoir, le 22 avril, que Penaud s'y refuse toujours.

Le jour même, cependant, un accord est signé entre les délégués patrons et ouvriers. Le Courrier du Centre avait, en effet, affirmé que, puisque la principe d'autorité patronal était sauvegardé, les négociations devaient en être d'autant facilitées.

En voici les termes :

Article 1 : La délégation ouvrière déclare que, dans l'affaire Penaud, elle n'a pas entendu mettre en jeu le principe de l'indépendance du patron. Elle

1. L'Humanité, 20 avril 1905.
2. La Lanterne, 21 avril 1905.

reconnnaît la liberté du patron quant à la direction du travail et au choix de ses préposés.

Article 2: La commission patronale, en présence des graves et pénibles événements de ces jours derniers, estimant que la situation de Penaud est devenue difficile à Limoges, croit de son devoir de faire une démarche auprès de Monsieur Théodore Haviland, pour le prier de ne plus occuper Penaud dans sa fabrique de Limoges.

Article 3: Le conflit Sautour n'existe plus. Ce contremaître conservera ses fonctions dans la fabrique de Ch. Haviland and Co.

Article 4: Toute demande de modification de tarif sera différé.

Article 5: Les patrons pourront rouvrir leurs fabriques à partir de mardi prochain, 25 avril. Il n'y aura aucun renvoi pour faits de grève.

Le jour même, une foule peu nombreuse, environ 1500 personnes, assiste à une nouvelle réunion concernant la grève, qui n'est toujours pas terminée. Selon la presse locale, l'auditoire est composée « en majorité de curieux et de femmes ». Faut-il y voir une désaffection des ouvriers? Deux orateurs et une oratrice prennent la parole. Pour la première fois, publiquement, les raisons du conflit sont évoquées en tant que telles. Le problème posé au syndicalisme l'est en termes du rapport entre la cause du conflit et ses conséquences: la dignité des femmes au regard d'un mort, d'une ville entière au chômage, à feu et à sang. Le *citoyen* Antourville, sur une position relativement défensive, estime cependant que: « pas une conscience honnête ne peut blâmer les ouvriers de leur attitude. Car le prolétariat n'a pas seulement à se protéger de la faim, il a le droit d'imposer le respect des siens. » La *citoyenne* Sorgue, proche de Gustave Hervé, partisane de l'action directe comme de la syndicalisation des femmes, sera la seule dans ce conflit à affirmer avec force que « la classe ouvrière de Limoges a droit à l'admiration de tout le prolétariat, [car] il a fait preuve d'une conscience, d'un courage, d'un héroïsme sans pareil, en ayant défendu la femme exploitée dans tous les pays. » Et elle termine ainsi: « Salut donc et honneur à vous, ouvriers de Limoges. » [1]

L'ordre du jour voté – curieux jugement au terme d'une grève – « approuve (en définitive) les grévistes dans leurs revendications et les engage à persévérer dans cette lutte d'honneur au premier chef ».

1. *Le Réveil du Centre*, 23 avril 1905.

La sentence arbitrale est présentée, le 23, aux ouvriers et ouvrières concerné-es, à la base. Si l'article 1 est approuvé sans opposition, l'article 2 est l'objet de vifs débats. En effet, divers orateurs déclarent que la question n'est pas suffisamment tranchée et que les ouvriers n'obtiennent pas, sur ce point primordial, la satisfaction qu'ils escomptaient. Ils décident alors que si Penaud est présent mardi chez Haviland, le personnel se mettra en grève, tandis que les ouvriers des autres fabriques travailleront et les soutiendront financièrement. Enfin, en réponse à ceux qui se plaignent de la décision d'ajournement des revendications ouvrières, les délégués rétorquent que « le conflit repose uniquement sur le cas Penaud » et qu'il ne peut être « aggravé par des questions de tarif ».

Un ordre du jour est, là encore, voté qui représente un net infléchissement du texte préalablement accepté. Il pose les limites ouvrières au pouvoir patronal, que le texte consacrait ; il réaffirme le pouvoir ouvrier et le droit de grève qui en est l'expression. Enfin, il réitère la condamnation de Penaud.

> « Après avoir pris connaissance de l'accord entre les délégués patrons et ouvriers, l'assemblée émet le désir de voir figurer dans les clauses de cet accord, les déclarations suivantes :
> Etant donné que les ouvriers n'ont jamais pensé à contester aux patrons le droit de nommer et de renvoyer les chefs d'atelier, contremaîtres et directeurs. Dans l'état actuel de la société, c'est pour eux un droit inattaquable.
> Mais considérant, d'autre part, que le droit du patron finit là où le droit de l'ouvrier commence.
> Attendu que l'ouvrier possède, lui aussi, le droit incontestable de défendre par tous les moyens sa situation économique et sa dignité contre les abus et les dépravations d'un contremaître inique et oppresseur.
> Les ouvriers, par la voie de leurs organisations, se réservent la liberté de formuler toutes les plaintes qui leur sembleraient justifiées et de proposer toutes les mesures qu'ils jugeraient utiles pour éviter le retour de semblables abus. » [1]

Le 24 avril, Charles Haviland écrit une lettre publique au président des délégués des fabricants de porcelaine : « Désirant avant tout mettre fin à la situation pénible pour Limoges, j'ouvrirai ma fabrique mardi, sans le concours de Monsieur Penaud ». Le jour même, le personnel de chez Haviland vote la reprise du travail, se félicite de « son éclatante victoire », remercie leurs camarades, plus particulièrement, ceux de la chaussure et de l'alimentation [2]. Les détachements d'infanterie qui gardent les usines sont retirés et les régiments étrangers à la ville regagnent leur garnison. Le 26 avril, toutes les usines ouvrent leurs portes.

1. *Le Courrier du Centre*, 23 avril 1905.
2. *La Lanterne*, 23 avril 1905.

5. Essai d'interprétation de la grève de Limoges

Peu nombreux sont les historien-nes qui, ayant analysé les traditions anarcho-syndicalistes, guesdistes de la classe ouvrière limousine ont traité du rôle des femmes dans ces grèves. Or, en 1905, 40 % des travailleurs de la porcelaine sont des femmes [1] ; c'est le cas d'environ la moitié des peintres de Haviland. Une thèse de doctorat consacrée au travail porcelainier, publiée en 1904, nous précise que les femmes peintres, poudreuses, décalqueuses, brunisseuses y sont aussi communément employées que les hommes [2]. Si la peinture et la décoration de procelaine occupent dès 1882, 1200 hommes et 700 femmes, nous savons que la part des femmes s'est accrue à la fin du XIXe siècle, notamment chez les Haviland et dans la peinture. La grève de 1905, entrée dans l'histoire comme la grève des peintres, est, sans doute, largement une grève de femmes-peintres et l'hypothèse selon laquelle parmi les trois peintres renvoyés se soient trouvées des femmes ayant refusé les chantages sexuels de Penaud n'est pas exclue. La complainte pré-citée s'intitule d'ailleurs *les peintresses de Limoges*.

L'exigence de la demande de départ de Penaud, à travers la dénonciation de l'autoritarisme et de l'injustice de ses pratiques, est le ciment qui permit l'alliance des hommes et des femmes, renforcée par la conscience de classe à Limoges. La force de cette demande se nourrit des conséquences de l'accroissement de la division sociale du travail et de la déqualification ouvrière, particulièrement marquée chez les Haviland. Cette classe ouvrière qualifiée voit en effet depuis des années ses acquis remis en cause ; l'introduction de nouvelles techniques s'effectue au détriment de la qualification ouvrière, tandis que l'exclusion progressive des ouvriers de la maîtrise du processus productif provoque un accroissement de la discipline. Le poids de la hiérarchie se renforce ; elle est discrétionnaire, abusive, humiliante. La qualification, la culture ouvrière sont attaquées ; l'espoir de reconquérir le pouvoir économique et politique dont les ouvriers estiment avoir été dépossédés s'éloigne.

La multiplication des grèves, au début du XXe siècle, à Limoges, contre la mise en oeuvre des réglements intérieurs d'usine et le pouvoir discrétionnaire des contremaîtres s'explique par cette résistance ouvrière à la volonté patronale d'éradiquer les formes persistantes de pouvoirs ouvriers. En tout état de cause, ces grèves attaquent frontalement « la pierre angulaire de la

---

1. Cf. le mémoire de Francine Bourdelle déjà cité.
2. G. Ducray, Thèse citée, p. 59.

relation de classe » [1] : la discipline. Cette aristocratie ouvrière que sont les por-celainiers, nourris de traditions patriarcales et socialistes, est commandée par des contremaîtres qui divisent pour mieux régner ; ils opposent les femmes aux hommes, les apprenti-es qui entrent à l'usine dès l'âge de 12 ou 13 ans aux ouvrières, les syndicats jaunes aux syndicats ouvriers. Ce sont les contre-maîtres qui décident des salaires, des embauches, des places, comme des ni-veaux hiérarchiques (on cite le chiffre de 37 niveaux d'emplois différents dans la porcelaine) ; c'est donc contre eux que les luttes se focalisent.

Le *sens de l'honneur* dont Geneviève Désiré Villemin a montré la force chez le prolétariat limousin est érodé par toutes ces humiliations qui visent à bri-ser l'identité ouvrière. Un article du *Petit Bleu de Paris* pose explicitement le lien entre l'honneur des femmes, la dignité des hommes et la liberté indivi-duelle de chacun-e : « Pour la sauvegarde de l'honneur des femmes, aussi bien que pour le respect de la dignité des hommes, travailleurs c'est vrai, mais ci-toyens libres aussi, il ne peut y avoir de toute puissance patronale. » [2]

Le droit de cuissage exercé sur les femmes apparaît aux hommes comme l'expression la plus évidente de ce pouvoir : attaquer les ouvriers dans leur di-gnité d'homme :

> « Il n'est pas suffisant que les ouvrières, femmes et filles de travailleurs soient au même titre que les ouvriers chair à profit, il faut encore, pour être ceci, devenir chair à plaisir. Aux souffrances physiques causées par l'exploitation capitaliste doi-vent s'ajouter les souffrances morales. » [3]

Comme le souligne l'article précité du *Mouvement Socialiste* : « Il ne faut pas que le prolétariat relève la tête, il faut qu'il soit livré corps et âme à leur domination. » [4] On peut donc penser que la force de cette grève tient à l'unité des hommes et des femmes tentant de mettre un terme aux attaques profes-sionnelles mais aussi sexuelles des contremaîtres.

La symbolique virile de cette grève est claire des deux côtés : la CGT évo-quant la réaction patronale explique que « les patrons se sont levés comme un seul homme pour perpétuer la dîme innomable qu'ils prélèvent sur le per-sonnel féminin. » [5] C'est la même expression : « se dresser comme un seul homme » qu'emploie Geneviève Désiré Villemin pour qualifier les réactions ouvrières. [6]

1. John M. Merriman, *op. cit.*, p. 346.
2. *Le Petit Bleu de Paris*, 17 avril 1905.
3. *La Voix du peuple*, 23 au 30 avril 1905.
4. *Le Mouvement Socialiste*, G. Beaubois, *art. cit.*, p. 163.
5. *La Voix du peuple*, 23 au 30 avril 1905.
6. Geneviève Désiré Villemin, *art. cit.*, p. 55.

Mais l'union ouvrière n'exclut pas les contradictions. D'une part cette classe ouvrière, dont l'unité est malmenée dans l'industrie, est politiquement divisée entre guesdistes – majoritaires, contrôlant la Bourse du travail – et allemanistes, auxquels il faut rattacher, pour l'extrême gauche, quelques blanquistes et anarchistes. Cette tradition anarcho-syndicaliste, qui puise sa force dans les traditions du tempérament indépendant, individualiste et solidaire des Limousins, doit composer avec les courants socialistes possibilistes qui contrôlent la Mairie, soutien de la puissante Bourse du Travail de Limoges. D'autre part, la classe ouvrière est, pour le moins, mal à l'aise pour aborder le droit de cuissage. Les ouvriers, note la presse bourgeoise, « se dérobent lorsqu'on leur demande à donner un corps (sic) à leur accusation » [1].

Il n'est possible d'évoquer cette violence sexuelle imposée aux ouvrières qu'à la condition de ne questionner, ni les raisons de sa fréquence, ni de sa banalité. Car, il eut fallu alors s'interroger sur les raisons du silence ouvrier ayant prévalu jusqu'alors ; il eut fallu aussi aborder le problème qui déchire le syndicalisme : celui de la légitimité du travail féminin, alors même que les femmes – qui sont aussi des épouses, des sœurs – sont employées pour accélerer le processus de la division du travail ; il fallu, enfin, s'interroger sur la manière dont les ouvriers, eux-mêmes, respectent les ouvrières. L'apparent paradoxe de cette grève veut que ce soit, au nom d'une conception *révolutionnaire* et *virile* de l'action syndicale, que revendique l'organe officiel des Bourses du Travail de Limoges en 1904, que les revendications des ouvrières soient défendues [2].

On peut lire, dans cet organe syndical, un an avant la grève, une analyse prémonitoire qui pose la dignité masculine ouvrière au cœur de l'enjeu de classe. Parmi les revendications, « l'atténuation de la misère ouvrière (est liée avec)... l'exigence d'être traités par les patrons comme des êtres humains... Si nous voulons être des hommes au même titre qu'eux... [il faut] mettre en échec leur orgueilleuse autorité... car, pour eux, nous sommes des êtres inférieurs. » [3]

C'est ainsi que le syndicat peut, relayer les revendications contre Penaud, mais à la condition de ne pas évoquer réellement le problème du droit de cuissage. Cette réaction d'un vieil ouvrier de l'usine Haviland est probablement assez révélatrice de la conscience collective masculine de l'époque. Interrogé par un journaliste, il déclare : « Les histoires de femmes, il faut en

1. *Le Siècle*, 17 avril 1905.
2. *L'Action syndicale de la Haute-Vienne*, Nos ennemis, 2 octobre 1904.
3. *Ibid.*

prendre et en laisser. Mais si la vertu et la morale étaient chassées de ce monde, ce n'est pas à Limoges qu'il faudrait les trouver ». Il poursuit en affirmant que « les mœurs de Penaud ne sont ni pires, ni meilleures que celles de tout autre limousin. » [1] Espérons pour les femmes de Limoges qu'il était de mauvaise foi.

Les contradictions entre hommes et femmes – aussi cachées soient-elles – sont donc réelles. Il n'est d'ailleurs pas exclu que cette aristocratie de peintres de la porcelaine, ait vu, par le biais de cette grève, une occasion de reprendre leur pouvoir sur les patrons, mais aussi sur les ouvrières. Ce n'est sans doute pas un hasard si, parmi les revendications posées lors du 1er mai 1905 à Limoges, moins d'une semaine après la fin de la grève, Raymond, le Secrétaire Géneral de la Bourse du Travail, a invoqué, selon *Le Réveil du Centre* : « la suppression du travail des femmes dans certaines industries », au même titre que « l'égalité des salaires pour les travailleurs de deux sexes » [2]. *Le Courrier du Centre* n'a relevé, pour sa part que « la suppression du travail des femmes » [3]. Quant au premier numéro de *L'Ouvrier Céramiste*, organe officiel de la nouvelle Fédération nationale de la Céramique, publié, à Limoges, quelques mois après la grève, il fait simplement allusion à « la nécessité pour le syndicat de faire appel non seulement aux ouvriers, mais aussi aux ouvrières qui, elles aussi, sont honteusement exploitées et malmenées dans les usines ». Mais en page deux, un article de Pauline X. décalqueuse, s'intitule sans ambiguïté : « La femme ne doit pas travailler. » [4]

L'accroissement du nombre et de l'organisation de travailleuses peut expliquer qu'elles aient pu participer à une grève qui les concerne au premier chef ; la permanence de solidarités familiales jointe à la nécessité économique du travail féminin peut expliquer qu'hommes et femmes de la classe ouvrière se soient, non sans contradictions, unis pour lutter ensemble. Dès 1895, on considère en effet qu'un ouvrier de Limoges ne peut vivre de son salaire, sans l'appoint de celui d'une femme ou d'un enfant ; quant au pouvoir d'achat ouvrier, en 1905, il est resté au niveau de celui de la dernière grève de 1882.

La conscience d'un fort antagonisme économique et politique de classe est partagée par les patrons de Limoges. La bourgeoisie locale n'a pas, contrairement aux ouvriers qui peuvent s'appuyer sur la municipalité socialiste, de pouvoir politique ; aussi craint-elle l'alliance de la ville et de sa classe ouvrière.

1. *Le Siècle de Paris*, 19 avril 1905.
2. *Le Réveil du Centre*, 2 mai 1905.
3. *Le Courrier du Centre*, 2 mai 1905.
4. *L'Ouvrier Céramiste*, No 1, 6 aout 1905.

Non seulement la gauche remporte plus de 50 % des votes aux élections législatives, mais 19 des 36 conseillers municipaux sont ouvriers. Le député-maire Labussière, socialiste modéré est, lui même, fils d'un ouvrier maçon et d'une couturière. La force de cette bourgeoisie – qui est réelle – est économique ; pratiquement toute la ville dépend des salaires versés par l'industrie. Les Haviland produisent à eux seuls plus du tiers de la production totale de la porcelaine et sont les chefs de file incontestés du patronat. Citoyens américains, ils contrôlent largement le marché des Etats-Unis qui absorbe la moité de leur production [1]. En outre, ayant refusé d'abandonner leur nationalité, ils jouissent d'une extra-territorialité avantageuse qui leur garantit la protection du Consulat américain contre les prétentions des ouvriers français. La lettre du Consul au Préfet argue en ce sens que les « biens de C. Haviland et de ses fils à Limoges, citoyens américains, ont été achetés et construits par son capital américain » [2]. Cet antagonisme tout à la fois national, social et politico-économique est aggravé par la délégation de pouvoirs donnés à leurs syndicats respectifs par les deux protagonistes de la grève. La défense des intérêts des ouvriers est remise dans les mains de la Fédération ouvrière de la Céramique ; ceux des patrons, « liés entre eux, par des contrats, sous peine d'onéreux dédits » [3], sont défendus par le syndicat des fabricants de porcelaine. L'article 3 de leurs statuts précise qu'il s'agit « d'assurer la cohésion des efforts dans le but de réaliser toutes les mesures pouvant servir les intérêts de la corporation ». Nombreux sont en effet les patrons qui n'ont pas oublié la grève de 1882 et qui voient dans les attaques qui se multiplient – auxquelles ils ont souvent dû céder – un danger tout à fait réel. Pour être hégémonique, cette bourgeoisie doit lever l'hypothèque socialiste.

Pas plus que la ville de Limoges, où est née la CGT, pas plus que l'usine Haviland, la date de 1905 n'est sans doute un hasard. L'année 1905 représente en effet tout à la fois l'apogée du socialisme limousin, du syndicalisme ouvrier (1 400 syndiquées en 1895, 3 700 en 1900, 6 500 en 1905), de la combativité ouvrière et de la production de la porcelaine.

---

1. Les services de porcelaine commandés par tous les présidents américains proviennent de chez les Haviland.
2. In Archives départementales de Limoges.
3. Cité dans le Matin du 12 avril 1905 et repris lors des débats à l'Assemblée Nationale, 18 avril 1905, p. 1898.

6. Le conflit dans son siècle. Quelles interprétations ?

Ce conflit, qui pose au cœur de son exigence le problème du droit des femmes au travail, et plus fondamentalement encore celui de la réappropriation par les femmes de leur corps ne fut pas, on le sait, analysé comme tel. Chaque groupe social le juge en fonction de ses intérêts propres, qui, bien que différenciés, sont fondés sur la perpétuation de la domination des femmes. La remise en cause de ce statut dépendant peut en effet bouleverser l'agencement des divers pouvoirs fondés sur l'évidence de cette domination.

Pour le patronat limousin : une remise en cause de son pouvoir

Ce conflit est interprété par le patronat comme portant sur l'exercice de l'autorité, « ce grand ressort de tout le régime capitaliste » [1]. La volonté quasi unanime de tout le patronat limousin, aux intérêts économiques pourtant divergents, de défendre Penaud s'explique ainsi. Celui-ci devint le symbole – d'autant plus signifiant qu'il est fortement contesté – du pouvoir patronal. Il s'agit ainsi, comme le souligne le télégramme du Préfet Cassagneau au Ministre de l'Intérieur, de « mettre un terme aux grèves partielles » et de s'affirmer solidaires par la décision du lock-out, si « les ouvriers maintiennent leurs prétentions » [2]. Le terme *prétention*, qui, selon le *Littré*, est « le droit qu'on croit avoir sur une chose » est révélateur du rapport de forces en jeu ; cette grève est interprétée comme l'expression d'un mouvement politique et social tendant à inverser les rapports de pouvoirs. Charles Haviland déclare en effet à un journaliste : « On leur dit qu'ils sont les maîtres et ils veulent exercer leur puissance. Ils se sont imaginés que nous passerions sous les fourches caudines de leurs exigences, quelles qu'elles fussent. » Et Haviland termine par cette affirmation sans ambiguïté : « La maison Haviland fera respecter ses droits, basés sur la justice et la confiance en ses chefs. » [3] La conception que les frères Haviland ont de leur pouvoir est suffisamment autocratique pour que le prix à payer par la classe ouvrière pour le maintenir ne soit pas abordé : ils veulent, à travers cette grève au symbolisme si fort, mettre un frein aux espoirs ouvriers. Certains évoquent plus prosaïquement, l'hypothèse selon laquelle

---

1. *La Vie socialiste*, Francis de Pressensé, Les leçons de Limoges, 20 avril 1905, p. 705.
2. Débats, Assemblée Nationale, 18 avril 1905, p. 1898.
3. *Le Gil Blas*, Interview de Mr Charles Haviland, 20 avril 1905.

ils s'étaient préparés au bras de fer; d'autres, qu'ils l'ont provoqué – ou tout au moins qu'ils se sentent assez forts pour ne pas l'éviter –: les stocks sont au plus haut et Haviland avait demandé à l'inspecteur du travail « trop complaisant l'autorisation accordée de nombreuses heures supplémentaires » [1].

Pour les forces conservatrices, quelles limites au pouvoir patronal ?

Lors du débat à l'Assemblée Nationale, M. Gauthier de Clagny, qui affirme avec force « le droit [des patrons] d'être maîtres absolus dans leurs ateliers », précise pourtant qu'il est des « circonstances où ce droit doit céder devant des nécessités impérieuses » [2]. Quant au journal Le Siècle, qui estime que l'enjeu de cette grève est bien « de prohiber aux ouvriers comme aux syndicats, toute immixion dans la gestion et la surveillance industrielle » [3], il rend cependant les patrons responsables de cette grève: « Etant plus intelligents plus puissants que les ouvriers, ils [se] doivent d'être plus pondérés. Pour une question de gloriole et de susceptibilité, on ne met pas une ville à feu et à sang. » [4] Ceux dont le pouvoir se veut incontesté, sont accusés de se comporter en irresponsables. Aussi, certaines forces ne peuvent accepter les risques politiques de la fermeté des Haviland: la défense de leurs intérêts à court terme ne prend pas en compte les conséquences politiques à moyen ou long terme – pour d'autres – de leurs actions. L'usage que les Haviland font de leur citoyenneté américaine durant le conflit rend plus crédible encore cette analyse: ils peuvent aisément être accusés de ne pas s'inquiéter des enjeux français de leur intransigeance. Cependant, si la critique n'épargne pas les Haviland, aucun, parmi les défenseurs des intérêts patronaux, n'évoque concrètement le problème des pratiques de Penaud. Les réactions contre le droit de cuissage exprimées lors du débat au Parlement peuvent s'affirmer d'autant plus horrifiées – il est qualifié d'abominable et d'odieux – que sa signification et ses conséquences ne sont pas abordées.

La question centrale posée, même si elle le fut incidemment, fut cependant celle des limites du pouvoir patronal. Dans quelle mesure ce pouvoir est-il au-dessus des lois morales? Le maintien intransigeant de l'ordre hiérarchique contesté est-il, en période de crise, la condition nécessaire du maintien du

---

1. L'Humanité, 17 avril 1905.
2. Débats, Assemblée Nationale, 18 avril 1905, p. 1901.
3. Le Siècle, 22 avril 1905.
4. Ibid., 17 avril 1905.

pouvoir patronal ? Quelles doivent être les relations entre l'exigeance ouvrière du respect du droit à la dignité et le droit patronal discrétionnaire d'embauche et de licenciement ?

Autant de questions restées sans réponse...

Pour les forces politiques de gauche : une grève pour l'honneur ouvrier, pour la famille ou contre le droit de cuissage ?

Jaurès ne veut voir dans cette grève qu'une

> « lutte des ouvriers pour la défense de la dignité élémentaire de la famille : Eh quoi, les ouvriers ne sont-ils pas plus intéressants quand ils se soulèvent pour une raison de dignité morale que quand ils entrent en conflit pour un relèvement des salaires ? Je dis que, dès lors, ils avaient le droit d'être approuvés et soutenus par toutes les forces de la Justice. » [1]

Cette analyse abstraite réhabilitant l'honneur ouvrier, enfermé dans une logique familialiste et moraliste, permet à Jaurès d'utiliser cette grève comme moyen d'attaque politique contre le gouvernement. Celui-ci réfute cependant de manière intéressante les arguments de ses adversaires sur le motif même de la grève. En ce qui concerne l'absence de preuve des agissements de Penaud, Jaurès renverse l'analyse. Pour lui, la preuve réside dans la grève elle-même : « Croyez vous que des ouvriers qui ne réclamaient ni augmentation de salaires, ni diminution de la journée de travail, s'imposent les souffrances de la grève, s'ils n'ont pas à faire valoir un grief d'ordre moral ? » En ce qui concerne l'absence de plainte ouvrière contre Penaud, il évoque les raisons juridiques et morale. Mais, pour lui, la solution du problème incombe bien au patronat.

> « Oui, il y a des tribunaux, à condition d'aller faire devant les tribunaux la preuve de la honte infligée à la femme, à la fille, à la sœur... (applaudissements à l'extrême gauche et à gauche). Et c'est pour éviter précisément cette nouvelle épreuve, s'ajoutant à celle qu'ils avaient déjà eue à subir, que les ouvriers s'adressaient directement à leur grand patron et lui disaient : Faites justice, éloignez de nous cet homme qui porte dans nos familles la honte et la corruption... ».

Un seul député de gauche, Albert Poulain aborde le droit de cuissage, non pas sous l'angle de l'honneur ouvrier, mais bien sous celui de l'honneur des ouvrières. Voici le débat provoqué par son intervention :

1. Débats, Assemblée Nationale, 18 avril 1905, p. 1908.

M. Albert Poulain : J'ai été à même de connaître certains détails cachés dans les grèves. Je me rappelle, je suis allé dans le Doubs, à la Fléchotte et ailleurs, certains pays où le droit de jambage est une généralité. (Applaudissements à l'extrême gauche)

M. Marc Réville : C'est aller un peu loin, mon cher collègue.

M. Archdeacon : Alors, ce n'était pas la peine de faire la Révolution !

M. Albert Poulain : Si je me permets aujourd'hui d'indiquer ces faits à la tribune, c'est que les ouvriers sont plus sensibles encore à ces questions qu'à toutes celles qui provoquent tant de grèves. (très bien ! très bien ! à l'extrême gauche)

M. Edmond Leppeletier : C'est la guerre de Troie.

M. Albert Poulain : Et voilà pourquoi, à Limoges, les ouvriers ont protesté tout d'abord. Des femmes, des sœurs, des filles, des épouses se sont plaintes timidement d'abord, avec une pudeur que vous comprendrez tous, (Très bien !, Très bien !) des conditions qui leur étaient imposées pour obtenir certains travaux. Et quel est celui qui pourrait nier qu'il y ait de ces abus malheureux et monstrueux ? (Applaudissements à l'extrême gauche et à gauche) Les plaintes se sont succédées. Il y eut des victimes, des femmes qui ont eu le courage de dire : Voilà par où j'ai été obligée de passer pour avoir du travail…

M. le Comte d'Elva : C'est abominable !

M. Emile Villiers : C'est une infamie ! Toute la Chambre devrait être unanime pour blâmer de tels faits. (très bien ! très bien ! à droite)

M. Alexandre Zevaès : Voilà la véritable cause du conflit !

M. Albert Poulain : C'est avec plaisir que je constate que de ce côté de la Chambre (la droite), on s'écrie pour ainsi dire avec une unanimité absolue : c'est une infamie !

M. Lasies : Parfaitement !

M. Albert Poulain : Mais, Messieurs, c'est là la seule cause de la grève. (très bien, très bien, à l'extrême gauche)

M. le marquis de Dion : Si c'est prouvé.

A l'extrême gauche : Certainement !… [1]

Condamnations formelles, allusions et doutes se mélangent ici curieusement : l'analyse ne dépassera pas ce débat où l'on voit bien comme il est difficile de dépasser les stéréotypes qui seuls permettent de ne pas aborder le problème de fond : celui de la place des femmes dans la société.

---

1. Débats, Assemblée Nationale, 18 avril 1905, p. 1906.

La CGT, en ce qui la concerne, est plus mobilisée pour lutter contre l'attaque de l'armée contre le peuple que contre le droit de cuissage. Néanmoins, elle fait une déclaration tardive, déjà citée, qui attaque en termes extrêmement violents Penaud, qualifié de *pourceau*. La souffrance des ouvrières n'est pas évoquée. La CGT évoque en termes méprisants « un sérail lamentable et involontaire » et parle de « malheureuses exploitées ». L'hommage qui aurait pu leur être rendu du fait du courage nécessaire à la dénonciation fut interprété comme *naturelle*, tandis que leur participation à la grève n'est pas évoquée. On peut noter enfin que la solidarité ouvrière se limite pour la CGT « à vouloir que soit au moins (sic) respectée la dignité et la personne des femmes et des filles ». La CGT attaque, en revanche, les bourgeois, « sans cœur, hypocritement pudibonds, mais moralement et physiquement dépravés dont la fortune est faite de spoliations et de prostitution – souvent les deux à la fois ». Constatant que « leur morale, si elle n'était à double face eut fait intervenir leurs tribunaux pour faire cesser tant d'immoralité, la CGT fait appel, sans plus de précisons, à la justice immanente du peuple. » [1]

Les libertaires seront les seuls à dénoncer le droit de cuissage en tant que tel. Mais ils estiment que « si la solidarité a son bon côté et [qu'] il est très juste de soutenir les revendications des camarades soit par des cotisations soit même en quittant l'atelier avec eux, les causes de la grève ne méritait pas la mort d'un homme : Franchement camarades limousins, la cause méritait-elle un tel effort ? » Ce n'est pas par la lutte sociale que ces pratiques doivent être, selon le journal *Le Libertaire*, combattues : ce sont les ouvriers qui, dans le cadre du pouvoir qui leur est dévolu dans la famille, doivent faire respecter, par la force, l'honneur de celles qu'ils doivent protéger :

> « Est ce que l'action individuelle si généralement décriée n'aurait pas été plus radicale, plus prompte et moins coûteuse que l'action collective ? Que fallait-il pour se débarrasser de Penaud ? : un homme résolu. Si l'un des parents de ces femmes violentées, matériellement ou moralement, avait carrément, ouvertement corrigé ou tué le satyre à la porte de l'usine, il aurait évité bien des épreuves à la population limousine. » [2]

Les pratiques d'action directe, y compris violentes, chères à ce courant d'action sont ici intégrées au sein d'une logique de défense de l'honneur masculin.

---

1. *La Voix du peuple*, 23 au 30 avril 1905.
2. *Le Libertaire, art. cit.*, 25 avril 1905.

Les ouvrières

Les ouvrières sont, si l'on en croit l'historiographie, les grandes absentes de cette grève. Et pourtant, leur silence ne fut sans doute pas aussi réel que l'histoire écrite nous l'a transmis. Ce qui est sûr, c'est qu'aucune force sociale ou politique ne souhaitait qu'elles parlent. Nous avons ici plus de questions que de réponses : Comment se sont-elles exprimées ? A quelles difficultés ont elles été confrontées ? Avaient-elles des lieux spécifiques pour le faire ? Comment cette question s'est-elle résolue dans la sphère familiale ? Quels ont été les débats dans l'usine, dans les syndicats ? Des enquêtes d'histoire orale pourraient encore permettre d'y répondre.

Une seule personne, une femme syndicaliste, la *citoyenne* Sorgue donna toute l'ampleur qu'elle méritait à cette grève si importante pour l'histoire ouvrière. Avec le député Albert Poulain, elle fut celle qui posa le problème dans sa vraie dimension. Ce fut elle notamment qui osa aborder le problème du conflit interne au syndicat que posa cette grève : « Nos camarades se demandaient, dit-elle, si les grévistes de Limoges méritaient des reproches ». Mais ce fut surtout elle qui donna l'interprétation la plus généreuse, la plus féministe, sans doute la plus idéaliste aussi, de la classe ouvrière de Limoges :

> « C'est l'admiration de tout le prolétariat qu'ils méritent. Ils ont fait preuve d'une conscience, d'un courage, d'un héroïsme sans pareils. Et ce sont surtout les femmes que je salue, elles qui n'ont pas eu peur d'offrir leurs poitrines aux baillonnettes. Votre attitude prouve que vous avez conscience des souffrances de la femme prolétarienne. »

Peut être peut-on ajouter que, sans doute, nombre d'ouvriers se seraient bien passés de cet hommage ?

Ce fut enfin elle qui dévoila, dans des termes marqués par leur époque, l'ampleur du droit de cuissage en France :

> « Partout où je suis passée, au Nord, au Midi, à l'Est, à l'Ouest, au Centre, en France et à l'étranger, c'est la même protestation indignée que j'ai recueillie de la bouche des femmes et des filles d'ouvriers : nous sommes victimes de la lubricité des mâles de la bourgeoisie et des contremaîtres. » [1]

Même si les sources historiques actuelles nous ont peu retransmis leur parole, cette affirmation nous laisse penser que les femmes ont été probablement moins silencieuses qu'elles ont été peu entendues.

---

1. *Le Réveil du Centre*, 23 avril 1905.

Conclusion

Pendant des siècles, le destin des femmes corseté par la force des interdits et la censure des comportements a pu apparaître comme la juxtaposition d'histoires particulières. Ce travail s'est voulu – pour le XIXᵉ siècle – un *analyseur* des processus historiques de la substitution progressive et heurtée du *général au particulier*.

Cette *mise à nu* des logiques sociales et sexuelles fondées sur l'apparente évidence de l'appropriation du corps des femmes contribue à dévoiler les solidarités mais aussi les contradictions entre logiques patriarcales et capitalistes.

Les théorisations fondées sur une stricte séparation entre structures familiales, travail professionnel et prostitution sont dès lors remises en cause.

Restituer les thèmes occultés, les expressions refoulées, les débats oubliés autorise à s'interroger sur les rythmes de l'évolution historique, permet de reconstruire une mémoire – même parcellaire – et de mettre en évidence un capital d'expériences.

On a dit que l'histoire n'était que cette tranche du passé dont nous avons besoin pour envisager l'avenir. Malgré son caractère schématique, cette définition met en relief l'importance politique de la mémoire. Les victimes ne doivent pas être voué-es à l'oubli ; faire connaître leurs souffrances est une exigence. Notre fragile liberté est faite de leurs tâtonnements, de leurs échecs et de leurs avancées.

Mais, faire entendre leurs cris étouffés, leurs résistances et leurs luttes ne signifie pas les enfermer dans le statut de victimes. C'est au contraire s'interroger sur les cultures patriacales qui ont fondé notre histoire et tenter de comprendre pourquoi elles perdurent et comment elles évoluent et s'adaptent.

On peut regretter que les résultats des luttes menées par les femmes afin de se réapproprier leur corps, leur sexualité, leur maternité, leur image, leur identité ne soient pas au niveau des violences subies, des efforts fournis. Mais peut-on occulter cette réalité selon laquelle, depuis le XIXᵉ siècle, une véritable remise en cause des pouvoirs et des privilèges masculins historiquement acquis est engagée ?

Mais pour que le concept de *droits de la personne humaine* puisse légitimement remplacer celui de *droits de l'homme*, il faudra que des hommes de plus en plus nombreux se rangent aux côtés des femmes qui revendiquent depuis si longtemps la *liberté dans l'égalité*.

Bibliographie

1. Livres

ACCOLLAS Emile, *Les enfants naturels*, Paris, Librairie de la Bibliothèque Nationale, 1871.

AMBLARD Jacques, *De la séduction*, Université de Paris. Faculté de droit, Paris, A. Rousseau, 1908.

AMBRIERE Francis, *La vie secrète des grands magasins*, Paris. Flammarion, 1932.

ARIES Philippe et DUBY Georges (sous la direction de), *Histoire de la vie privée*, Collection l'Univers historique, Ed. du Seuil, 1987.

ARON Jean Paul : (présenté par), *Misérable et glorieuse, la femme du XIXe siècle*, Textes de Laure Adler, Jean Borie, Alain Corbin, Anne-Martin Fugier etc., Paris, Fayard, 1981.

ASSOLANT Alfred, *Le droit des femmes*, Paris, A. A. Anger, 1868.

AUDOUARD Olympe, *Guerre aux hommes*, Paris, E. Dentu, 1866.

AUDOUX Marguerite, *L'atelier de Marie-Claire*, préface d'Octave Mirbeau, roman, Fasquelle, 1910.

AVRIL DE SAINTE CROIX Mme Ghania, *L'Education sexuelle*, préface de M. le professeur Pinard, Paris, F. Alcan, 1918.

BADIA Gilbert, *Clara Zetbin, féministe sans frontières*, Paris, les Editions de l'Atelier Editions Ouvrières, 1993.

BALZAC Honoré de, *Les paysans, Scènes de la vie de campagne*, Paris, Calman-Lévy, 1883.

BALZAC Honoré de, *Splendeurs et misères des courtisanes*, Paris, Calman-Lévy, 1891. Nouvelle édition, corrigée et complétée par Michelle Perrot, Paris, les Editions de l'Atelier/EDI, 1984.

BARD Christine, (sous la direction de), *Madeleine Pelletier, (1874-1939) – logiques et infortunes d'un combat pour l'égalité*. Paris. Côté. femmes. 1992.

BAROUX J. P et CHARTREUX H, *Les porcelainiers de Limoges en grève*, Institut C. G. T. d'Histoire sociale du Limousin. 1981.

BEBEL Auguste, *La femme dans le passé, le présent et l'avenir*, Paris, G. Carré Ed., 1891.

BEBEL Auguste, *La femme et le socialisme*, Dietz Verlag, Berlin, d'après le 60ème édition, 1964.

BENOIST Charles, *Les ouvrières de l'aiguille à Paris*, Notes pour l'étude des questions sociales, Paris, L. Challey, 1895.

BLATIN Dr Marc, *Les infirmières, Ce qu'elles sont en Angleterre, Ce qu'elles devraient être en France*, Paris. Baillière & fils, 1905.

BLUNDEN Katherine, *Le travail et la vertu, Femmes au foyer, une mystification de la révolution industrielle*, Essai, Paris, Payot, 1982.

BLUZET Jules, *La prostitution officielle et la police des mœurs*, Sous les auspices et au profit de la Ligue française pour le relèvement de la moralité publique et de la
Fédération Abolitionniste, 1903.

BOLOGNE Jean Claude, *Histoire de la pudeur*, Paris, O. Orban, 1986.

BONNEFF Léon et Maurice, *La vie tragique des travailleurs*, enquête sur la
condition économique et morale des ouvriers et ouvrières de l'industrie, Paris,
J. Rouff, 1908.

BONNEVAY L., Avocat à la cour d'appel de Lyon, *Les ouvrières lyonnaises travaillant à
domicile : Misères et remèdes,* Paris, Guillemin et Cie, 1896.

BOURDELLE Francine, *Evolution du syndicalisme ouvrier à Limoges*, 1870-1905, Mémoire
de Maîtrise, Université de Limoges, 1973.

BOURDON Mathilde Lippens, Etudes populaires, *Marthe Blondel ou l'ouvrière de fabrique,* Paris, Henri Allard (4e Edition), 1876.

BOURGAS Dr Michel, *Le droit à l'amour pour la femme*, Paris, E. Vigot Frères, 1914.

BOUTHORS André, *Coutumes locales du baillage d'Amiens* rédigées en 1507, Amiens,
Imprimerie Duval et Hermant, 2 Tomes, 1845.

BOUVIER Jeanne, *Mes mémoires ou 59 années d'activité industrielle, sociale et intellectuelle
d'une ouvrière*, Poitiers, L'Action Intellectuelle, 1936. Réédité sous le titre :
Une syndicaliste féministe, 1867-1935, Actes et mémoires du peuple, La
Découverte-Maspéro.

BOUVIER Jeanne, Ancien membre du conseil national du travail, *La lingerie et les lingères*, Niort, Imp. Saint Denis, Paris, Gaston Doin et Cie Ed, 1928.

BOUVIER Jeanne, *Histoire des dames employées dans les postes, télégraphes et téléphones de 1714
à 1929*, Paris, Saint Amand Imp. Des Presses Universitaires de France, 1930.

BOVET Marie-Anne (de), *Défends ta femme contre la tentation*, Paris, Ed. Nilsson, 1910.

BRISSON Adolphe, Florise Bonheur, *Etude d'ouvrière parisienne*, Paris, Ed. Flammarion,
1902.

BRU Paul, *Le roman d'une infirmière*, Paris, P. Paclot, 1907.

BRUNETIERE Ferdinand, La recherche de paternité – *La Revue des deux mondes*. 15 septembre 1983.

BRY Georges, *Cours élémentaire de législation industrielle*, Paris, E. Larose, 1895-
1902.

BUREAU Paul, L'indiscipline des mœurs. *Etude de science sociale*, Paris, Bloud et Gay,
1920.

BUTEL F., Avocat. Ancien substitut, La répression de la séduction, in *Réforme sociale*,
15 mai 1883.

BURET Eugène, *De la misère des classes laborieuses en Angleterre et en France*, Paris, Paulin,
1840, 2 vol.

CAPY Marcelle, *Avec les travailleuses de France*, Edité par l'auteur, 1937.

CAPY Marcelle et VALETTE Aline, *Femmes et travail au XIXe siècle*, enquêtes de *La Fronde*
et *la Bataille Syndicaliste*, présentation et commentaires d'Evelyne Diebolt et
Marie-Hélène Zylberberg-Hocquard, Collection Mémoires des femmes, Ed.
Syros, 1984.

CARON Maurice, *Le mariage de l'ouvrier*, Université de Poitiers, Faculté de droit, Thèse pour le doctorat, Caen, Imp. de Valin, 1901.

CASTIL-BLAZE, *Mémorial du grand Opéra*, Paris. Castil Blaze, 1847.

CHAUVIN Jeanne, *Des professions accessibles aux femmes en droit romain et en droit français. Evolution de la position économique de la femme dans la société*, Thèse pour le doctorat, Paris, A. Giard et E. Brière, 1892.

CHEVALIER Louis, *Classes laborieuses et classes dangereuses à Paris pendant la première moitié du XIXe siècle*, Paris, Plon, 1958.

CIVEYREL F., *De la séduction*, Thèse de droit, Université de Montpellier, Imp du Progrès, 1933.

CLARETIE Jules, *Les amours d'un interne*, Paris, E Dentu, 1881.

CLAVERIE Elisabeth et LEMAISON Pierre, l'impossible mariage. Violence et parenté en Gévaudan. Paris, Hachette, 1982.

COMMENGE Dr O., Medecin chef du dispensaire de salubrité de la Préfecture de Paris, *La prostitution clandestine à Paris*, Paris, Schleicher Frères, 1897.

COMPAIN L. M., *La femme dans les organisations ouvrières*, Paris. V. Giard & E. Brière, 1910.

CONDEMI Concetta, *Les cafés-concerts, Histoire d'un divertissement*, Paris, Quai Voltaire, Histoire, 1992.

Congrès international de la condition et des droits des femmes, Paris, du 4 au 8 septembre 1900, Compte rendu des travaux et scéances, Paris, Imprimerie des Arts et Manufactures, 1901.

CORBIN Alain, *Les filles de noce, Misère sexuelle et prostitution. (XIXe siècle)*, Paris, Champs Flammarion, 1982.

COTTEREAU Alain, Destins masculins et destins féminins, *Le Mouvement social*, Les Editions de l'Atelier/Edition ouvrières, juillet-septembre 1993.

CUSENIER Marcel, *Les domestiques en France*, Faculté de droit. Thèse pour le doctorat, Paris, A. Rousseau, 1912.

DABERT Jean, *De la responsabilité civile du séducteur*, Thèse. Faculté de droit de Paris, Paris, Imp. de H. Jouve, 1908.

DAUBIE Julie-Victoire, *La femme pauvre au XIXe siècle*, Paris, Guillaumin, 1866, 2e édition, 1869-1870, Paris, E. Thorin, 3 Vol. Réédité, Paris, Ed. Côté Femmes, 1992, 2 vol.

DECOUVELAERE Mathilde, *Le travail des femmes mariées*, Université de Lille, Faculté de droit, Thèse pour le doctorat, Paris, Rousseau & Cie, 1934.

DEFRENOIS Charles, *Des droits de la femme mariée sur le produit de son travail, Commentaire de la loi du 13 juillet 1907*, Paris, Administration du Répertoire générale pratique du notariat et de l'enregistrement, 1908.

DE LA BESSADE Léon, *Le droit du seigneur*, Ed. D. Rouveyre, 1878.

DE LAURIERE Eusèbe, *Glossaire du droit français*, 1704.

DELHOME Danielle, GAULT Nicole, GONTHIER Josiane (documents recueillis et présentés par), *Les premières institutrices laïques*, Paris, Mercure de France, 1980.

DELPIT Jules, *Réponse d'un campagnard à un parisien ou la réfutation du livre de M. Veuillot sur le droit du seigneur,* J. B Moulin, 1857.

DE RYCKERE, *La servante criminelle,* Etude de criminologie professionnelle, Paris, A. Maloine, 1908.

DESIRE-VILLEMAIN Geneviève, *Une grève révolutionnaire, Les porcelainiers de Limoges,* Annales du Midi, Tome 83, Vol. 101, Janvier-mars 1971.

DESPREZ Adrien, *La femme esclave, courtisane et reine,* Paris, E. Dentu, 1885.

DOLLEANS Edouard, *La police des mœurs,* Faculté de droit de l'Université de Paris, Thèse pour le doctorat, Paris, L. Larose, 1903.

DUBOIS DESAULLE Gaston, *La faim et l'amour,* Paris, Librairie de la raison, 1907.

DUCRAY Gabriel, *Le travail porcelainier en Limousin,* Thèse, Université de Droit de Paris, Angers, 1904.

DUPOY Henri, *La police des mœurs et la liberté individuelle,* Université de Toulouse, Faculté de droit, Thèse pour le doctorat, Pau, Impr. de l'Agenda, 1913.

DURAND Léon. Avocat à la cour d'appel de Lyon, *De la famille hors la loi,* Thèse droit, Faculté de droit de Lyon, Lyon, Mougin, Rusand, 1885.

ENGELS Friedrich, *L'origine de la propriété privée et de l'Etat,* Paris, G. Carré, 1893.

ENGELS Friedrich, *La situation des classes laborieuses en Angleterre,* Paris, A. Costes, 1933.

FIAUX Louis, *La police des mœurs en France. Son abolition. Institution d'un régime légal de moralité et d'ordre public,* Paris, F. Alcan, 1921.

FLANDRIN Jean Louis, (Textes choisis et présentés par) *Les amours paysannes : Amour et sexualité dans les campagnes de l'ancienne France,* XVI-XIXe siècles, Paris, Gallimard (Collection Archives), 1975.

FLANDRIN Jean Louis, *Le sexe et l'Occident. Evolution des attitudes et des comportements,* Paris, Ed. du Seuil, 1986.

FLAUBERT Gustave, *L'Éducation sentimentale, Histoire d'un jeune homme à Paris,* Paris, Michel Lévy, 1870, 2 vol.

FLAUBERT Gustave, *L'Education sentimentale,* Ed. Garnier-Flammarion, 1985.

FONSEGRIVE George, *Mariage et union libre,* Paris, Plon, Nourrit et Cie, 1904.

FOUCAULT Michel, *Histoire de la sexualité,* Paris, Gallimard, 1976.

FOURCAUT Annie, (Textes réunis et présentés par) *Femmes à l'usine en France dans l'entre-deux-guerres. Ouvrières et surintendantes dans les entreprises françaises de l'entre-deux-guerres,* Paris, F. Maspéro, 1982.

FOURNEL Jean François, *De la séduction considérée dans l'ordre judiciaire,* Paris, Demonville, 1781.

FRAISSE Geneviève, *Femmes toutes mains, Essai sur le service domestique,* Paris, Ed. du Seuil, 1979.

FRAISSE Geneviève, *La raison des femmes,* Paris, Plon, 1992.

FRANCOIS Yvonne, *Du rôle social de la femme. Des mesures destinées à améliorer la situation des travailleuses,* Thèse pour le doctorat, Paris, Jouve, 1919.

FRANK Louis, Docteur en droit, *Essai sur la condition politique de la femme,* Etude de sociologie et de législation, Paris, A. Rousseau, 1892.

FRAPIE Léon, *L'institutrice de province,* Paris, E. Fasquelle, 1897.

FRAPIE Léon, *Marcelin Gayard*, Paris, Calman-Lévy, 1902.

FRAPIE Léon, *La figurante*, Paris, Calman-Lévy, 1908.

FREMINVILLE Bernard (Présenté par), Marthe, Ed. du Seuil, 1982.

FUCHS Rachel G., *Poor and pregnant women in Paris. Stratégies for survival in the nineteenth century*, Rutgers University Press, New Brunswick, New Jersey, 1989.

FUGIER Anne-Marie, *La place des bonnes. La domesticité féminine à Paris en 1900*, Paris, Grasset, 1979.

GAGNEUR Louise, *Le calvaire des femmes*, Paris, Achille Faure. 1867.

GAUTHIER Théophile, *Les deux étoiles*, Bruxelles, Tarride, 1848, 2 vol.

GAYVALLET Prosper, *Les revendications du sexe féminin*, Le Mans, Imp. de Drouin, 1911.

GEDDES Patrick et THOMPSON Arthur, *L'Evolution du sexe*, Traduction française, Bibliothèque évolutionniste, Paris, Vve Babé, 1892.

GEFFROY Gustave, *L'apprentie*, roman, Paris, Fasquelle, 1904.

GEFFROY Gustave, *L'idylle de Marie Biré*, roman, Paris, Fasquelle, 1908.

GIBON Fenelon, *Employées et ouvrières*. Conditions d'admission et d'apprentissage, emplois, traitements, salaires, préface du comte d'Haussonville, Lyon, E. Vitte, 1906.

GIDE Paul, Professeur à la Faculté de droit de Paris, *Etude sur la condition privée de la femme dans le droit ancien et moderne*, Paris, L. Larose et Forcel, 1885.

GIGOT Albert, Ancien préfet de police : La séduction et la recherche de paternité, Extrait de : *La Réforme sociale*, 1er fev 1902.

GIRARD O., *L'enseignement primaire dans le département de la Seine de 1867 à 1878*, Paris, Imprimerie Chaix, 1878.

GIRAUD Léon, *Essai sur la condition de la femme en Europe et en Amérique*. Paris, A. Ghio, 1880.

GONCOURT Edmond de, *La fille Elisa*, roman, Paris, Charpentier, 1877.

GONCOURT Edmond de, *Germinie Lacerteux*, roman, Paris, Charpentier, 1875.

GONCOURT Edmond de, *La Faustin*, roman, Paris, Charpentier et Fasquelle, 1887.

GONNARD René, *La femme dans l'industrie*, Paris, A. Colin, 1906.

GORON Marie François, Ancien chef de police de la Sûreté, *L'amour à Paris*, Paris, E. Flammarion, 1899

GRISONI Dominique, Le XIXe siècle, La preuve des corps, in BARDET Jean Pierre, *la première fois ou le roman de la virginité perdue à travers les siècles et les continents*, Ed. RAMSAY, 1982.

GUILBERT Madeleine, *Les femmes et l'organisation syndicale jusqu'en 1914*, Présentation et commentaires de documents pour une étude du syndicalisme féminin, Paris, Editions du CNRS, 1966.

GUILBERT Madeleine, *Les fonctions des femmes dans l'industrie*, Paris, La Haye, Mouton et Cie, 1966.

GUILLAIS Joëlle, *La chair de l'autre. Le crime passionnel au XIXe siècle*, Paris, O. Orban, 1986.

GUILLAUMIN Colette, *Sexe, race, et pratiques du pouvoir : l'idée de nature*, Paris, Editions Côté Femmes, 1992.

GUIRAL Pierre et THUILLIER Guy, *La vie quotidienne des domestiques en France au XIXe siècle*, Paris, Privat, Hachette, 1978.

HAMP Pierre, *La peine des hommes*, Le lin, Abbeville, Imp. F. Paillart, Paris, Ed. de la N. R. F., 1924.

HANDMAN Marie-Elisabeth, *La violence et la ruse. Hommes et femmes dans un village grec*, Aix-en-Provence, Edisud, 1983.

HAUSSONVILLE G. P. O., Cte d'., De l'Académie française, *Salaires et misères des femmes*, Paris, Calman-Lévy, 1900.

Histoire des femmes du Nord, *Revue du Nord*, Université de Lille III, No Spécial, 1981.

JONQUIERES Amédée de, *De la preuve de la filiation en droit romain et de la recherche de paternité en droit français*, Thèse, Faculté de droit de Paris, Imp. V. Goupy et Jordan, 1878

KEYHOLEN Denise, *Le harcèlement sexuel sur le lieu du travail dans la Belgique du XIXe siècle.* Institut supérieur du travail, KUL, LOUVAIN, 1990.

KLEJMAN Laurence et ROCHEFORT Florence, *L'Egalité en marche, Le féminisme sous la troisième République*, Paris, Presses de la Fondation Nationale des Sciences Politiques, Ed. Des Femmes, 1989.

KNIBIELHER Yvonne, *Histoire des mères*, Paris, Ed Montalba, 1977.

LABBE Jean Luc, *Les chemisières du Bas Berry, Les femmes et le travail industriel dans l'Indre au XIXe siècle*, 1860/1940, Musée social, 1985.

LABOULAYE Edouard de, *Recherches sur la condition civile et politique des femmes, depuis les Romains jusqu'à nos jours*, Paris, A. Durand, 1843.

LAFFARGUE Paul, *La question de la femme*, Paris, Editions de l'Œuvre Nouvelle, 1904.

LAGRESILLE George, *Commentaire théorique et pratique de la loi du 2 novembre 1892 sur le travail des enfants, des filles mineures et des femmes dans les établissements industriels*, Paris, E. Larose, 1893.

LAINE André, *Les demoiselles de magasins*, Paris, Arthur Rousseau, 1911.

LAPIE Paul, *La femme dans la famille*, Bibliothèque biologique et sociologique de la femme, Paris, O. Douin, 1908.

LECOMTE Georges, *Les cartons verts*, roman contemporain, Paris, E. Fasquelle, 1901.

LEGOUVE Ernest, *Histoire morale des femmes*, Paris, G. Sandré, 1897.

LEGRAND Louis-Désiré, *Le mariage et les mœurs en France*, Ouvrage couronné par l'Académie des sciences morales et politiques, Paris, Hachette, 1879.

LELEU Thierry, Scènes de la vie quotidienne. Les femmes dans la vallée de la Lys – 1870-1920, *La Revue du Nord*. N° spécial. Histoire des femmes du Nord. 1981.

LEMONNIER Camille, *Happe chair*, Paris, E. Monnier, de Brunhoff et Cie, 1886.

LEPLAY Frédéric, *L'organisation du travail selon la coutume et la loi du décalogue*, Tours. Mame et fils, 1870.

LEPLAY Frédéric, *Les ouvriers européens. Etude sur les travaux, la vie domestique et la condition morale des populations ouvrières de l'Europe 1877-1879*, 2e Ed. Tours, A. Mame et fils, 6 vol.

LEROY BEAULIEU Paul, *Le travail des femmes au XIXe siècle*, Paris, Charpentier, 1873.

LESSELIER Claudie, Employées des grands magasins à Paris avant 1914, in Travaux de femmes au XIXe siècle. *Le Mouvement social* octobre-décembre 1978.

LESUEUR Daniel Madame, *L'évolution féminine, Ses résultats économiques*, Paris, A. Lemerre Ed., 1905.

LETOURNEAU Charles, *L'évolution du mariage et de la famille*, Bibliothèque d'Anthropologie, A. Delahaye, 1888.

LETOURNEAU Dr Charles, *La condition de la femme dans les diverses races et civilisations*, Paris, V. Giard & Brière, 1903.

LION MURARD et Patrick ZYLBERMAN, *Le petit prolétaire infatigable ou le prolétaire régénéré*, Rechercher, novembre 1976.

LOCARD Edmond, *Les crimes de sang et les crimes d'amour au XVIIe siècle*, Paris, A. Storck, 1903.

LOMBROSO Cesare, *La femme criminelle et la prostituée*, 1895, Réédité par J. Millo, Grenoble, 1991.

LOURBET Jacques, Membre de la société de sociologie de Paris, *Le problème des sexes*, Paris, V. Giard et E. Brière, 1900.

LOUIS Marie-Victoire, Rechercher sur les femmes recherches féministes, in : *L'état des sciences sociales en France* (sous la direction de Marc Guillaume), Paris, Editions La Découverte. 1986.

LOUIS Marie-Victoire, *De l'appropriation du corps des femmes, XIXe siècle*, in Association européenne contre les violences faites aux femmes au travail. *De l'abus de pouvoir sexuel. Le harcèlement sexuel au travail,* Paris, La Découverte, Le Boréal, 1990.

MADAY André de, *Le droit des femmes au travail*, V. Giard & Brière, 1905.

MALKIEL Theresa Serber, *Journal d'une gréviste*, Traduit de l'américain, Introduction par Françoise Basch, Paris, Payot, 1980.

MALLET Marie-Agnès, Maîtres et servantes. Des histoires d'infanticides, France, XIXe siècle, *in Projets féministes*, N° 1. mars 1992.

MALOT Hector, *Seduction*, Paris, E. Dentu, 1881.

MANNHEIM Charles, *De la condition des ouvriers dans les manufactures de l'Etat* (tabacs, allumettes), Faculté de droit de Paris, Thèse pour le doctorat, V. Giard et E. Brière, 1902.

MARGUERITTE Victor, *Prostituée*, roman, Paris, E. Flammarion, 1920.

MARGUERITTE Victor, *La garçonne*, roman, Paris, E. Flammarion, 1922.

MARGUERITTE Victor, *Le compagnon*, roman de mœurs, Paris, E. Flammarion, 1923.

MARGUERITTE Victor, *Le bétail humain*, roman, Paris, E. Flammarion, 1928.

MARTIN-FUGIER Anne, *La place des bonnes. La domesticité féminine à Paris en 1900.* Paris, Grasset. 1979.

MARTIN-FUGIER Anne, la fin des nourrices, in *Le Mouvement Social.* Travaux de femmes dans la France au XIXème siècle. octobre-décembre 1978.

MATHIEU Nicole-Claude (Textes réunis par), *L'arraisonnement des femmes*. Essai en anthropologie des sexes, Paris, EHESS, 1985.

MATHIEU Nicole Claude, *L'anatomie politique : catégorisations et idéologies*, Paris, Ed. Côté Femmes, 1991.

MAUPASSANT Guy de, *Histoire d'une fille de ferme*, *in* Œuvres complètes (III), Paris, L. Connard. 1908-1910.

MAUPASSANT Guy de, *Une vie*, *in* Œuvres complètes (V), Paris, L. Connard, 1908-1910.

MAUPASSANT Guy de, *La maison Tellier*, *in* Œuvres complètes (III), Paris, L. Connard, 1908-1910.

MAUPASSANT Guy de, *La petite Roque*, *in* Œuvres complètes (XVI), Paris, L. Connard, 1908-1910.

MENY George (Abbé), *Le travail à bon marché*, Enquêtes sociales, avec une préface de M. l'Abbé Lemire, Paris, Bloud & Cie, 1907.

MERRIMAN John M., *Limoges, la ville rouge. Portrait d'une ville révolutionnaire*, Paris, Belin, 1990.

Métiers de femmes, sous la direction de Michelle Perrot, *Le Mouvement Social*, No 140, juil-sept 1987, Les Editions de l'Atelier/Editions Ouvrières.

MICHELET Jules, *La femme*, Paris, L. Hachette, 1860. Réédité, Paris, E. Flammarion, 1985.

MILHAUD Caroline, *L'Ouvrière en France. Sa condition présente, les réformes nécessaires*, Paris, Alcan, 1907.

MILLET Albert, Avocat, *De la séduction*, Paris, A. Cotillon, 1876.

MIRBEAU Octave, *Le journal d'une femme de chambre*, roman, Paris, E. Fasquelle, 1927.

MOLL WEISS Augusta, *Les gens de maison*, Niort, Imp. Saint Denis, 1927.

MONIER A. De, *Le droit des femmes et la morale intersexuelle*, Paris, Schleicher Frères, Genève, Henry Kundig, 1903.

NAVILLE Ernest, *La condition sociale des femmes*, Etudes de sociologie, Lausanne, A. Imer, 1891.

NETTER Yvonne, *L'indépendance de la femme mariée dans son activité professionnelle*, Thèse pour le doctorat, Paris, Presses Universitaires de France, 1923.

NETTER Yvonne, *Le code de la femme*, Paris, Editions du progrès civique, 1926.

NIBOYET Eugénie, *Le vrai livre des femmes*, Paris, E. Dentu, 1863.

NICOLEAU Patrick, Bibliographie, *in* Anne Zelensy et Mireille Gaussot, *Le harcèlement sexuel. Scandales et réalités*, Paris, Ed. Garancière, 1986, P. 173 à 189.

NICOLEAU Patrick, Quand les institutrices devenaient des maîtresses, *in* Cette violence dont nous ne voulons plus, No 9, Oct. 1989.

NUSSE Ernest et PERIN Jules, *Législation protectrice de l'enfance ouvrière, atelier, travail, école*. Commentaire de la loi du 18 mai 1874 sur le travail des enfants et des filles mineures employées dans l'industrie, Paris, Marchal, Billard et Cie, 1878.

ORILLARD Alfred, Avocat à la cour d'appel de Paris : *Des droits de la femme mariée sur le produit de son travail*, Poitiers, Impr Blay et Roy, 1897.

PARENT LARDEUR Françoise, *Les demoiselles de magasin*, Paris, Les Editions Ouvrières, 1965.

PELLETIER Madeleine, *La femme en lutte pour ses droits*, V. Girad et E. Brière, 1908.

PELLETIER Madeleine, *Le droit au travail pour la femme*, Paris, La Brochure mensuelle, No 107, nov 1931.

PELLETIER Madeleine, *L'émancipation sexuelle de la femme*, V. Girad & Brière, 1911.

PELLETIER Madeleine, *L'amour et la maternité*. La Brochure mensuelle. 1923.

PELLETIER Madeleine, *Le droit à l'avortement*, Paris, Ed. du Malthusien, 1913, repro-duit dans *L'éducation féministe des petites filles*, Préface et notes de Claude Meignien – Paris, Syros, 1978.

PELLETIER Madeleine, *La femme vierge*. Paris, Bresle, 1933.

PELLETIER Madeleine, *La rationalisation sexuelle*. Ed. du Sphinx, 1935.

PELLOUTIER Fernand et Maurice, *La vie ouvrière en France*, Bibliothèque internatio-nale des sciences sociologiques, Paris, Schleicher frères Ed., 1900. Réimpression en fac similié, F. Maspéro, 1975.

POPINEAU Albert, *La protection du travail dans l'industrie et le commerce*, Paris, Marchal et Billard, 1905.

PERROT Michelle, *Les ouvriers en grève, France, 1871/1890*, Paris, La Haye, Mouton, 1973.

PERROT Michelle, L'éloge de la ménagère dans le discours des ouvriers français au XIXe siècle. *Romantisme* : Mythes et représentations de la femme au XIXe siècle, oct-déc 1976.

PERROT Michelle, Comment les ouvriers voyaient leurs patrons. *In : Le Mouvement Social,* Paris, Les Editions de l'Atelier/Editions Ouvrières, 1979.

PERROT Michelle (sous la direction de), *Une histoire des femmes est-elle possible ?* Colloque Saint-Maximin, Marseille, Rivages, 1984.

PERROT Michelle et DUBY George, *Histoire des femmes*, Plon, 1992 (5 Tomes). Tome IV : Le XIXe siècle, (sous la direction de Michelle Perrot et Geneviève Fraisse).

PEYRE Christiane, *Une société anonyme*, préface d'Albert Memmi, Paris, R. Julliard, 1962.

PHAN Marie-Claude, *Les amours illégitimes. Histoires de séduction en Languedoc* (1676-1786), Editions du CNRS, Centre régional de publication de Toulouse, 1986.

PIERRARD Pierre, *La vie ouvrière à Lille sous le Second Empire*, Paris, Bloud et Gay, 1965.

POUGHON Louis, *De la séduction envisagée au double point de vue civil et pénal*, Paris, G. Grès, 1911.

POULOT Denis, *Le sublime ou le travailleur comme il est en 1870 et ce qu'il peut être*, Etude préalable d'Alain Cottereau, Paris, F. Maspéro, 1980.

POUZOL Abel, *La recherche de paternité, Etude critique de sociologie et de législation com-parée*, Bibliothèque de sociologie internationale, préface par M. Béranger, Paris, V. Giard et E. Brière, 1902.

PROUDHON, *La pornocratie ou les femmes dans les temps modernes*, Paris, A. Lacroix, 1875.

RENARD Georges, Professeur au collège de France, *L'ouvrière à domicile*, Paris, Imp. de Ramelot, 1928.

RENARD Jules, *Le pain de ménage*, Comédie en un acte. Paris, Librairie P. Ollendorff, 1899.

RENARD Jules, *Les cloportes*, roman, Paris, G. Crès 1889.

RENARD Jules, *Journal 1897-1910*, Texte établi par Guichard Léon et Sigaux Gilbert, Paris, Gallimard, Bibliothèque de la Pléiade, 1977.

REYBAUD Louis, Institut impérial de France, *Rapport sur la condition morale, intellectuelle et matérielle des ouvriers qui vivent du travail de la soie,* Paris, Firmin Didot, 1860.

REYBAUD Louis, Institut impérial de France, *Rapport sur la condition morale, intellectuelle et matérielle des ouvriers qui vivent de l'industrie du coton*, Paris, Firmin Didot, 1862.

REYBAUD Louis, Institut Impérial de France, *Rapport sur la condition morale, intellectuelle et matérielle des ouvriers qui vivent de l'industrie de la laine,* Paris, Firmin Didot, 1865.

RICHEBOURG Emile, *Cendrillon, La fée de l'atelier,* roman dramatique contemporain, Paris, Librairie illustrée, (s. d.)

RICHER Léon, *La femme libre,* Paris, E. Dentu, 1877.

RICHER Léon, *Le code des femmes,* Paris, E. Dentu, 1883.

ROBIN-CHALLAND Louise, *Les danseuses de l'Opéra. L'envers du décor,* Thèse. Université Paris VII, Paris, 2 Tomes, 1983.

RONSIN Francis, *La grève des ventres, Porpagande néo-malthusienne et baisse de la natalité en France*, XIXe - XXe siècle, Paris, Aubier Montaigne, 1980.

RONSIN Francis, *Les divorciaires, Affrontements politiques et conception du mariage dans la France du XIXe siècle,* Paris, Aubier, 1992.

ROSSEL André, *Le bon juge*, (Le président Magnaud) A l'enseigne de l'arbre verdoyant Ed., Dif A. Colin, 1983.

ROUSSEL Nelly, *L'éternelle sacrifiée,* préface, notes et commentaires de Maïté Albistur et Daniel Armogathe, Paris, Syros, 1979.

ROUVRE Charles de, *A deux,* Paris, A. Colin, 1896.

ROUYER Camille, *Les chemins de la vie. La femme dans l'administration*, préface d'Edouard Drumont, Tours. A. Mame, 1900.

SCHIRMACHER Käthe, *Le travail des femmes en France,* Paris, A. Rousseau, Le Musée Social, Mémoires et documents, mai 1902.

SCHLUMBERGER Marguerite, Déléguée au conseil international des femmes, *Une femme aux femmes, Pourquoi les femmes doivent étudier la question des mœurs,* Paris, Fisbacher, 4e édition, 1911.

SCHMAHL Jeanne, La question de la femme, publications de l'*Avant-Courrière,* Paris, Extrait de la Nouvelle Revue, 15 janvier 1894.

SCHMAHL Jeanne, Le préjugé de sexe, publications de l'*Avant-Courrière,* extrait de la Nouvelle Revue, 1er mars 1895, 1895.

SCOTT Joan, Les femmes et la mécanisation du travail, *Pour la science,* nov 1982.

SECOND Albéric, *Les petits mystères de l'Opéra,* Paris, G. Kugelman, 1844.

SECRETAN Charles, *Le droit de la femme,* Paris, F. Alcan. (3e édition) 1888.

SHORTER Edward, *Naissance de la famille moderne, XVIII-XXe siècle,* traduit de l'anglais, Paris, Le Seuil, 1977.

SHORTER Edward, *Le corps des femmes,* traduit de l'anglais, Paris, Le Seuil, 1984.

SIMON Jules, *L'Ouvrière,* A l'écoute du peuple, Paris, Hachette, 1867 (6e édition), reproduction en fac similé, G. Monfort, 1977.

SIMON Jules, *La Liberté*, Paris, Hachette, 1859, 2 tomes.

SIMON Jules et SIMON Gustave, *La femme au XXe siècle*, Paris, Calmann-Lévy, 1892.

SOHN Anne-Marie, Les attentats à la pudeur sur les fillettes et la sexualité quotidienne en France, 1870-1939, *in Violences sexuelles, Mentalités*, (présenté par Alain Corbin), Ed. Imago, 1989.

SOWERWINE Charles, MAIGNIEN Claude, *Madeleine Pelletier, Une femme dans l'arène politique,* Paris, Les Editions de l'Atelier/Editions Ouvrières, 1992.

SPRADLEY J. et MANN B., *Les bars, les femmes et la culture,* (traduit de l'anglais). P. U. F. Perspectives critiques, 1978.

STARCKE Carl Nicolaï, *La famille dans les différentes sociétés*, Paris, V. Giard & Brière, 1899.

STEINHARD George, *Des conséquences civiles de la séduction*, Faculté de droit de l'Université de Paris, Thèse pour le doctorat, Laval, Imp. de L. Barnéoud, 1907.

SUE Eugène, *Les mystères de Paris*, Paris, G. Gosselin, 1re édition, 1842-1843, 10 tomes en 5 volumes.

SULLEROT Evelyne, *Histoire et sociologie du travail féminin*, Essai, Paris Ed Gonthier, 1968

SYLVERE Antoine, *Toinou. Le cri d'un enfant auvergnat*, Pays d'Ambert, préface de Pierre Jakez Hélias, Paris, Plon, Coll. Terres humaines, 1980.

TALLON Eugène, *Lois de protection de l'enfance ouvrière*. Manuel pratique et commentaire de la loi du 19 mai 1874 sur le travail des enfants et des filles mineures dans l'industrie, 3e édition, Paris, F. Pichon, 1885.

TERNEAU Jacques, *Maisons closes de province. L'amour vénal au temps du règlementarisme à partir d'une étude du Maine Anjou*, préfaces d'Alain Corbin et Michelle Perrot, Editions du Cénomane, 1986.

THEBAUD Françoise, *La femme au temps de la guerre de 14*, Paris. Stock, 1986.

Travaux de femmes dans la france du XIXe siècle, présentés par Michelle Perrot, *Le Mouvement Social*, N° 105, Les Editions de l'Ateliers/Editions ouvrières, 1978.

THUILLIER Guy, *La vie quotidienne dans les ministères au XIXe siècle*, Paris, Hachette, 1976.

THUILLIER Guy, *Les femmes dans l'administration depuis 1900*, Paris, Presses Universitaires de France, 1988.

TILLY Louise A. & SCOTT Joan W., *Les femmes, le travail et la famille*, traduit de l'américain, Paris, Rivages/Histoire, 1987.

TOULOUSE Dr Edouard, *Les conflits intersexuels et sociaux*, Etudes sociales, Paris, E. Fasquelle, 1904.

TOULOUSE Dr Edouard, *Les leçons de la vie*, Etudes sociales, Paris, Librairie universelle, 1907.

TRAMAR Contesse de, *L'amour obligatoire, Les étapes de la vie d'une femme, la carrière d'un homme.* Paris, Librairie universelle 1913.

TREMPE Rolande, *Les mineurs de Carmaux, 1848-1914*, Paris, Les Editions de l'atelier/Editions Ouvrières, 1971, 2 vol.

TURMAN Max, *Initiatives féminines*, Paris, Lecoffre, 1905.

TUROT Henri, *Le prolétariat de l'amour*, Introduction historique par Paul-Louis Garnier, Paris, Librairie universelle, 1904.

VAN VORST Marie, *L'ouvrière aux Etats-Unis*, Lettre préface du Président Roosvelt, traduit de l'anglais, Paris, Felix Juven, Bibliothèque Femina, 1903.

VERNET Madeleine, L'amour libre, Nouvelles Editions, Conflans Ste-Honorine, Edition de la revue *l'Idée libre*, 1924.

VERON Dr Louis-Désiré, *Mémoires d'un bourgeois de Paris*, Paris, G. de Gonet ; 1832-1855, 6 vol.

VEUILLOT Louis, *Le droit du seigneur au Moyen-Age, 1854*, in Œuvres complètes, 1ère série, VI, 39 volumes.

VIALLETON Henri, *L'autorité maritale sur la personne de la femme, Etude critique de jurisprudence*, Thèse pour le doctorat es sciences économiques, Université de Montpellier, Imp. de Firmin et Montane, 1919

VILLERME Dr Louis-René, *Tableau de l'état physique et moral des ouvriers employés dans les manufactures de coton, de laine et de la soie*, Académie des sciences morales et politiques, Paris, J. Renouard et Cie, 1840. Réédition Paris, les Editions de l'Atelier/EDI, 1989.

VILLETTE Armand, *Du trottoir à St-Lazare*, Etude sociale de la fille à Paris, *De la réorganisation du service des mœurs*, Paris, Librairie universelle, 1907.

WEIL Simone, *La condition ouvrière*, Avant-propos par Albertine Thévenon, Paris, Gallimard, 1951.

WEYL Claude, *La réglementation du travail des femmes dans l'industrie, Loi du 2 novembre 1892*, Thèse, Paris, L. Larose, 1898.

WYLM Dr Antoine, *La morale sexuelle*, Paris, F. Alcan, 1907.

ZAROULIS Nancy, *Lumières des ténèbres*, roman traduit de l'anglais, Paris, Gallimard, 1980.

ZOLA Emile, *Travail*, préface des ouvriers de Lip, Lagrasse, Verdier, 1979.

ZOLA Emile, *Pot-Bouille*, Paris, G. Charpentier, 1882.

ZOLA Emile, *Germinal*, Paris, G. Charpentier, 1885.

ZOLA Emile, *Fécondité, Les quatre Evangiles*, Paris, E. Fasquelle, 1899.

ZYLBERBERG-HOCQUARD Marie-Hélène, *Féminisme et syndicalisme en France*, Paris, Anthropos, 1978.

ZYLBERBERG-HOCQUARD Marie-Hélène, L'ouvrière dans les romans populaires au XIXe siècle, *La Revue du Nord,* N° spécial. Histoire des Femmes du Nord, 1981.

ZYLBERBERG-HOCQUARD Marie-Hélène, *femmes et féminisme dans le mouvement ouvrier français,* Paris, les Editions de l'Atelier/Editions Ouvrières, 1981.

2. *Revues et périodiques dépouillés* *

L'*Action Ouvrière*, Organe du comité d'union·syndicaliste, 1909-1910, Bimensuel, (Organe des réformistes de la C. G. T.).

La Bataille Syndicaliste, avril 1911-août 1914, Quotidien, (*Journal officiel* de la C. G. T. Les principaux rédacteurs sont des syndicalistes révolutionnaires).

Cette violence dont nous ne voulons plus, Bulletin puis Revue de l'Association européenne contre les violences faites aux femmes au travail, 11 numéros parus, Mai 1986-Mars 1991.

Le Cri du Forçat, Organe socialiste révolutionnaire, Hebdomadaire, 1884.

Le Cri du Peuple, Organe de la Fédération socialiste de la Somme, 1902-1905.

Le Cri du Peuple, Hebdomadaire communiste du Nord, 1913-1914.

L'*Echo des Tabacs*, (puis *et des allumettes*), Organe des ouvriers des manufactures des Tabacs de France, 1985-1914.

Le Forçat, Organe de la Fédération socialiste de la région du Nord, Hebdomadaire, 1882-1883.

La Fronde, (puis *Journal féministe*) 1897-1914, Quotidien jusqu'en août 1903, devient ensuite bimensuel, puis paraît irrégulièrement.

La Gazette des Tribunaux, Journal de jurisprudence et des débats judiciaires, Hebdomadaire, 1894-1913.

L'*Humanité*, Quotidien, 1904-1913.

Le Libertaire, Hebdomadaire anarchiste, 1895-1914.

L'*Ouvrière*, Organe (puis Journal) des travailleuses, 1922-1927, puis 1930.

Le Père Peinard, Reflets d'un gniaff, 1889-1899, Hebdomadaire.

La Suffragiste, Revue féministe mensuelle, 1909-1920, Irrégulier.

La Révolution, 1909 (Organe officieux de la C. G. T.).

Terre Libre, Organe syndical d'action directe, 1909-1914, Irrégulier.

La Vie Ouvrière, Bimensuel, 1909-1914, (Organe du syndicalisme révolutionnaire).

La Voix du Peuple, Journal syndicaliste, Organe de la C. G. T., Hebdomadaire, 1900-1918.

* Lors de certains événements spécifiques, une recherche systématique de la presse régionale a été effectuée grâce à *l'Annuaire de la presse Française* publié annuellement depuis 1880. Cet annuaire fournit par département la liste des journaux et revues publiés.

Table des matières

Mis en pages par
Infoprint Ltd

Achevé d'imprimer en février 1994
dans les ateliers de Normandie Roto Impression s.a.
61250 Lonrai
N° d'éditeur : 4797 – N° d'imprimeur : I4-0126
Dépôt légal : février 1994